SHERLOCK HOLMES ET L'APICULTRICE

DU MÊME AUTEUR

Le Jeu du fou, Albin Michel, 1997
Un talent mortel, Albin Michel, 1996

Laurie King

SHERLOCK HOLMES ET L'APICULTRICE

Traduit de l'américain
par Claude Seban

Éditions Ramsay

Les citations placées en exergue de chaque chapitre sont extraites de La Vie des abeilles *de Maurice Maeterlinck.*

Titre original : *The Beekeeper's Apprentice*

LIVRE UN

Apprentissage

L'apprenti apiculteur

Deux personnages de piètre allure

À trouver hors de nous une marque réelle d'intelligence,
nous éprouvons un peu de l'émotion de Robinson
découvrant l'empreinte d'un pied humain
sur la grève de son île.

J'avais quinze ans lorsque je rencontrai Sherlock Holmes pour la première fois, quinze ans quand, me promenant dans les Downs du Sussex, le nez dans un livre, je faillis lui marcher dessus. Il faut dire à ma décharge que c'était un livre captivant et qu'il était fort rare de tomber sur un être humain dans cette région particulière du monde en cette année de guerre 1915. En sept semaines de lectures péripatétiques au milieu des moutons (qui en général s'écartaient) et des ajoncs (qu'à force d'expériences douloureuses, j'évitais d'instinct), je n'avais encore jamais marché sur personne.

C'était une journée ensoleillée et fraîche du début avril, et le livre était de Virgile. J'avais quitté à l'aube la ferme silencieuse, choisi une autre direction que d'habitude – le sud-est, vers la mer – et me colletais depuis avec les verbes latins, en enjambant inconsciemment les murets de pierre, en contournant distraitement les haies. Je n'aurais probablement remarqué la mer qu'en y tombant du haut d'une falaise de craie...

Et je ne pris conscience de la présence d'un autre être dans l'univers qu'en entendant à moins d'un mètre de moi un raclement de gorge sonore et masculin. Le texte latin vola dans les airs, suivi de près par un juron anglo-saxon.

Le cœur battant, je rassemblai ce que je pus de dignité et foudroyai du regard, à travers mes lunettes, l'individu accroupi à mes pieds : un homme grisonnant d'une cinquantaine d'années, émacié, qui portait une casquette de drap, un pardessus en tweed antédiluvien et de bonnes chaussures. Un sac à dos râpé était posé sur le sol à côté de lui. Un vagabond peut-être, qui avait caché le reste de ses possessions sous un buisson. Ou un excentrique. Certainement pas un berger.

Il ne dit rien. De façon très sarcastique. Je ramassai mon livre et l'époussetai.

« Que diable faites-vous tapi là ? demandai-je. Vous êtes en embuscade ? »

Il haussa un sourcil, sourit d'une manière singulièrement condescendante et irritante, et se mit à parler avec cette élocution traînante et précise qui caractérise le gentleman anglais trop cultivé. Une voix aiguë, mordante : un excentrique, sans aucun doute.

« Il me semble que l'on peut difficilement m'accuser d'être "tapi" où que ce soit, étant donné que je suis assis bien en vue sur une colline découverte, et que je vaque à mes occupations. Sauf, bien sûr, lorsqu'il me faut repousser des individus qui se proposent de me fouler aux pieds. » Il fit rouler le « r » de la liaison pour me remettre à ma place.

Eût-il dit n'importe quoi d'autre, ou même ces mots-là sur un autre ton, j'aurais simplement grommelé des excuses, tourné les talons avec décision, et ma vie aurait été fort différente. Mais il avait sans le savoir touché un point extrêmement sensible. Si j'avais quitté la maison au lever du jour, c'était pour éviter ma tante ; et la raison (la plus récente) pour laquelle je souhaitais l'éviter était notre violente dispute de la veille, déclenchée par le fait indéniable que mes pieds étaient devenus trop grands pour mes chaussures et ce, pour la seconde fois depuis mon arrivée, trois mois auparavant. Ma tante était petite, soignée, acariâtre, dotée d'une langue acérée, et très fière de ses mains et de ses pieds menus. Elle me faisait invariablement sentir ma gaucherie et ma maladresse, et me rendait d'une susceptibilité maladive sur le chapitre de ma taille et de la longueur correspondante de mes pieds.

Les paroles innocentes de l'inconnu et son attitude, qui était loin de l'être, eurent sur moi l'effet d'une giclée d'essence sur un feu qui couve. Les épaules rejetées en arrière, le menton levé, je m'apprêtai au combat. J'ignorais où j'étais, qui était cet homme, si je me trouvais sur ses terres ou lui, sur les miennes, si c'était un fou dangereux, un prisonnier en fuite ou le châtelain, et je m'en moquais. J'étais hors de moi.

« Vous n'avez pas répondu à ma question, monsieur », dis-je d'un ton mordant.

Ma colère ne l'émut pas. Pis que cela, il ne parut pas la remarquer. Il avait simplement l'air ennuyé.

« Sur ce que je fais ici, vous voulez dire ?

– Exactement.

– Je regarde les abeilles », répondit-il laconiquement, et il se remit à observer la colline.

Rien dans son attitude n'indiquait la folie. Je le surveillai néanmoins du coin de l'œil pendant que je fourrais mon livre dans ma poche et m'accroupissais – à bonne distance – pour étudier ce qui se passait dans les fleurs autour de moi.

Il y avait effectivement des abeilles, affairées à remplir de pollen ces sacs qu'elles ont sur les pattes. Je les contemplai et étais juste en train de me dire qu'elles n'avaient rien de particulièrement remarquable quand mon attention fut attirée par l'arrivée d'un spécimen curieux. Elle ressemblait à une abeille ordinaire mais avait une petite tache rouge sur le dos. Bizarre... était-ce ce qu'il observait ? Je jetai un coup d'œil à l'Excentrique, qui fixait maintenant le vide avec concentration, puis me penchai de nouveau sur les abeilles, avec plus d'intérêt que je n'aurais voulu. Je parvins vite à la conclusion que cette tache n'était pas un phénomène naturel, mais plutôt de la peinture, car je vis une deuxième abeille, tachée de travers, et une troisième, puis une autre curiosité : une abeille portant également une tache bleue. Tandis que je les examinais, deux taches rouges s'envolèrent vers le nord-ouest. Je regardai attentivement l'abeille bleue et rouge remplir ses corbeilles et la vis décoller en direction du nord-est.

Je réfléchis un instant, me levai, marchai jusqu'au sommet de la colline, en dérangeant brebis et agneaux, et lorsque je découvris en contrebas un village et une rivière, je sus instantanément où je me trouvais. Ma maison était à moins de trois kilomètres. Je me reprochai ma distraction d'un hochement de tête, réfléchis encore un peu à cet homme et à ses abeilles à taches rouges et bleues, puis redescendis prendre congé de lui. Il ne releva pas la tête, et je m'adressai donc à sa nuque.

« Si vous cherchez une autre ruche, je vous conseillerais plutôt les taches bleues. Celles que vous avez seulement marquées de rouge viennent probablement du verger de M. Warner. Les taches bleues sont plus loin, mais elles sont presque certainement sauvages. » Je sortis le livre de ma poche et, lorsque je levai les yeux, il me regardait avec une expression qui me laissa sans voix – ce qui n'est pas un petit exploit. Il était – comme disent les écrivains, mais comme les gens le sont rarement dans la réalité – bouche bée. Il ressemblait un peu à un poisson, à vrai dire, avec ses yeux ronds qui me fixaient comme s'il était en train de me pousser une autre tête. Il se mit lentement debout, en fermant peu à peu la bouche mais sans cesser de me dévisager.

« Qu'avez-vous dit ?

– Oh ! pardon, vous êtes peut-être dur d'oreille ? fis-je

en élevant la voix et en détachant les syllabes. J'ai dit que, si vous cherchiez une nouvelle ruche, vous feriez mieux de suivre les taches bleues, parce que les rouges appartiennent certainement à Tom Warner.

– Je ne suis pas dur d'oreille, mais muet d'étonnement. Comment savez-vous ce qui m'intéresse ?

– C'est assez évident, il me semble, dis-je avec impatience, bien qu'ayant déjà constaté que ce genre de choses n'avait rien d'évident pour la majorité des gens. Il y a des traces de peinture sur votre mouchoir de poche et sur vos doigts. Je ne vois pas à quoi servirait de marquer des abeilles sinon à les suivre jusqu'à leur ruche. Vous vous intéressez donc, soit au miel, soit aux abeilles elles-mêmes, et ce n'est pas en cette saison que l'on récolte le premier. Il y a trois mois, nous avons eu une période de froid exceptionnelle qui a tué de nombreuses colonies. Je suppose par conséquent que vous cherchez à repeupler vos ruches. »

Son visage ne ressemblait plus à celui d'un poisson. En fait, il me rappelait de façon saisissante un aigle en captivité que j'avais vu un jour, perché dans un splendide isolement et qui toisait les créatures inférieures de ses petits yeux gris et froids.

« Mon Dieu, dit-il avec un émerveillement feint. Ça sait penser. »

L'observation des abeilles avait un peu calmé ma colère, mais cette insulte désinvolte la fit flamber de plus belle. Pourquoi ce vieil homme exaspérant s'obstinait-il à provoquer quelqu'un qui ne lui faisait rien ? Je levai de nouveau le menton, en partie parce qu'il était plus grand que moi, et je ripostai :

« Mon Dieu, ça sait reconnaître un autre être humain quand il lui en bouche un coin. » J'ajoutai, pour faire bonne mesure : « Quand je pense que l'on m'a laissé croire que les gens âgés étaient bien élevés. »

Je reculai d'un pas pour juger de l'effet de mes coups, et alors que je le regardais droit dans les yeux, mon esprit établit enfin un lien entre sa personne, les rumeurs que j'avais entendues et les lectures que j'avais faites durant ma récente et longue convalescence : je sus qui il était. À ma profonde consternation.

J'avais toujours pensé, disons-le, qu'une grande partie des récits hagiographiques du Dr Watson était le produit de l'imagination médiocre de ce monsieur. Il prêtait en tout cas toujours au lecteur sa propre lenteur d'esprit. Extrêmement irritant. Néanmoins, derrière les niaiseries du biographe, il y avait un pur génie, un des grands cerveaux de sa génération. Une légende.

Or, voilà que j'étais devant cette légende, en train de lui décocher des insultes, de japper après ses chevilles comme un petit chien harcelant un ours. Je réprimai un mouvement de recul et attendis le coup de griffe qui m'enverrait voler.

À mon étonnement, toutefois, au lieu de contre-attaquer, il sourit d'un air condescendant et se baissa pour ramasser son sac. J'entendis tinter les bouteilles de peinture. Il se redressa, repoussa sa casquette démodée et me regarda d'un air las.

« Jeune homme, je...

– *"Jeune homme !"* » La coupe déborda. La colère me fit bouillir le sang. J'avais beau n'avoir rien de voluptueux, porter des vêtements pratiques, c'est-à-dire masculins... cela dépassait les limites du supportable. Oubliant sa peur, oubliant la Légende vivante, le petit chien attaqua avec tout le mépris dont seul un adolescent est capable. Je sautai avec jubilation sur l'arme qu'il m'avait fournie et reculai d'un pas pour mieux assener le coup de grâce. « "Jeune homme" ? répétai-je. Il faut se féliciter que vous ayez pris votre retraite, si c'est tout ce qui reste des facultés du grand détective ! » Et, ôtant ma casquette trop grande, je libérai mes longues tresses blondes.

Je savourai ma victoire en contemplant les émotions qui se peignaient sur son visage. À l'étonnement succéda la reconnaissance de la défaite, mais ensuite, il me surprit. Son visage se détendit, ses lèvres minces se contractèrent, ses yeux gris se plissèrent et, rejetant la tête en arrière, il éclata d'un grand rire ravi. C'était la première fois que j'entendais Sherlock Holmes rire, et bien que ce fût loin d'être la dernière, voir ce visage fier et ascétique convulsé par un rire irrépressible ne cessa jamais de me surprendre. Il se moquait toujours en partie de lui-même, et c'était le cas en cette occasion. Je fus totalement désarmée.

Il s'essuya les yeux sur le mouchoir qui dépassait de la poche de son manteau, salissant d'un peu de peinture bleue l'arête de son nez anguleux. Puis, me regardant véritablement pour la première fois, il désigna les fleurs d'un geste.

« Ainsi, vous vous y connaissez en abeilles ?

– Pas beaucoup, reconnus-je.

– Mais elles vous intéressent ?

– Non. »

Il haussa les deux sourcils.

« Peut-on savoir pourquoi vous êtes aussi catégorique ?

– D'après ce que je sais d'elles, ce sont des insectes stupides, qui ne servent guère qu'à permettre qu'il y ait des fruits sur les arbres. Les femelles font tout le travail ; les mâles font... eh bien, pas grand-chose. Et la reine, la seule qui pourrait être quelqu'un, est condamnée à passer sa vie à pondre pour le bien de la ruche. Et qu'arrive-t-il lorsqu'elle rencontre une des ses égales, une autre reine avec qui elle pourrait avoir quelque chose en commun ? continuai-je, en me laissant entraîner par mon sujet. Toutes deux sont obligées – pour le bien de la ruche – de se battre jusqu'à ce que mort s'ensuive. Les abeilles sont de splendides ouvrières, c'est vrai, mais que produit une abeille pendant sa vie entière sinon une unique cuillerée à café de miel ? Chaque ruche supporte de se faire voler régulièrement des centaines de milliers d'heures de travail qui seront étalées sur des tartines et transformées en bougies, au lieu de déclarer la guerre ou de se mettre en grève, comme le ferait n'importe quelle race raisonnable qui se respecte. Un peu trop de rapports avec la race humaine à mon goût. »

M. Holmes s'était accroupi pendant ma tirade et regardait une tache bleue. Lorsque je me tus, il ne dit rien mais déplia un long doigt mince et effleura avec douceur le corps velouté de l'insecte sans le déranger le moins du monde. Nous gardâmes le silence quelques minutes, jusqu'à ce que l'abeille s'envolât – en direction du nord-est, vers le boqueteau qui se trouvait à trois kilomètres de là, j'en étais certaine. Il la suivit des yeux et murmura presque pour lui-même : « Oui, elles ressemblent beaucoup à l'*Homo sapiens*. Peut-être est-ce pour cela qu'elles m'intéressent autant.

– J'ignore le degré de sapience que vous reconnaissez à la plupart des *homines*, mais en ce qui me concerne, je trouve ce qualificatif aussi mal approprié qu'optimiste. » J'étais sur un terrain familier à présent, celui de l'esprit et des opinions, un terrain chéri que je n'avais pas foulé depuis bien des mois. À mon grand plaisir, il répondit.

« L'*Homo* en général, ou seulement le *vir* ? » demanda-t-il avec une solennité qui me fit soupçonner qu'il se moquait de moi. Eh bien, je lui avais au moins appris à y mettre plus de subtilité.

« Oh ! non. Je suis féministe, mais je ne déteste pas les hommes. Je suis misanthrope en général, je suppose, comme vous, monsieur. Contrairement à vous, cependant, je juge la moitié féminine de l'espèce légèrement plus rationnelle. »

Il rit de nouveau, et je me rendis compte que cette fois j'avais cherché à l'amuser.

« Jeune fille, dit-il en appuyant d'un ton gentiment ironique sur le second mot. Vous m'avez déridé à deux reprises dans la même journée, ce que personne n'a fait depuis un certain temps. Je n'ai guère d'humour à vous offrir en retour, mais si vous vouliez m'accompagner chez moi, je pourrais au moins vous proposer une tasse de thé.

– J'accepte avec plaisir, monsieur Holmes.

– Ah ! vous avez l'avantage sur moi. Vous connaissez manifestement mon nom, mais il n'y a personne ici que je puisse solliciter de vous présenter. » Ce discours cérémonieux semblait légèrement ridicule étant donné notre piètre allure et la colline déserte sur laquelle nous nous trouvions.

« Je m'appelle Mary Russell. » Nous nous serrâmes la main comme si nous scellions un traité de paix, ce qui était sans doute le cas.

« Mary », répéta-t-il. Il prononçait à l'irlandaise, en allongeant la première syllabe comme une caresse. « Un nom fort convenable pour une personne aussi passive que vous l'êtes.

– Je pense avoir reçu le nom de Madeleine plutôt que celui de la Vierge.

– Ah ! voilà. Y allons-nous, mademoiselle ? Ma gouvernante devrait avoir quelque chose à nous offrir. »

Ce fut une belle promenade, près de six kilomètres à travers les Downs. Nous abordâmes divers sujets ayant un rapport plus ou moins étroit avec l'apiculture. Il gesticula sur un monticule en comparant l'organisation des ruches et les théories de gouvernement de Machiavel, et des vaches s'enfuirent en beuglant. Il s'arrêta au milieu d'un cours d'eau pour illustrer sa théorie rapprochant l'essaimage des abeilles et les racines économiques de la guerre, en donnant pour exemples l'invasion de la France par les

Allemands et le patriotisme viscéral des Anglais. Nos brodequins firent flic-flac pendant un bon kilomètre. Il atteignit le point culminant de sa péroraison au sommet d'une colline et se jeta dans la pente à une telle allure que l'on aurait dit un grand oiseau battant des ailes avant de s'envoler.

Nous marchâmes, il parla et, sous l'effet du soleil et de son monologue apaisant quoique incompréhensible par moments, je sentis quelque chose de dur et de contracté se détendre en moi, et un enthousiasme que j'avais cru mort se réveiller timidement. Lorsque nous arrivâmes à la fermette de Sherlock Holmes, nous nous connaissions depuis toujours.

D'autres sensations, plus physiques, avaient également commencé à se manifester, avec une insistance croissante. J'avais appris depuis quelques mois à traiter la faim par le dédain, mais une jeune personne vigoureuse qui a passé une longue journée en plein air en n'ayant avalé qu'un sandwich depuis le matin est encline à trouver difficile de se concentrer sur autre chose que l'idée de nourriture. Je priais que la tasse de thé fût accompagnée d'aliments substantiels et réfléchissais à la manière de les obtenir s'ils n'étaient pas immédiatement proposés, quand la gouvernante en personne apparut sur le seuil et me fit oublier un instant mes préoccupations. C'était en effet la patiente Mme Hudson, que je considérais depuis longtemps comme le personnage le plus sous-estimé des récits du Dr Watson. Un exemple de plus de la stupidité de l'homme, de son incapacité de reconnaître une pierre précieuse à moins qu'elle ne fût enchâssée dans l'or le plus voyant.

Cette bonne Mme Hudson, qui allait devenir une amie si chère. Lors de cette première rencontre, elle vit aussitôt ce que son employeur ne remarquait pas – que je mourais de faim – et entreprit de vider ses réserves pour satisfaire un appétit vigoureux. M. Holmes protesta d'abord en la voyant apporter pain, fromage, amuse-gueule, gâteaux, puis me regarda d'un air pensif faire largement honneur à la collation. Je lui fus reconnaissante de ne se livrer à aucun commentaire sur mon coup de fourchette, comme ma tante en avait la fâcheuse habitude ; il s'efforça au contraire de m'accompagner, ou du moins d'en donner l'impression. Lorsque je me calai enfin dans mon fauteuil avec ma troisième tasse de thé, repue comme cela ne m'était pas arrivé depuis longtemps, son attitude était respectueuse, et Mme Hudson débarrassa la table avec un air satisfait.

« Merci beaucoup, madame, dis-je.

– Ça fait plaisir de voir sa cuisine appréciée, dit-elle sans regarder M. Holmes. Je n'ai pas souvent l'occasion de mettre les petits plats dans les grands, sauf lorsque le Dr Watson vient nous rendre visite. Avec ce que mange cet homme-là, un chat mourrait de faim. Il n'apprécie pas ce que je fais, voilà le problème.

– Voyons, madame Hudson, protesta M. Holmes avec douceur, comme si c'était un vieux sujet de désaccord. Je mange comme j'ai toujours mangé. C'est vous qui cuisinez pour dix.

– Un chat mourrait de faim, répéta-t-elle d'un ton ferme. Mais je suis contente de voir que vous avez mangé un peu, aujourd'hui. Si vous avez fini, Will aimerait vous dire un mot avant de partir, au sujet de la haie du fond, je crois.

– Je me moque pas mal de la haie du fond, répliqua-t-il. Je le paie assez cher pour qu'il se soucie à ma place des haies, des murs et du reste.

– Il veut vous dire un mot », insista Mme Hudson. La répétition était apparemment sa méthode de discussion préférée avec Holmes.

« Oh zut ! Pourquoi ai-je jamais quitté Londres ? J'aurais dû installer mes ruches sur une parcelle et rester à Baker Street. Ma bibliothèque est à votre disposition, mademoiselle. Je serai bientôt de retour. » Il sortit en prenant sa pipe et son tabac au passage ; Mme Hudson leva les yeux au ciel et disparut dans la cuisine, et je me retrouvai seule.

Plus intéressée par mon hôte que par ses livres, je parcourus les titres (*Les Schistosomes de Bornéo* était coincé entre *La Pensée de Goethe* et *Les Crimes passionnels dans l'Italie du XVIIIe siècle*) en pensant à lui plutôt qu'à d'éventuels emprunts. Je fis le tour de la pièce (toujours du tabac dans une babouche perse près de la cheminée, remarquai-je avec amusement ; sur une table, une petite caisse marquée LIMONES DE ESPANA contenant des revolvers démontés ; sur une autre, trois montres de gousset presque identiques disposées avec une grande précision, leurs chaînes déroulées en lignes parallèles, ainsi qu'une loupe puissante, un compas et un bloc dont la première feuille était couverte de chiffres) avant de m'arrêter devant son bureau.

J'avais tout juste eu le temps de jeter un coup d'œil à son écriture soignée quand sa voix me fit sursauter.

« Voulez-vous que nous nous installions sur la terrasse ? »

Reposant vivement la feuille que je tenais à la main et qui paraissait traiter de sept formules de plâtre et de leur efficacité comparée pour mouler des empreintes de pneus dans différentes sortes de terres, je convins que nous serions mieux dans le jardin. Nous prîmes nos tasses mais, alors que je le suivais vers les portes-fenêtres, mon attention fut attirée par un étrange objet fixé contre le mur sud de la pièce : une sorte de boîte, de quelques centimètres de large et de près d'un mètre de haut. Elle semblait de bois massif mais, en y regardant de plus près, je vis qu'elle comportait en réalité deux panneaux coulissants.

« Ma ruche d'observation, dit M. Holmes.

– Des abeilles ? m'exclamai-je. Dans la maison ? »

Au lieu de répondre, il fit glisser l'un des panneaux, révélant une ruche parfaite, protégée par une vitre. Fascinée, j'étudiai l'agitation apparemment désordonnée des abeilles en tâchant d'y trouver un sens. Elles entraient, chargées de pollen, par un tube qui passait dans le fond de la boîte et repartaient, délestées ; un autre tube, au sommet, plus petit et embué, devait servir à l'aération.

« Voyez-vous la reine ? s'enquit M. Holmes.

– Elle est là ? Laissez-moi la trouver. » Je savais que c'était la plus grosse abeille de la ruche et qu'elle était toujours entourée d'une cour servile, mais j'eus cependant du mal à la repérer parmi ses quelque deux cents fils et filles. Lorsque j'y parvins, je me demandai comment j'avais fait pour ne pas la voir. Deux fois plus grosse que les autres, elle semblait d'une autre race que ses congénères. Je posai quelques questions à l'apiculteur – la lumière les gênait-elles ? la population était-elle aussi stable que dans une ruche plus grande ? –, puis il recouvrit ce tableau vivant, et nous sortîmes. Je me rappelai un peu tard que je ne m'intéressais pas aux abeilles.

La terrasse, dallée, était abritée du vent par une serre vitrée appuyée contre le mur de la cuisine, et par un vieux mur de pierre arrondi, bordé de plantes herbacées, qui fermait les deux autres côtés. Il y faisait si chaud que l'air dansait, et je fus soulagée de voir mon hôte marcher vers des fauteuils en bois confortables installés à l'ombre d'un immense hêtre pourpre. Je choisis un siège d'où l'on découvrait la Manche, par-dessus un petit verger niché dans un creux de terrain. Des ruches étaient disposées entre les arbres, et des abeilles butinaient les premières fleurs des plates-bandes. Un oiseau chantait. Deux voix d'hommes se firent entendre de l'autre côté du mur, puis s'éloignèrent. Des assiettes tintèrent dans la cuisine. Un petit bateau de pêche apparut à l'horizon et se dirigea lentement vers nous.

Je me rendis brusquement compte que je manquai au devoir de conversation d'une invitée. Déplaçant ma tasse de thé froid du bras de mon fauteuil à la table, je me tournai vers mon hôte.

« Est-ce votre œuvre ? » questionnai-je en désignant le jardin.

Il eut un sourire ironique, provoqué peut-être par mon ton dubitatif, ou par le sens des conventions sociales qui m'avait poussée à rompre le silence.

« Non, c'est celle de Mme Hudson et du vieux Will Thompson, l'ancien chef jardinier du manoir. Je me suis intéressé au jardinage dans les premiers temps de mon installation ici, mais mon travail a tendance à me distraire des journées entières. Je réapparaissais pour découvrir des parterres entiers morts de sécheresse ou envahis par les ronces. Mais Mme Hudson y prend plaisir, et cela lui donne autre chose à faire que de me harceler pour que je mange ses préparations culinaires. Je trouve l'endroit agréable pour m'y promener et réfléchir. Et il nourrit aussi mes abeilles : la plupart des fleurs sont choisies pour la qualité de miel qu'elles produisent.

– C'est un endroit très agréable, en effet. Cela me rappelle un jardin que nous avions quand j'étais petite.

– Parlez-moi donc de vous, mademoiselle. »

J'eus d'abord la réaction de rigueur – marques d'hésitation, puis autobiographie fade débitée sans enthousiasme –, mais son air d'inattention polie me fit vite taire. Et je lui adressai un grand sourire.

« Et si *vous* me parliez de moi, monsieur Holmes ?

– Ah ! ah ! un défi, hein ? » Une lueur d'intérêt s'alluma dans ses yeux.

« Exactement.

– Très bien. À deux conditions : que vous pardonniez à

mon vieux cerveau malmené ses rouages un peu grippés. Les méthodes de raisonnement qui assuraient autrefois mon gagne-pain demandent en effet à être constamment exercées pour ne pas rouiller, et la vie que je mène ici avec Mme Hudson et Will n'est guère faite pour aiguiser l'esprit.

– Je ne crois pas vraiment que vous sous-utilisiez votre cerveau, mais j'accepte cette condition. Quelle est la seconde ?

– Que vous vous livriez au même exercice sur mon compte lorsque j'en aurai terminé avec vous.

– Ah ! Entendu, j'essaierai, même si je m'expose à vos railleries.

– Bien. » Il frotta l'une contre l'autre ses mains fines et sèches, et je me retrouvai brusquement fixée par l'œil pénétrant d'un entomologiste. « J'ai devant moi une certaine Mary Russell, qui a reçu le nom de sa grand-mère paternelle. »

Je fus un instant prise au dépourvu, puis ma main effleura le vieux médaillon, gravé des initiales MMR, qui apparaissait entre les boutons de ma chemise. Je hochai la tête.

« Elle a, voyons... Seize ans ? Quinze, plutôt ? Oui, quinze ans, et, en dépit de sa jeunesse et du fait qu'elle n'aille pas à l'école, elle compte passer les examens d'entrée à l'université. » Je pensai au livre dans ma poche et approuvai encore. « Elle est manifestement gauchère, un de ses parents était juif – sa mère, je pense ? oui, sa mère sans aucun doute – et elle lit et écrit l'hébreu. Elle mesure pour le moment dix centimètres de moins que son père... c'était son costume ? Des erreurs jusque-là ? » demanda-t-il d'un air suffisant.

Je réfléchissais à toute allure. « L'hébreu ? dis-je.

– Les taches d'encre sur vos doigts indiquent que vous écrivez de droite à gauche.

– Bien sûr ! fis-je en regardant mon pouce gauche maculé d'encre près de l'ongle. Très impressionnant.

– Simples jeux de salon, répondit-il avec désinvolture. Mais les accents ne sont pas sans intérêt. » Il m'étudia de nouveau, puis appuyant les coudes sur les bras de son fauteuil, il rassembla les extrémités de ses doigts, les posa légèrement sur ses lèvres, ferma les yeux et reprit :

« Les accents. Elle a récemment quitté la maison de son père dans l'ouest des États-Unis, la Californie du Nord très probablement. Les parents de sa mère étaient des Juifs cockney, et Mlle Russell elle-même a grandi dans les abords sud-ouest de Londres. Elle est allée habiter en Californie, comme je l'ai dit, il y a environ deux ans. Prononcez le mot "martyr", je vous prie. »

J'obéis.

« Oui, deux ans. Entre ce moment-là et le mois de décembre, ses deux parents sont morts, peut-être dans l'accident qu'a eu Mlle Russell en septembre ou octobre dernier et dont elle conserve des cicatrices sur la gorge, le crâne et la main droite, ainsi qu'une faiblesse résiduelle dans ladite main et une légère raideur dans le genou gauche. »

Le jeu avait brusquement cessé d'être amusant. Figée, le cœur battant à peine, je l'écoutai poursuivre de sa voix froide et sèche.

« Une fois rétablie, elle fut envoyée dans la famille de sa mère, chez une parente avare et antipathique qui la nourrit nettement moins qu'il ne faudrait. Ce dernier point relève largement de la conjecture, je le reconnais, ajouta-t-il par parenthèse. Mais, pris comme hypothèse de travail, il permet d'expliquer une charpente solide fort peu enrobée et le fait qu'à la table d'inconnus, elle semble consommer passablement plus qu'elle ne le ferait, gouvernée strictement par son évidente bonne éducation. Je suis tout disposé à considérer une autre explication. » Il ouvrit alors les yeux et vit mon expression.

« Oh ! mon Dieu, fit-il avec un curieux mélange de compassion et d'irritation. On m'a pourtant mis en garde contre cette fâcheuse tendance. Je suis vraiment navré de vous avoir affligée. »

Je secouai la tête et tendis la main vers ma tasse de thé froid. La boule que j'avais dans la gorge m'empêchait de parler.

M. Holmes s'éloigna, je l'entendis échanger quelques phrases inintelligibles avec Mme Hudson dans la maison, puis il revint, chargé de deux verres délicats et d'une bouteille d'un vin très pâle. Il me servit, en m'expliquant que c'était du vin de miel – le sien, évidemment. Il se rassit, et nous bûmes à petites gorgées cette boisson parfumée. Au bout de quelques minutes, la boule fondit, et j'entendis de nouveau les oiseaux. Je pris une profonde inspiration et lui jetai un regard.

« Il y a deux cents ans, on vous aurait brûlé. » Je souhaitais donner un tour ironique à ma remarque, mais n'y réussis pas tout à fait.

« On me l'a déjà dit, quoique j'aie toujours eu du mal à me voir en sorcière caquetant au-dessus d'un chaudron.

– En fait, le Lévitique ne prescrit pas de brûler mais de lapider l'homme ou la femme qui parle avec les esprits – *iob*, un nécromancien ou un médium – ou qui est *yidoni*, du verbe "connaître", quelqu'un qui acquiert connaissance et pouvoir autrement que par la grâce du Dieu d'Israël, c'est-à-dire, euh... un sorcier. » Je me tus en me rendant compte qu'il me regardait avec l'inquiétude normalement réservée aux inconnus qui marmonnent dans votre compartiment de train ou à des relations ayant des dadas incompréhensibles et assommants. Ma tirade avait été une réaction réflexe, déclenchée par l'introduction d'un point de théologie dans notre discussion. Je le rassurai d'un faible sourire. Il s'éclaircit la voix.

« Euh... dois-je poursuivre ?

– Comme vous voulez, répondis-je avec appréhension.

– Les père et mère de cette jeune fille étaient relativement fortunés, et leur fille a hérité, ce qui, joint à son intelligence redoutable, empêche sa parente avaricieuse de la tenir en bride. Voilà pourquoi elle court les Downs sans chaperon et rentre à des heures tardives. »

Il semblait approcher de sa conclusion, et je tâchai donc de rassembler mes idées en déroute.

« Vous avez raison, monsieur. J'ai hérité, et ma tante a en effet des idées différentes des miennes sur la conduite qui sied à une jeune fille. Et parce qu'elle détient la clé du garde-manger et tente d'acheter mon obéissance avec de la nourriture, il m'arrive de manger moins que je ne le souhaiterais. Deux petites erreurs dans votre raisonnement, cependant.

– Ah ?

– Premièrement, je ne suis pas venue habiter chez ma tante. La maison et la ferme appartenaient à ma mère. Nous y passions l'été quand j'étais enfant – et j'y ai vécu certains des moments les plus heureux de mon existence. Lorsque l'on m'a renvoyée en Angleterre, j'ai accepté ma tante pour tutrice à la condition que nous nous installions ici. Elle n'avait pas de maison et y a donc consenti, à contrecœur. Bien qu'elle gère mes finances pour six ans encore, à strictement parler, c'est elle qui vit chez moi et non l'inverse. » L'aversion qui vibrait dans ma voix aurait pu échapper à quelqu'un d'autre, mais pas à Holmes. Je changeai vivement de sujet avant d'en révéler davantage sur ma vie. « En second lieu, j'ai évalué avec soin le temps qu'il me faudrait pour rentrer chez moi avant la nuit, et on ne peut donc parler d'heure tardive. Il me faudra bientôt prendre congé, étant donné qu'il fera nuit dans un peu plus de deux heures et que j'habite à trois kilomètres au nord de l'endroit où nous nous sommes rencontrés.

– Prenez le temps de remplir votre part de notre

accord, mademoiselle, dit-il avec calme. Un de mes voisins finance sa passion des automobiles en assurant ce qu'il tient à appeler un service de taxis. Mme Hudson s'est arrangée pour qu'il vous raccompagne chez vous. Vous avez encore une heure et quart avant qu'il ne vienne vous ramener dans les bras de votre chère tante. »

Je baissai les yeux, embarrassée. « Je crains que mes fonds ne me permettent pas un pareil luxe, monsieur. Le Virgile a déjà englouti mon argent de poche de la semaine.

– Je dispose d'une fortune importante, mademoiselle, et n'ai guère l'occasion de la dépenser. Permettez-moi de me passer un caprice.

– Non, c'est impossible. » Il me regarda et céda.

– Très bien, je vous propose un compromis, en ce cas. Je paierai cette course et toute autre dépense ultérieure du même genre, mais à titre de prêt. Je suppose que votre héritage sera suffisant pour vous permettre de faire face à cette accumulation de dettes ?

– Oh ! oui, sans difficulté », répondis-je en riant, me rappelant la scène qui s'était déroulée chez le notaire et la cupidité qui avait brillé dans les yeux de ma tante.

M. Holmes me jeta un regard perçant, hésita, puis déclara avec un certain tact : « Pardonnez-moi de m'ingérer dans votre vie privée, mademoiselle, mais j'ai une vision plutôt pessimiste de la nature humaine. Puis-je m'enquérir des dispositions du testament... ? » Un liseur de pensées, qui avait aussi une solide connaissance de la vie. J'eus un sourire sans joie.

« Si je venais à mourir, ma tante ne recevrait qu'une honnête rente annuelle. À peine plus que ce qu'elle a maintenant. »

Il parut soulagé. « Je vois. Revenons à ce prêt. Vos pieds souffriront si vous insistez pour marcher jusque chez vous avec ces chaussures. Prenez ce taxi, au moins ce soir. Je suis même prêt à vous calculer des intérêts, si vous le souhaitez. »

Il y avait dans cette dernière proposition ironique quelque chose qui chez un homme moins maître de lui-même aurait pu ressembler à une supplication. Nous nous dévisageâmes, dans ce jardin paisible, et il me vint à l'esprit que le petit chien jappeur lui avait peut-être paru un compagnon attachant. Peut-être même était-ce un début d'affection que je lisais sur son visage, et Dieu sait que la joie de rencontrer un esprit aussi vif et ouvert que le sien avait commencé à chanter en moi. Nous formions une drôle de paire, tous les deux : une gamine dégingandée à lunettes et un solitaire sardonique, doués ou affligés d'une intelligence aiguë qui éloignait leurs semblables, exception faite des plus entêtés. Il ne me vint pas un instant à l'idée que nous pouvions ne pas nous revoir. J'acceptai son offre indirecte d'amitié.

« Passer trois ou quatre heures par jour en trajets laisse en effet peu de temps pour le reste. Je vous remercie de votre proposition. Demanderons-nous à Mme Hudson de tenir les comptes ?

– Elle est très scrupuleuse dans ce domaine, contrairement à moi. Et maintenant, servez-vous un autre verre de mon vin et éclairez Sherlock Holmes sur lui-même.

– Vous avez terminé ?

– À part des choses évidentes comme les chaussures, le fait que vous lisiez tard sans l'éclairage nécessaire, que vous avez peu de mauvaises habitudes, que votre père fumait et que, contrairement à la plupart des Américains, il préférait la qualité à la mode en matière d'habillement... à part ces évidences, je m'arrête là pour le moment. À vous. Mais attention, je veux vos déductions, et pas ce que vous avez appris de mon cher ami Watson.

– Je m'efforcerai de laisser de côté ses observations pénétrantes, répliquai-je. Je me demande d'ailleurs si se servir de ses histoires pour tracer votre biographie ne se révélerait pas une arme à double tranchant. Les illustrations sont trompeuses, en tout cas ; elles vous font paraître bien plus vieux. Deviner l'âge de quelqu'un n'est pas mon fort, mais vous ne me semblez pas avoir beaucoup plus de... cinquante ans ? Oh ! je suis désolée. Certaines personnes n'aiment pas parler de leur âge.

– J'ai cinquante-quatre ans. Conan Doyle et ses complices du *Strand* ont cherché à me donner plus de dignité en exagérant mon âge. La jeunesse n'inspire pas confiance, que ce soit dans la vie ou dans la fiction : je l'ai constaté à mes dépens lorsque je me suis installé dans Baker Street. Je n'avais pas encore vingt et un ans, et il m'a été difficile de trouver mes premières affaires. Entre parenthèses, j'espère que vous n'avez pas pour habitude de deviner. C'est une faiblesse à laquelle l'on cède par indolence et qui ne doit jamais être confondue avec l'intuition.

– Je m'en souviendrai », dis-je, et je bus une gorgée de vin en réfléchissant à ce que j'avais vu dans la pièce. Puis choisissant mes mots avec soin, je me lançai : « Vous venez d'une famille modérément fortunée, et votre enfance n'a pas été entièrement heureuse. Aujourd'hui encore, vous vous interrogez sur vos parents, et cette partie de votre passé vous pose problème. » Comme il haussait le sourcil, je m'expliquai : « Vous avez posé la photo de vos parents, qui semble avoir été souvent maniée, sur une étagère près de votre fauteuil, légèrement cachée aux regards par des livres, au lieu de l'accrocher en évidence sur un mur et de l'oublier. » Ah ! comme il me fut doux de voir une expression admirative se peindre sur son visage et de l'entendre murmurer : « Très bien, vraiment très bien. » J'avais l'impression d'avoir trouvé un foyer.

« Je pourrais ajouter que cela explique que vous n'ayez jamais parlé de votre enfance au Dr Watson, car un homme aussi solide et issu d'une famille aussi manifestement normale aurait quelques difficultés à comprendre les fardeaux particuliers supportés par les esprits d'exception. Mais comme ce serait employer son vocabulaire, cela ne compte pas. Sans vouloir me montrer trop indiscrète, je me risquerais à dire que votre décision précoce de tenir les femmes à distance vient en partie de là, car il me semble qu'un homme comme vous n'imaginerait pas avoir avec une femme une relation qui n'intégrerait pas tous les aspects de vos vies, à la différence de l'association déséquilibrée et quelque peu capricieuse que vous avez eue avec le Dr Watson. » Son expression était indescriptible, à mi-chemin entre l'amusement et l'indignation, la colère et l'exaspération. Pour finir, ce fut la perplexité qui l'emporta. Me sentant vengée de la désinvolture avec laquelle il m'avait assené un choc douloureux, je poursuivis.

« Comme je l'ai dit, toutefois, je n'ai pas l'intention de m'ingérer dans votre vie privée. Un éclairage sur le passé était nécessaire en ce qu'il contribue au présent. Vous êtes ici pour échapper à la sensation désagréable d'être entouré d'esprits inférieurs, incapables de comprendre parce qu'ils ne sont pas faits de la même façon. Vous avez pris une retraite fort anticipée il y a douze ans, apparemment pour étudier les abeilles et vous consacrer à votre œuvre maîtresse sur l'art du détective. L'étagère près de votre bureau montre que vous en avez écrit sept volumes et, à en juger par les cartons de notes rangées au-dessous, un nombre à peu près équivalent devrait suivre. » Il hocha la tête et remplit nos verres. La bouteille était presque vide.

« Le Dr Watson et vous-même n'avez toutefois guère laissé de champ à mes déductions. Il me serait difficile de supposer que vous avez renoncé à vos expériences chimiques, par exemple, même si l'état de vos manchettes n'indiquait pas que vous en avez pratiqué récemment – ces brûlures d'acide sont assez fraîches pour que le tissu ne se soit pas encore effiloché au lavage. Vous ne fumez plus de cigarettes, à en juger par vos doigts, mais votre pipe sert manifestement souvent, et les cals au bout de vos doigts prouvent que vous jouez toujours du violon. Vous paraissez vous soucier aussi peu du dard des abeilles que de finances ou de jardinage, car votre peau porte des traces de piqûres anciennes et récentes ; et votre souplesse dénote que les théories donnant ces piqûres pour un remède contre les rhumatismes ne sont pas entièrement dépourvues de fondement. À moins que ce ne soit de l'arthrite ?

– Des rhumatismes, dans mon cas.

– Il me semble également possible que vous n'ayez pas entièrement renoncé à votre ancienne vie, ou qu'elle n'ait pas renoncé à vous. On devine une zone de peau plus pâle sur votre menton, qui montre que vous avez eu une barbe l'été dernier, rasée depuis. Le temps n'a pas encore été suffisamment ensoleillé pour en effacer la marque. Comme vous n'en portez pas d'habitude et que cela vous irait assez mal, à mon avis, je peux supposer qu'il s'agissait d'un déguisement, et que le rôle a duré quelques mois. Cela avait sans doute un rapport avec le début de la guerre. Espionnage contre le Kaiser, hasarderais-je. »

Son visage perdit toute expression, et il me dévisagea une longue minute. Je réprimai un sourire embarrassé.

« Je l'ai cherché, n'est-ce pas ? dit-il enfin. Connaissez-vous l'œuvre du Dr Sigmund Freud ?

– Oui, bien que je trouve les travaux de la génération suivante plus utiles. Freud est trop obsédé par les comportements exceptionnels : intéressant dans votre domaine, peut-être, mais beaucoup moins pour le généraliste. »

Il se fit soudain un grand remue-ménage dans le parterre de fleurs. Deux chats orange en jaillirent et traversèrent la pelouse en courant. Il les suivit du regard, les yeux plissés dans la lumière déclinante du soleil.

« Il y a vingt ans, murmura-t-il. Ou même dix. Mais

ici ? Maintenant ? » Il secoua la tête et se tourna de nouveau vers moi. « Qu'allez-vous étudier à l'université ? »

Je souris. C'était plus fort que moi ; je savais comment il allait réagir, et je souriais à l'avance de sa consternation. « La théologie. »

Sa réaction fut aussi violente que je l'avais prévu, mais si j'avais une certitude dans l'existence, c'était celle-là. Il décida bientôt que ce n'était pas pis qu'autre chose, en considérant cependant que c'était du gâchis et en me le disant. Je ne répondis rien.

L'automobile arriva peu après, et Mme Hudson sortit payer le chauffeur. Holmes lui expliqua notre accord et, amusée, elle promit de noter la dépense.

« J'ai une expérience à finir ce soir et vous prie donc de m'excuser », dit-il (il ne me fallut pas longtemps pour m'apercevoir qu'il détestait les adieux). Je lui tendis la main et la lui arrachai presque lorsqu'il voulut la baiser au lieu de la serrer comme la première fois. Mais il la retint et l'effleura de ses lèvres froides.

« Venez nous rendre visite chaque fois que je vous le souhaiterez, je vous en prie. Nous avons le téléphone, à propos. Mais demandez plutôt Mme Hudson ; ces braves dames du central décident parfois de me protéger en feignant l'ignorance. » Il me salua de la tête et s'apprêtait à tourner les talons quand je dis, en me sentant rougir :

« Puis-je vous poser une question, monsieur ?

– Certainement, mademoiselle.

– Comment finit *La Vallée de la peur* ?

– La quoi ?

– *La Vallée de la peur*. Dans *The Strand*. Je déteste ces feuilletons, et je me demandais si vous ne pourriez pas me révéler le dénouement.

– C'est un des récits de Watson, je suppose ?

– Bien sûr. C'est l'affaire de Birlstone, des Éclaireurs, de John McMurdo et du professeur Moriarty et...

– Oui, je vois de quoi il s'agit, encore que je me sois souvent demandé pourquoi, si Conan Doyle aime autant les pseudonymes, il ne nous en a pas donné, à Watson et à moi.

– Alors, comment cela finit-il ?

– Je n'en ai pas la moindre idée. Il faudrait que vous interrogiez Watson.

– Mais vous savez sûrement comment l'affaire s'est terminée, dis-je, stupéfaite.

– L'affaire, oui. Mais j'ignore absolument ce que Watson en a fait, sinon qu'il y a forcément du sang, des émotions violentes et des poignées de main secrètes. Ah ! et une pointe d'amour aussi. Je déduis, mademoiselle ; Watson transforme. Au revoir. »

Mme Hudson, qui avait écouté cette conversation, ne fit aucun commentaire mais me fourra un paquet dans les bras. « Pour le voyage », dit-elle, bien qu'à en juger par son poids, il m'aurait fallu bien plus que la durée du trajet pour en venir à bout, sans parler de ma capacité stomacale. Toutefois, si je parvenais à le dissimuler aux regards de ma tante, ce serait un complément bienvenu à mes rations. Je la remerciai avec chaleur.

« C'est vous qu'il faut remercier, ma chère enfant. Il y avait longtemps que je ne l'avais vu aussi animé. Revenez nous voir bientôt, je vous en prie. »

Je promis et montai dans la voiture. Le chauffeur démarra en trombe en faisant crisser le gravier, et c'est ainsi que commença ma longue association avec M. Sherlock Holmes.

L'apprenti sorcier

On y venait apprendre, à l'école des abeilles,
les préoccupations de la nature toute-puissante,...
la morale du travail ardent et désintéressé, et, ce qui est aussi bon...
les délices presque insaisissables de ces journées immaculées
qui tournent sur elles-mêmes dans les champs de l'espace,
sans nous apporter rien qu'un globe transparent,
vide de souvenirs comme un bonheur trop pur.

Trois mois après mon quinzième anniversaire, Sherlock Holmes entra dans ma vie pour devenir mon ami, mon professeur, un père de substitution et, finalement, mon confident. Pas une semaine ne s'écoulait sans que je passe au moins une journée chez lui, et je m'y rendais souvent trois ou quatre jours de suite si nous faisions des expériences ou travaillions à un projet. Rétrospectivement, je peux m'avouer que je ne n'avais jamais été aussi heureuse, même avec mes parents, et que même chez mon père, un homme très brillant, je n'avais pas trouvé un esprit aussi accordé au mien. Dès notre deuxième rencontre, nous abandonnâmes les « monsieur » et les « mademoiselle ». Au bout de quelques années, nous en arrivâmes à finir les phrases de l'autre et même à répondre à des questions non formulées... mais j'anticipe.

Pendant ces premières semaines printanières, je m'épanouis comme une graine tropicale qui a enfin eau et chaleur : physiquement grâce à Mme Hudson, et intellectuellement grâce à cet homme bizarre, qui avait renoncé à l'excitation de la chasse aux criminels pour venir dans la plus paisible des maisons de campagne élever des abeilles, écrire ses livres et, peut-être, faire ma connaissance. J'ignore quelles filandières nous placèrent à moins de quinze kilomètres l'un de l'autre. Je sais en revanche que je n'ai jamais rencontré un cerveau comme celui de Holmes. Et il dit n'avoir jamais rencontré ma pareille. Si je ne l'avais pas connu, si l'autorité de ma tante était demeurée incontestée, son esprit tordu aurait fort bien pu déteindre sur le mien. Je pense, de mon côté, avoir eu une influence non négligeable sur Holmes. Il stagnait – oui, même lui – et serait probablement mort prématurément, terrassé par l'ennui et la drogue. Ma présence, mon – disons-le – mon amour, lui donna une raison de vivre dès ce premier jour.

Si Holmes se glissa dans la niche qu'avait occupée mon père, je suppose que l'on peut dire que cette chère Mme Hudson devint ma seconde mère. Elle avait un fils en Australie qui lui écrivait régulièrement, mais j'étais sa seule fille. Elle me nourrit jusqu'à me faire perdre mon apparence efflanquée (mes formes ne devinrent jamais voluptueuses, mais ma silhouette était très à la mode dans les années 1920) et je grandis de cinq centimètres cette première année-là, de quatre l'année suivante, jusqu'à atteindre la taille définitive d'un mètre quatre-vingts. Je m'y habituai à la longue mais, pendant des années, je fus d'une incroyable maladresse, l'Attila des bibelots. Ce fut seulement après mon départ pour Oxford, quand Holmes me fit prendre des leçons dans un sport oriental (fort peu féminin : au début, seul le professeur accepta de travailler avec moi !), que j'appris à coordonner mes différents membres. Inutile de dire que Mme Hudson eût préféré des leçons de danse.

La présence de celle-ci rendait possibles mes visites à l'homme solitaire qui habitait la maison, mais son importance ne se limitait pas, loin s'en faut, à nous permettre d'observer les convenances. Grâce à elle, j'appris à jardiner, coudre un bouton, préparer un repas simple. Elle m'enseigna aussi que la féminité et l'intelligence n'étaient pas forcément incompatibles. Ce fut elle, plus que ma tante, qui m'éclaira sur le corps féminin (en d'autres termes que les manuels d'anatomie dont j'avais dépendu jusque-là, et qui dissimulaient et obscurcissaient plus qu'ils n'expliquaient). Ce fut elle qui m'emmena chez les couturiers et les coiffeurs londoniens, ce qui valut à Holmes d'avoir une attaque d'apoplexie à ma vue, lorsque je revins d'Oxford le jour de mon dix-huitième anniversaire. Je ne pus que me féliciter de la présence du Dr Watson en cette occasion. Si j'avais tué Holmes à cause de ma toilette, je me serais assurément jetée dans l'Isis avant la fin du trimestre.

Ce qui m'amène à Watson, que j'en vins à appeler oncle John, à son immense plaisir. J'étais parfaitement disposée à le détester. Comment pouvait-on avoir travaillé aussi longtemps avec Holmes et apprendre aussi peu ? Comment un homme apparemment intelligent avait-il pu ne rien comprendre avec autant d'application ? Comment pouvait-on être aussi bête ? résumait avec férocité mon esprit adolescent. Le pire, c'était qu'il donnait l'impression que Holmes, *mon* Holmes, recherchait sa compagnie pour l'une de ces deux raisons : porter un revolver (alors qu'il était lui-même un excellent fusil) ou jouer les idiots et faire apparaître le détective encore plus brillant par comparaison. Que trouvait donc Holmes à ce bouffon ? Oh ! oui, j'étais prête à le haïr, à ne lui épargner aucun coup de langue. Mais cela ne se passa pas ainsi.

J'arrivai à l'improviste chez Holmes, un matin de septembre. La première tempête d'automne avait mis hors service le central téléphonique du village, si bien que je n'avais pu annoncer ma venue comme je le faisais d'ordinaire. La route était si boueuse que je laissai mes brodequins crottés à la porte et entrai dans la cuisine, éclaboussée de boue et trempée de sueur à cause de l'humidité et de vêtements inadéquats. Mme Hudson n'était pas là, ce qui était inhabituel à cette heure matinale, mais j'entendis un murmure de voix dans la pièce principale. La sienne et celle d'un homme à l'accent londonien mâtiné d'intonations campagnardes. Un voisin peut-être, ou un invité.

« Bonjour, madame Hudson », dis-je doucement, supposant que Holmes dormait encore. J'allai dans l'arrière-cuisine où j'actionnai la pompe pour laver mon visage suant, mes mains et mes bras sales, mais lorsque je voulus prendre la serviette, ma main ne rencontra que le vide. Tandis que je la cherchais à tâtons avec irritation, j'entendis un bruit de pas et la serviette disparue me fut fourrée dans la main. Je la pris et y enfouis le visage.

« Merci, madame Hudson. Je vous ai entendue parler avec quelqu'un. Ma visite est-elle importune ? » N'obtenant pas de réponse, je levai les yeux et vis sur le seuil un homme corpulent à moustaches, qui me souriait d'un air radieux. Même sans lunettes, je sus instantanément de qui il s'agissait et dissimulai ma contrariété. « Docteur Watson, je suppose ? » Je me séchai les mains et lui tendis la droite. Il la retint un instant dans la sienne, me dévisageant toujours avec un sourire épanoui.

« Il avait raison. Vous êtes ravissante. »

Ce qui me jeta dans un abîme de perplexité. Qui diable était ce « il » ? Sûrement pas Holmes. Et « ravissante » ? Puant la transpiration, en chaussettes dépareillées et trouées au pouce, les cheveux en bataille et une jambe crottée de boue jusqu'au genou... ravissante ?

Je dégageai ma main, récupérai mes lunettes sur le buffet, les chaussai, et son visage rond émergea du brouillard. Il me regardait avec un plaisir si parfaitement sincère que je ne sus que faire et restai plantée là. Bêtement.

« Je suis si heureux de faire enfin votre connaissance, mademoiselle. Je serai bref parce que je pense que Holmes va bientôt se réveiller. Je tiens à vous remercier du fond du cœur de ce que vous avez fait pour mon ami, ces derniers mois. Si je l'avais lu dans un dossier médical, je ne l'aurais pas cru, mais je vois et je crois.

– Vous voyez quoi ? » dis-je. Bêtement. Comme un bouffon.

« Il ne vous a certainement pas échappé qu'il était malade, quoique vous ignoriez peut-être à quel point. J'étais au désespoir, car je savais qu'à ce rythme-là, il ne verrait pas un second été, peut-être même pas le nouvel an. Mais, depuis le mois de mai, il a pris trois kilos, son pouls est fort, son teint frais, et Mme Hudson me dit qu'il dort... de façon irrégulière, comme toujours, mais il dort. Il affirme avoir renoncé à la cocaïne dont il devenait rapidement dépendant... y avoir renoncé totalement. Je le crois. Et je vous remercie de toute mon âme, car vous avez réussi là où mes compétences avaient échoué et sauvé mon plus fidèle ami de la tombe. »

Je restai muette de confusion. Holmes, malade ? Il m'avait certes paru un peu maigre et grisâtre lorsque nous nous étions rencontrés, mais mourant ? Une voix sardonique nous fit sursauter.

« Allons, Watson, n'effrayez pas cette enfant avec vos inquiétudes exagérées. » Holmes se tenait sur le seuil dans sa robe de chambre gris souris. « "Sauvé de la tombe", vraiment ! Surmené, peut-être, mais un pied dans la tombe, certainement pas. Je reconnais que Russell m'a aidé à me détendre, et Dieu sait que je mange davantage lorsqu'elle est ici, mais cela ne va pas plus loin. Je ne veux pas que vous donniez à cette enfant le sentiment qu'elle est responsable de ma personne, vous entendez, Watson ? »

Le docteur tourna vers moi un visage si coupable que les dernières velléités que j'avais encore de le détester s'envolèrent. J'éclatai de rire.

« Mais je voulais seulement la remercier...

– Eh bien, c'est fait. Maintenant allons boire notre thé

en attendant que Mme Hudson nous prépare un petit déjeuner. Mort et résurrection, grogna-t-il. Ridicule ! »

Je passai une journée très agréable, même si je me sentis parfois perdue dans une conversation où surgissaient des personnages inconnus, où un simple nom de lieu évoquait une aventure entière et où, surtout, je voyais s'exprimer pour la première fois une amitié de longue date, un édifice complexe. C'était le genre de situation où un tiers, à savoir moi, aurait aisément pu se sentir mal à l'aise et de trop ; curieusement, ce ne fut pas le cas. Sans doute parce qu'en dépit de sa brièveté, j'étais déjà très sûre de la relation qui se construisait entre Holmes et moi, et que je ne craignais plus Watson ni ce qu'il représentait. De son côté, celui-ci n'éprouva jamais ni crainte ni ressentiment à mon égard. Avant notre rencontre, j'aurais décrété avec mépris qu'il était trop idiot pour me considérer comme une menace. Mais, dès cet après-midi-là, je sus que c'était parce qu'il avait trop de cœur pour exclure quoi que ce fût touchant à Holmes.

Le temps passa vite, et je pris plaisir à la compagnie de ce trio de vieux amis, Watson, Holmes et Mme Watson. Lorsque, après le dîner, Watson repartit à Londres par le train du soir, je m'assis près de Holmes, en éprouvant le vague besoin de présenter des excuses à quelqu'un.

« Vous savez sans doute que j'étais prête à le détester, dis-je enfin.

– Oh ! oui.

– Je comprends pourquoi vous aimiez l'avoir près de vous. Il est si... bon. Naïf, oui, et il n'a pas l'air terriblement brillant, mais quand je pense aux laideurs, aux souffrances qu'il a connues... cela l'a affiné, n'est-ce pas ? Purifié.

– C'est une bonne image. Me voir par les yeux de Watson m'était utile lorsque j'étudiais une affaire qui me donnait du fil à retordre. Il m'a beaucoup appris sur la façon dont les êtres humains fonctionnent, sur ce qui les motive. Watson m'oblige à rester humble. » Il surprit mon regard sceptique. « Aussi humble que je puis l'être, en tout cas. »

Ma vie recommença donc, en cet été 1915. Je mis toutefois un certain temps à m'apercevoir que je ne rendais pas simplement visite à un ami qui m'apprenait au petit bonheur des choses étranges et divertissantes, mais que je recevais en réalité un enseignement méticuleux dispensé par un professionnel aux compétences considérables. Je ne me considérais pas comme un détective ; j'étais étudiante en théologie, destinée à explorer, non les recoins obscurs des turpitudes humaines mais les sommets de la spéculation humaine sur la nature du divin. Que les deux ne fussent pas sans rapport ne devait m'apparaître que bien plus tard.

Mon apprentissage commença donc sans que j'en eusse véritablement conscience. Je pensai qu'il en allait de même pour Holmes, qu'il s'était mis à distraire une voisine un peu bizarre faute d'occupations plus exigeantes et s'était retrouvé avec un détective parfaitement formé, jusqu'à ce que, quelques années après, je me rappelle la phrase étrange qu'il avait prononcée dans son jardin lors de notre première rencontre : « Il y a vingt ans. Ou même dix. Mais ici ? Maintenant ? » Quand je l'interrogeai, il répondit naturellement qu'il avait su dès les premières minutes. Holmes s'étant toujours estimé omniscient, je ne peux toutefois le croire sur parole.

À première vue, il peut paraître extrêmement improbable qu'un gentleman convenable comme Holmes prenne pour élève une jeune femme, et encore plus qu'il l'initie à son mystérieux métier. Vingt ans plus tôt, sous le règne de Victoria, une relation comme la nôtre – intime, peu chaperonnée, et que ne cautionnaient même pas des liens de parenté – eût été inimaginable.

Nous étions toutefois en 1915, et si les classes supérieures s'accrochaient encore aux vestiges de l'ordre ancien, cela ne faisait guère que masquer le chaos sous leurs pieds. Pendant la guerre, le tissu même de la société anglaise fut débâti et retissé. La situation exigeait que les femmes travaillent hors de la maison, la leur ou celle de leurs employeurs ; elles chaussèrent donc des bottes d'hommes et firent marcher les tramways et les brasseries, les usines et les fermes. Les femmes de l'aristocratie se portaient volontaires pour aller soigner les blessés dans la boue et le sang de France, ou, histoire de s'amuser, enfilaient blouse et guêtres et se transformaient en travailleuses agricoles pendant les moissons. Les dures exigences du roi et de la nation, l'anxiété permanente concernant les combattants, réduisaient les règles du chaperonnage à peu de chose ; les gens n'avaient tout bonnement plus assez d'énergie pour se préoccuper des convenances.

Avec le recul, je pense que l'obstacle le plus important à notre association fut Holmes lui-même, la partie de lui qui parlait le langage des usages et, surtout, sa vision des femmes, qu'il considérait comme une tribu exotique et mystérieuse, pas entièrement digne de confiance. D'un autre côté, il était peu conventionnel, voire bohème, dans le choix de ses relations. Il avait des amis dans tous les milieux – cela allait du fils cadet d'un duc jusqu'à un prêteur sur gages de Whitechapel, en passant par le très bourgeois Dr Watson – et son métier le mettait en contact avec des rois, des tailleurs et des dames à la vertu incertaine. Il fermait même les yeux sur certaines petites activités criminelles, comme le prouveraient les relations amicales suivies qu'il avait gardées avec certains des Francs-Tireurs les moins recommandables de son époque de Baker Street. Mme Hudson elle-même était entrée dans sa vie par le biais d'une affaire de meurtre (celle que le Dr Watson intitula « Le Gloria-Scott »).

Peut-être aussi est-il vrai que les premières impressions sont indélébiles. Dès le premier jour, il me traita davantage en garçon qu'en fille, et sembla régler les problèmes que mon sexe pouvait lui causer en les ignorant purement et simplement : j'étais Russell, et s'il était nécessaire que nous soyons seuls ensemble, même toute une nuit, eh bien, nous le faisions. Pragmatiste avant tout, il n'avait pas le temps de s'embarrasser de codes inutiles.

Comme Watson avant moi, il me rencontra par hasard et, comme lui, je devins une habitude. Mon comportement, ma façon de m'habiller et même ma morphologie lui évitèrent d'avoir à reconnaître ma nature. Le temps que je devienne une femme, j'appartenais à sa vie, et il était trop tard pour qu'il changeât.

Pendant ces premiers mois, toutefois, je n'avais pas la moindre idée de ce qui m'attendait. Je pris simplement l'habitude de pousser régulièrement mes promenades jusqu'à sa fermette. Nous bavardions, il me montrait une de ses expériences du moment, et lorsque nous constations tous deux que je n'avais pas les éléments de base pour comprendre le problème, il me chargeait de livres, que je lui rendais une fois la lecture terminée. Il m'arrivait de le trouver à son bureau, en train de feuilleter des liasses de notes et de gribouillages, et il interrompait avec reconnaissance son travail pour me lire ce qu'il était en train d'écrire. Des questions suivaient, et d'autres livres.

Nous passions beaucoup de temps dans la campagne, sous le soleil, la pluie ou la neige, à suivre des empreintes de pas, à comparer des échantillons de boue, à noter la façon dont les différents types de sol modifiaient la qualité et la longévité d'une empreinte de pas ou de sabot. Tous les voisins que nous avions dans un rayon de quinze kilomètres reçurent notre visite au moins une fois, car nous étudiâmes les mains du trayeur et du forestier, comparâmes leurs cals, la musculature de leurs bras et, s'ils le permettaient, celle de leur dos. On nous voyait souvent sur les routes, un grand homme maigre et grisonnant coiffé d'une casquette et une fille dégingandée à tresses blondes, absorbés dans une conversation ou penchés sur un objet. Les paysans nous hélaient gaiement depuis leur champ, et même les châtelains nous saluaient d'un coup de trompe lorsqu'ils nous dépassaient à toute allure dans leur Rolls.

À l'automne, Holmes commença à me proposer des énigmes. Tandis que la pluie tombait et que nos promenades sur les Downs raccourcissaient avec les jours, tandis que des hommes mouraient dans les tranchées d'Europe et que les zeppelins lâchaient des bombes sur Londres, nous jouions à des jeux. Les échecs, naturellement, mais d'autres aussi, des exercices de détection et d'analyse de substances. Il lui arrivait également de me décrire certaines de ses affaires en me demandant de les résoudre à partir des faits recueillis. Puis un jour, en arrivant dans sa fermette, je trouvai, punaisé sur la porte de derrière, un message qui disait simplement :

« R,

Trouvez-moi.

H. »

Je sus immédiatement qu'il ne s'agissait pas de le chercher au hasard, et j'allai donc montrer le message à Mme Hudson, qui hocha la tête comme si elle avait affaire à des enfantillages.

« Savez-vous de quoi il retourne ? questionnai-je.

– Non. Si je comprends un jour cet homme, je prendrai une retraite glorieuse. J'étais à quatre pattes, ce matin, en train de nettoyer par terre, quand il arrive et me prie d'envoyer Will porter ses chaussures neuves au village parce qu'un clou se détache. Will se prépare donc et... plus la moindre trace de M. Holmes ni de ses chaussures ! Je ne le comprendrai jamais. »

Je me grattai métaphoriquement la tête quelques minutes avant de comprendre que j'étais tombée sur son indice. Je sortis et découvris naturellement un grand nombre d'empreintes. Toutefois, comme il avait plu la veille, la terre molle entourant la fermette était relativement lisible. Je découvris des empreintes montrant une légère éraflure sur le coin intérieur du talon gauche, là où le clou saillant s'était légèrement enfoncé dans le sol à chaque pas. Elles me conduisirent vers un parterre de fleurs où je savais que Holmes cultivait des plantes destinées à des potions et à diverses expériences. Les chaussures étaient là, mais pas Holmes. Les empreintes n'allaient pas plus loin. Je réfléchis un peu à ce problème, puis notai que l'on avait récemment coupé certaines capsules de fleurs. Je regagnai la maison, tendis les chaussures à une Mme Hudson perplexe et trouvai Holmes là où je savais qu'il serait, dans son laboratoire, des pantoufles aux pieds et penché sur des capsules de pavot. Il leva les yeux à mon entrée.

« Pas de devinettes ?

– Pas de devinettes.

– Bien. Alors venez que je vous montre comment on obtient l'opium. »

La formation dispensée par Holmes m'aiguisait les yeux et l'esprit, mais ne me préparait guère aux examens qu'il me faudrait passer pour entrer à Oxford. L'Université proprement dite n'admettait pas les femmes en ce temps-là, mais les collèges féminins étaient bons, et il était possible de suivre des cours magistraux ailleurs. J'avais d'abord été déçue de ne pas être acceptée à seize ans, en raison de la guerre, de mon âge, de mes intérêts et, il faut l'admettre, de mon sexe. Mais je vivais avec Holmes des heures si captivantes que je remarquai à peine ce changement de projet.

Grâce à une maîtresse d'école du village à la retraite,

qui guida mes lectures et m'aida à combler les lacunes de mon éducation, je réussis mes examens et pus entrer à Oxford à l'automne 1917. J'étais avec Holmes depuis deux ans et, dès le printemps 1917, j'étais capable de suivre des empreintes de pieds sur quinze kilomètres à travers la campagne, de distinguer, à leur tenue, un comptable londonien et un instituteur de Bath, de décrire un individu à partir de sa chaussure, de me déguiser assez bien pour donner le change à Mme Hudson et de reconnaître les cendres des cent douze marques de cigarettes et de cigares les plus connues. Je pouvais de surcroît réciter des passages entiers des classiques grecs et latins, de la Bible et de Shakespeare, décrire les grands sites archéologiques du Moyen-Orient et, grâce à Mme Hudson, distinguer un phlox d'un pétunia.

Et pourtant, omniprésente, sous les jeux et les défis, dans l'air même que nous respirions alors, il y avait la mort ; la mort, l'horreur et la conviction croissante que la vie ne serait plus jamais la même pour personne. Tandis que je grandissais et exerçais mon esprit, des jeunes gens vigoureux étaient déversés sans pitié dans le bourbier de huit cents kilomètres qu'était le front occidental ; une génération entière était broyée, brisée, dans un combat impossible, plongée dans la boue jusqu'aux cuisses, brûlée par les gaz, exposée au feu des mitrailleuses et se déchirant aux réseaux de barbelés.

La vie n'était pas normale pendant ces années-là. Tout le monde travaillait un temps anormal et accomplissait des tâches inhabituelles, les enfants dans les champs, les femmes dans les usines et au volant. Tout le monde connaissait quelqu'un qui avait été tué, aveuglé ou estropié. Dans un village voisin, les hommes s'étaient engagés en masse dans un régiment. Leur position fut prise en octobre 1916 et, après la guerre, il n'y avait plus un seul villageois de quatorze à quarante-six ans qui fût indemne.

J'étais assez jeune pour m'adapter à cette existence schizophrène, assez souple pour ne rien trouver d'excessivement étrange à passer mes matinées dans l'hôpital de fortune voisin – où j'apportais des pansements, le cœur soulevé par l'odeur putride des chairs gangrenées, en me demandant quel blessé je ne reverrais pas à ma prochaine visite –, puis mes après-midi penchée sur un des microscopes ou des becs Bunsen de Holmes, et enfin mes soirées à déchiffrer un texte grec.

Je m'étonnais parfois que Holmes ne parût pas s'émouvoir plus que cela de ce que son pays fût écorché vif dans les champs de la Somme et d'Ypres pendant qu'il élevait des abeilles dans le Sussex, procédait à des expériences abstruses et conversait longuement avec moi. Il arrivait toutefois que l'on vînt le consulter, je le savais. D'étranges personnages se glissaient dans la maison, s'enfermaient avec lui une grande partie de la journée et disparaissaient furtivement dans la nuit. Il se rendit deux fois à Londres pour y donner des cours de formation d'une semaine, mais lorsqu'il revint du second avec une mince coupure sur le visage et une toux douloureuse qui dura des mois, je me posai quelques questions sur le genre de formation dont il pouvait s'agir. Quand je l'interrogeai, il eut l'air gêné et refusa de m'éclairer. La réponse ne me serait donnée que bien plus tard.

À la longue, la tension de ces années de guerre se fit néanmoins sentir. Je commençai à me demander à quoi pouvait bien servir un diplôme universitaire, et à quoi pouvait rimer de s'entraîner à traquer un criminel ou même un assassin, alors qu'un demi-million de Tommies arrosaient de leur sang la terre d'Europe et que tous les hommes qui embarquaient sur un transport savaient avoir à peine une chance sur deux de rentrer entiers en Angleterre.

L'absurdité de tout cela me submergea un jour lugubre

de janvier 1917 lorsque, peu après avoir lu à un jeune soldat blessé une lettre de son épouse, je le vis mourir les poumons brûlés par ypérite. La plupart des jeunes filles de mon âge seraient rentrées chez elles en pleurant. Je me précipitai chez Holmes comme un ouragan et donnai libre cours à ma rage, arpentant si furieusement son laboratoire qu'il jetait des regards inquiets à ses instruments et à ses becs.

« Que faisons-nous ici, pour l'amour du ciel ? hurlai-je. Ne pourrions-nous pas nous rendre utiles au lieu de rester ici à jouer à nos petits jeux ? Ils ont sûrement besoin d'espions, de traducteurs ou d'autre chose... » Cela dura un certain temps.

Lorsque je commençai à donner des signes de fatigue, Holmes se leva sans mot dire et alla demander à Mme Hudson de nous faire du thé. Il le rapporta lui-même, remplit deux tasses et se rassit.

« Qu'est-ce qui a provoqué cette sortie ? » demanda-t-il avec calme. Épuisée tout à coup, je me laissai tomber dans un fauteuil et le lui dis. Il but son thé.

« Vous pensez donc que nous ne faisons rien. Non, ne revenez pas sur votre position, vous avez parfaitement raison. Dans l'immédiat, à quelques exceptions près, nous assistons à cette guerre en spectateurs. Nous la laissons aux bouffons au pouvoir et aux fidèles troufions qui marchent à la mort. Et après, Russell ? Êtes-vous capable de voir plus loin et d'imaginer ce qui se produira lorsque cette démence prendra fin ? Il y a deux possibilités, n'est-ce pas ? La première est que nous perdions, même si les Américains finissent par intervenir. Que cette petite île vienne à manquer de chair à canon avant les Allemands et soit envahie. L'autre possibilité qui, je vous l'accorde, semble assez ténue pour le moment est que nous parvenions à les repousser. Que se passera-t-il alors ? Le gouvernement s'emploiera à reconstruire, les survivants rentreront clopin-clopant et, en surface, nous connaîtrons bonheur et prospérité. Mais au-dessous, une criminalité sans précédent se développera, des charognards qui mettront à profit l'inattention des autorités. Si nous gagnons cette guerre, Russell, les gens qui ont des compétences – nos compétences – seront fort utiles.

– Et si nous ne gagnons pas ?

– Si nous perdons ? Imaginez-vous un instant qu'une personne observatrice et habile à se déguiser n'aurait pas quelques services à rendre dans une Angleterre occupée ? »

Il n'y avait pas grand-chose à répondre à cela. Je me calmai et retournai à mes études avec une détermination farouche, attitude que je conservai l'année suivante, jusqu'à ce que me fût donnée l'occasion de contribuer de manière concrète à l'effort de guerre.

Le moment venu, je choisis deux domaines d'étude principaux à Oxford : la chimie et la théologie, le fonctionnement de l'univers physique et ce qu'il y a de plus profond dans l'esprit humain.

Ce dernier été que je vécus dans la compagnie exclusive de Holmes fut d'une grande intensité. Alors que les Alliés, renforcés par l'aide économique, puis, finalement, par l'entrée en guerre des États-Unis, commençaient lentement à progresser, mes travaux dirigés avec Holmes devinrent de plus en plus ardus. Nos expériences chimiques ne cessaient de se complexifier, et il me fallait parfois plusieurs jours pour résoudre les énigmes qu'il imaginait. J'attachai un grand prix au sourire rapide, plein de fierté, qui, de façon très exceptionnelle, récompensait un succès d'importance, et je savais que je réussissais brillamment ces examens-là.

Ils s'espacèrent vers la fin de l'été pour être remplacés par de longues conversations. Un carnage se déroulait de l'autre côté de la Manche ; en juillet, les bombardements de la Somme firent vibrer l'air et trembler le verre pendant des jours d'affilée et je dus certainement passer de longues heures dans le poste médical de secours, pourtant, ce que je me rappelle surtout de cet été 1917, c'est la beauté du ciel. Le ciel immense et les collines sur lesquelles nous restions des heures à parler, discuter. J'avais acheté un joli jeu d'échecs de poche – ivoire, marqueterie et cuir – et nous fîmes d'innombrables parties sous ce ciel d'été. Il n'était plus nécessaire que Holmes s'imposât un sévère handicap pour avoir du mal à gagner. J'ai encore ce jeu et, lorsque je l'ouvre, je retrouve l'odeur des foins que l'on coupait dans un champ en contrebas le jour où je remportai ma première victoire.

Je partis pour Oxford quelques semaines plus tard. Holmes et Mme Hudson m'accompagnèrent. Nous nous promenâmes le long de la Cherwell et allâmes nourrir les cygnes grincheux de l'Isis, puis nous retournâmes à la gare en passant devant la fontaine de Mercure et la cloche silencieuse et lugubre appelée Tom. J'embrassai Mme Hudson et me tournai vers Holmes.

« Merci. » Ce fut tout ce que je parvins à dire.

« Tâchez d'apprendre quelque chose ici. Trouvez-vous des professeurs et apprenez. » Ce fut tout ce qu'il parvint à dire, puis nous nous serrâmes la main et partîmes mener nos vies séparées.

L'université d'Oxford qui m'accueillit en 1917 était l'ombre d'elle-même ; elle ne comptait qu'un dixième de sa population de 1914, moins que dans les années ayant suivi la peste noire. Les blessés en capote bleue, pâles et tremblants, dépassaient en nombre les universitaires en robe noire, et plusieurs des collèges, dont le mien, étaient affectés à leur hébergement.

J'attendais de grandes choses de cette université et,

dans bien des domaines, elle me les accorda en abondance. Je trouvai des professeurs, comme me l'avait ordonné Holmes et avant même que ce qui restait des *dons* en âge de combattre ne revinssent peu à peu de France, où ils avaient laissé des parties d'eux-mêmes. Je trouvai des hommes et des femmes que mon esprit fier et rugueux n'intimidèrent pas, qui me défièrent et me combattirent, sans hésiter à me remettre sèchement à ma place quand il le fallait – un ou deux d'entre eux surpassaient même Holmes dans l'art de la remarque brève et meurtrière. Je m'aperçus que celui-ci ne me manquait pas autant que je l'avais craint, et l'immense plaisir que j'avais à être débarrassée de ma tante me faisait trouver presque légères les règles irritantes du chaperonnage (pas de sortie sans autorisation ; deux femmes au moins dans toute réunion mixte ; fréquentation mixte des cafés permise uniquement entre deux et cinq heures de l'après-midi, et seulement sur autorisation, etc.) Beaucoup de jeunes filles les jugeaient exaspérantes ; je m'en accommodais mieux, mais peut-être seulement parce que j'étais plus agile à faire le mur ou à passer du toit d'un cab au rebord d'une fenêtre aux petites heures du matin.

S'il y avait une chose que je ne m'étais pas attendue à faire à Oxford, c'était de m'y amuser. Après tout, c'était une petite ville composée de vieux bâtiments de pierre sales et pleine de soldats blessés. Il y avait peu d'étudiants mâles, peu de professeurs mâles qui n'eussent pas l'âge de la retraite, peu de mâles tout court, en dehors des soldats, fragiles, préoccupés et souffrants. La nourriture était rare et inintéressante, le chauffage insuffisant, la guerre constamment présente ; le travail volontaire empiétait sur notre temps et, pour couronner le tout, la moitié des clubs et des associations universitaires étaient en sommeil, jusques et y compris la Société dramatique de l'université d'Oxford.

Assez curieusement, c'est ce dernier vide dans le paysage oxfordien qui m'ouvrit la porte de la *communitas*, et presque aussitôt après mon arrivée. J'étais dans ma chambre, étudiant à quatre pattes la possibilité de réparer une étagère qui venait de s'effondrer sous le poids accumulé de quatre caisses de livres, lorsque l'on frappa à ma porte.

« Entrez ! criai-je.

– Dites-moi... » D'abord interrogateur, le ton se fit inquiet. « Vous allez bien, dites-moi ? »

Je remis mes lunettes, repoussai du dos de la main les cheveux qui me tombaient sur les yeux et eus mon premier aperçu de lady Veronica Beaconsfield, un mètre cinquante-cinq de chair potelée, enveloppée dans une robe de chambre en soie verte et jaune incroyablement vulgaire qui ne mettait absolument pas son teint en valeur.

« Bien ? Naturellement. Ah ! les livres. Non, ils ne sont pas tombés sur moi ; je me suis couchée sur eux. Vous n'auriez pas un tournevis, par hasard ?

– Non, je ne pense pas.

– Tant pis. Je demanderai au concierge. Vous cherchiez quelqu'un ?

– Vous.

– Alors, vous l'avez trouvée.

– Petruchio », dit-elle, en semblant attendre quelque chose. Je m'accroupis sur les talons au milieu des livres éparpillés.

« Viens m'embrasser, Kate ? proposai-je. Quoi, ma jolie, toute dolente ? »

Elle battit des mains et poussa un cri perçant. « Je le savais ! La voix, le ton, et elle connaît même le texte. Vous pourriez le jouer façon vaudeville ?

– Je, euh...

– Naturellement, nous n'utiliserons pas de véritables aliments dans la scène où vous les jetez à la tête des serviteurs ; avec tous ces rationnements, ce ne serait pas convenable.

– Puis-je savoir...

– Oh ! pardon, je suis stupide. Veronica Beaconsfield. Appelez-moi Ronnie.

– Mary Russell.

– Oui, je sais. Alors à ce soir, Mary. Neuf heures, chez moi. Première représentation dans deux semaines.

– Mais je... » protestai-je. Elle était déjà partie.

J'étais simplement la dernière à découvrir qu'il était impossible de refuser de participer à un projet de Ronnie Beaconsfield. Nous fûmes une dizaine chez elle ce soir-là et, trois semaines plus tard, nous jouions *La Mégère apprivoisée* pour divertir les Hommes de Somerville, comme nous les appelions. Je doute que l'on ait jamais autant ri dans ce collège de femmes collet monté. La représentation valut à notre troupe quelques adhésions masculines, et je pus bientôt abandonner le rôle de Petruchio.

Mais je ne fus pas dispensée pour autant de participer à cette société dramatique amateur, car l'on découvrit vite que j'avais un certain talent pour le maquillage et même pour le déguisement. Je ne peux me rappeler aujourd'hui comment j'en vins, moi, un bas-bleu timide, à être le centre de la farce la plus élaborée de l'année, mais quelques semaines plus tard, je me retrouvai déguisée en noble indien (indien, pour qu'un turban dissimulât mes cheveux) et dînant avec les étudiants du collège Baliol. Les risques que nous courions ajoutaient du piment à la chose, car nous aurions tous été renvoyés, ou du moins exclus pour le trimestre, si l'on nous avait pris sur le fait.

La carrière de Ratnakar Sanji à Oxford dura tout le mois de mai et me laissa en héritage un cercle d'amis fidèles (rien ne lie plus qu'un danger partagé, si mince soit-il) et un goût prononcé pour la liberté que procure le fait d'endosser une autre identité que la sienne.

Tout cela ne signifie pas que je négligeais entièrement mon travail. J'assistais avec un immense plaisir aux cours magistraux et aux débats. Je me pris d'une passion d'amante pour la bibliothèque Bodléienne et, surtout avant que la carrière de Sanji ne commençât, je ne quittai ses bras qu'au bout de longues heures, clignant les yeux et étourdie par l'odeur et le contact des livres. Les laboratoires de chimie m'émerveillèrent par leur modernité, comparés au matériel de Holmes en tout cas. Je bénissais la guerre qui avait réquisitionné les chambres du collège que j'aurais normalement dû habiter, car le bâtiment moderne où je me retrouvais avait l'électricité, un chauffage central qui marchait de temps à autre et même – miracle des miracles – l'eau courante à tous les étages. Le lavabo qui occupait un coin de ma chambre était un luxe inoui (même les jeunes lords de Christchurch dépendaient des jambes des domestiques pour leur approvisionnement en eau chaude), et il me permit d'installer un petit laboratoire dans mon salon. Le brûleur, destiné à la préparation de chocolats chauds, fut transformé en bec Bunsen.

Entre les joies de l'étude et les exigences d'une vie sociale en plein essor, j'avais peu le temps de dormir. À la fin du trimestre, en décembre, je rentrai chez moi, épuisée par l'intensité de ces premières semaines dans le monde universitaire. Par chance, le chef de train se rappela ma présence et me réveilla à temps pour ma correspondance.

J'eus dix-huit ans le 2 janvier 1918. J'arrivai chez Holmes les cheveux ramassés en un édifice compliqué, vêtue d'une robe de velours vert foncé et portant les boucles d'oreilles de diamants de ma mère. Lorsque Mme Hudson ouvrit la porte, je fus contente de voir que Holmes, le Dr Watson et elle-même étaient également en tenue de soirée. Après que le Dr Watson eut ranimé Holmes de l'attaque d'apoplexie provoquée par mon apparence, nous mangeâmes et nous bûmes du champagne, Mme Hudson apporta un gâteau d'anniversaire, ils entonnèrent la chanson d'usage et m'offrirent des présents. De Mme Hudson, je reçus deux brosses à cheveux en argent. Watson me tendit un petit nécessaire de correspondance avec bloc de papier à lettres, plume et encrier qui tenait dans un étui de poche en cuir repoussé. La petite boîte que Holmes posa devant moi contenait une broche en argent simple et délicate, ornée de perles minuscules.

« C'est très beau, Holmes.

– Elle appartenait à ma grand-mère. Pouvez-vous l'ouvrir ? »

La vue et le toucher passablement émoussés par le champagne que j'avais bu, je cherchai un fermoir. Pour finir, Holmes étendit les doigts, mania deux des perles, et la broche s'ouvrit dans ma main, révélant la miniature d'une jeune femme aux cheveux clairs qui avait le regard de Holmes.

« Son frère, l'artiste français Vernet, l'a peinte le jour de son dix-huitième anniversaire, dit-il. Elle avait les cheveux d'une couleur très semblable aux vôtres, même dans sa vieillesse. »

Le portrait ondula devant mes yeux, et des larmes roulèrent sur mes joues.

« Merci. Merci à vous tous », bafouillai-je avant d'éclater lamentablement en sanglots. Et Mme Hudson dut me mettre au lit dans la chambre d'amis.

Je me réveillai une fois pendant la nuit, sans doute à cause de la pièce peu familière et de l'alcool qui circulait encore dans mon sang. Je crus avoir entendu un léger bruit de pas devant ma porte, mais lorsque je prêtai l'oreille, je ne perçus que le tic-tac paisible de l'horloge de l'autre côté du mur.

Je retournai à Oxford le week-end suivant pour un second trimestre qui ressembla beaucoup au premier, en plus intense. Je me passionnai plus particulièrement pour les mathématiques théoriques et les complexités du judaïsme rabbinique, deux domaines qui ne sont dissemblables qu'en apparence. Cette chère Bodléienne m'ouvrit de nouveau ses bras et ses pages, je fus de nouveau réquisitionnée par Ronnie Beaconsfield (*La Nuit des rois*, cette fois, ainsi qu'une campagne destinée à améliorer les conditions de vie des chevaux de trait qui sillonnaient les rues de la ville). Ratnakar Sanji fut conçu dans les dernières semaines du trimestre et verrait le jour au mois de mai, après les vacances de printemps. De nouveau, je me passai de sommeil et, parfois, de repas. Et de nouveau, j'arrivai à la fin du trimestre, léthargique et épuisée.

Nos logements étaient gardés par les Thomas, un vieux couple adorable qui avait conservé l'épais accent rural de l'Oxfordshire. Lorsque je repartis chez moi, M. Thomas m'aida à porter mes affaires jusqu'au fiacre qui attendait dans la rue. Il grogna sous le poids d'une valise remplie de livres, et je courus à sa rescousse. Il jeta un œil critique sur la valise, puis sur ma personne.

« Sauf votre respect, mademoiselle, j'espère que vous n'allez pas passer toutes vos vacances à étudier. Vous êtes arrivée ici avec de bonnes couleurs, et il n'en reste plus trace. Tâchez de prendre l'air, vous m'entendez ! Votre cerveau n'en marchera que mieux quand vous reviendrez. »

Je fus surprise, car c'était le plus long discours que je lui eusse jamais entendu prononcer, mais je lui assurai que je comptais passer de longues heures au grand air. À la gare, je m'aperçus dans une glace et vis ce qu'il voulait dire. Je ne m'étais pas rendu compte à quel point j'avais les traits tirés, et les cernes violets sous mes yeux m'inquiétèrent.

Le lendemain matin, le silence et le chant des oiseaux me réveillèrent de bonne heure. J'enfilai mes plus vieux habits et une paire de brodequins neufs, me munis aussi de gants épais et d'un chapeau pour combattre la fraîcheur de cette matinée de mars, et partis voir Patrick. Patrick Mason était un paysan de cinquante-deux ans, massif, lent et flegmatique, avec des mains qui semblaient avoir poussé de terre et un nez qui changeait trois fois de direction. Il exploitait déjà la ferme avant le mariage de mes parents, avait, enfant, joué avec ma mère dans les champs qu'il cultivait aujourd'hui (il était de trois ans son aîné) et en avait été, je crois, plus qu'à moitié amoureux. Il avait en tout cas pour elle la vénération que l'on porte à sa Dame. Lorsque sa femme était morte et qu'il lui avait fallu finir d'élever leurs six enfants, seul son salaire de régisseur lui avait permis de s'en sortir. Le jour où son cadet eut dix-huit ans, Patrick divisa ses terres entre ses enfants et vint vivre sur la ferme qui était désormais ma propriété. À bien des égards, elle était plus à lui qu'à moi, un point de vue que nous partagions, et son dévouement à sa maison d'adoption était total, même s'il était peu disposé à céder aux lubies de sa propriétaire légitime.

Jusqu'alors, les tentatives sporadiques que j'avais faites pour aider aux mille tâches de la ferme s'étaient heurtées à une incrédulité polie, celle-là même qu'avaient dû opposer les paysans de Versailles aux caprices laitiers de Marie-Antoinette. Mais, ce matin-là, les choses allaient changer.

Je descendis la colline jusqu'à la grange principale, où je le trouvai en train de nettoyer l'étable.

« Bonjour, Patrick.

– Vous voilà donc de retour, mademoiselle Mary.

– Oui, et c'est bien agréable. J'ai besoin de votre aide, Patrick.

– Avec plaisir, mademoiselle Mary. Ça peut-il attendre que j'ai fini ce travail ?

– Oh ! je ne veux pas vous déranger. J'aimerais que vous me donniez quelque chose à faire.

– Quelque chose à faire ? » Il avait l'air perplexe.

« Oui. J'ai passé ces six derniers mois assise sur une chaise à lire des livres, Patrick, et si je ne remets pas à me servir de mes muscles, ils oublieront comment fonctionner. Il faut que vous me disiez comment me rendre utile. Par quoi puis-je commencer ? Et si je finissais de nettoyer l'étable ? »

Patrick se hâta de mettre le râteau à fumier hors de ma portée.

« Non, mademoiselle, je m'en charge. Qu'est-ce que vous voudriez faire ?

– Quelque chose qui a besoin d'être fait, dis-je d'un ton ferme, pour lui montrer que je ne plaisantais pas.

– Eh bien... » Il regarda désespérément autour de lui, et ses yeux tombèrent sur un balai. « Voulez-vous balayer l'atelier ? Il est plein de copeaux de bois.

– Entendu. » J'empoignai le balai et, dix minutes plus tard, lorsqu'il me rejoignit, il me trouva au milieu d'un maelström de poussière et de particules de bois qui se déposaient doucement sur toutes les surfaces.

« Mademoiselle Mary ! Vous allez trop vite. Est-ce que vous pourriez essayer de pousser les saletés dehors avant de les projeter en l'air ?

– Que voulez-vous dire ? Oh ! je vois, je vais arranger ça. »

Je donnai un coup de balai énergique sur l'établi, et ses brindilles malcommodes envoyèrent voler un plateau d'outils. Patrick ramassa un ciseau écorné et me regarda comme si j'avais brutalisé son fils.

« Vous ne vous êtes donc jamais servie d'un balai ?

– Pas souvent, non.

– Vous feriez peut-être mieux d'aller chercher des bûches pour le feu, alors. »

J'en rapportai plusieurs brouettées, vis que nous avions également besoin de bois d'allumage, et j'entreprenais juste de fendre des bûches sur une grosse pierre avec une grande hache à double tranchant quand Patrick arriva en courant et m'évita de me trancher le poignet. Il m'indiqua le billot et la hache à main, puis me montra avec beaucoup de soin comment ne pas les utiliser. Au bout de deux heures de travail, je pouvais me prévaloir d'un petit tas de bois et de quelques muscles tremblants.

La route jusqu'à la fermette de Holmes semblait s'être allongée depuis la dernière fois que je l'avais parcourue à bicyclette, mais la nervosité qui me nouait l'estomac y était peut-être pour quelque chose. La route était identique, mais j'étais différente, et je me demandais pour la première fois si je pourrais réunir ces deux aspects entièrement disparates de ma vie. J'appuyai plus vigoureusement sur les pédales que mes jambes rouillées ne l'eussent souhaité ; quand je parvins au sommet de la dernière montée et vis la maison familière dans les champs avec son panache de fumée, je commençai à me détendre, et lorsque je poussai la porte, je me sentis aussitôt chez moi, en sécurité.

« Madame Hudson ? » appelai-je, mais la cuisine était vide. Me rappelant que c'était jour de marché, je me dirigeai vers l'escalier et commençai à monter. « Holmes ?

– C'est vous, Russell ? » dit-il d'un ton légèrement étonné, bien que j'eusse écrit la semaine précédente pour annoncer mon arrivée. « Bien. J'étais justement en train de jeter un coup d'œil à ces expériences de typologie sanguine que nous faisions en janvier, avant votre départ. Je pense avoir découvert ce qui clochait. Tenez, regardez vos notes. Et maintenant, examinez ce porte-objet... »

Ce bon vieux Holmes, plus expansif et démonstratif que jamais ! Docilement, je m'installai devant son microscope, et ce fut comme si je n'étais jamais partie. La vie reprit son cours habituel, et aucun doute ne revint plus m'assaillir.

La troisième semaine de mes vacances, je me rendis chez Holmes un mercredi, jour où Mme Hudson allait habituellement en ville, car nous avions prévu de procéder à une expérience chimique assez malodorante. Mais lorsque j'entrai dans la cuisine, j'entendis un bruit de conversation dans le salon.

« Russell ? interrogea Holmes.

– Oui. » Je m'avançai sur le seuil et eus la surprise de le découvrir assis près du feu en compagnie d'une femme élégamment vêtue dont le visage m'était vaguement familier. Je commençai machinalement à reconstruire le cadre dans lequel je l'avais vue, mais Holmes interrompit le processus.

« Entrez, Russell. Nous vous attendions. Je vous présente Mme Barker. Vous savez que son mari et elle habitent le manoir. Voici la jeune fille dont je vous parlais, madame... oui, c'est bien une jeune fille malgré sa tenue. À présent qu'elle nous a rejoints, auriez-vous l'obligeance de nous exposer votre problème ? Servez-vous une tasse de thé et asseyez-vous, Russell. »

Ce fut la première affaire de notre association.

Maîtresse de meute

...à l'odeur de la fumée,...
elle s'imaginent que ce n'est pas d'une attaque
ou d'un grand ennemi... qu'il s'agit,
mais d'une force ou d'une catastrophe naturelle
à laquelle il convient de se soumettre.

Il était inévitable, je suppose, que Holmes et moi finissions par collaborer. Bien qu'il fût officiellement à la retraite, il montrait parfois, comme je l'ai dit, tous les signes de son ancienne activité : il recevait des visiteurs étranges, ses horaires devenaient capricieux, il refusait de manger, fumait longuement sa pipe et tirait des sons bizarres de son violon pendant d'interminables heures. À deux reprises, en arrivant à l'improviste chez lui, j'avais constaté son absence. Je ne posais pas de questions, car je savais qu'il n'acceptait désormais que les affaires les plus insolites ou les plus délicates, laissant les crimes plus conventionnels aux différents services de police (qui avaient fini par adopter ses méthodes).

Je me demandai aussitôt avec curiosité ce qui retenait son attention dans cette affaire. Bien que Mme Barker fût une voisine, et fortunée de surcroît, il l'aurait en effet adressée sans hésitation à la police locale si son problème lui avait paru banal ou ordinaire. Or, il était manifestement très intéressé. Son air distrait dérouta néanmoins Mme Barker, et comme il passa la plus grande partie de cet entretien affalé dans son fauteuil, les extrémités des doigts réunis en pointe, les yeux fixés au plafond, elle s'adressa à moi. Connaissant assez bien Holmes pour savoir que cette attitude dénotait au contraire une intense concentration, j'écoutai son récit avec attention.

« Vous savez peut-être que mon époux et moi avons acquis le manoir il y a quatre ans, commença-t-elle. Nous vivions en Amérique avant la guerre, mais Richard – mon mari – a toujours souhaité rentrer en Angleterre. Il a réalisé quelques placements très heureux et, en 1913, nous sommes revenus chercher une maison. Amoureux de ce manoir, nous l'avons acheté juste avant le début des hostilités. Naturellement, en raison des restrictions et du départ des hommes au front, les rénovations ont été lentes, mais une des ailes est maintenant tout à fait habitable.

« Bref, il y a un an environ, mon époux est tombé malade. De simples maux d'estomac, au début, mais qui s'aggravèrent jusqu'à le laisser recroquevillé dans son lit, trempé de sueur et poussant d'horribles gémissements. Les médecins n'en trouvèrent pas l'explication et, alors qu'ils commençaient à désespérer, la fièvre disparut et mon mari s'endormit. Au bout d'une semaine, il était entièrement guéri. C'est du moins ce que nous crûmes.

« Depuis, en effet, nous avons eu dix alertes semblables, quoique aucune n'ait été aussi grave que la première. Cela commence chaque fois par des sueurs froides, suivies de crampes et de délire, pour s'achever par une forte fièvre et un profond sommeil. La première nuit, il ne supporte pas ma présence mais, quelques jours plus tard, il est rétabli. Jusqu'à la fois suivante. Les médecins sont déroutés et ont avancé l'hypothèse d'un empoisonnement, mais mon mari et moi mangeons toujours la même chose, et je surveille la préparation des plats en cuisine. Il ne s'agit pas d'un poison mais d'une maladie.

« Oh ! je sais ce que vous pensez, monsieur. » Holmes haussa un sourcil en entendant cette déclaration. « Vous vous demandez pourquoi je viens vous voir à propos d'un problème médical. C'est que j'en suis arrivée à douter que cela en fût un. Nous avons consulté des spécialistes ici et sur le continent. Nous avons même pris rendez-vous avec le Dr Freud, en nous disant qu'il y avait peut-être une explication psychologique. Tous ont baissé les bras, à l'exception du Dr Freud, qui semblait déceler là la manifestation physique de la culpabilité qu'éprouve mon mari à avoir épousé une femme de vingt ans plus jeune que lui. A-t-on jamais entendu pareilles fadaises ? » ajouta-t-elle avec indignation. Nous secouâmes gravement la tête d'un air compatissant.

« Pourriez-vous nous dire pourquoi vous ne pensez pas que la maladie de votre époux soit simplement un problème médical, madame ? intervint Holmes, du fond de son fauteuil.

– Monsieur Holmes, mademoiselle, je ne vous ferai pas l'affront de vous réclamer le secret absolu sur ce que je vais vous dire. J'avais décidé avant de venir ici que vous deviez tout savoir et que je pouvais me fier à votre discrétion. Mon époux est conseiller auprès du gouvernement britannique. Il ne m'informe pas des détails de son travail, mais il m'est difficile d'ignorer des activités qui se déroulent sous mon nez. C'est pour cette raison qu'une ligne téléphonique a été installée à une si grande distance du central du village. Si vous avez le téléphone, monsieur Holmes, c'est parce que le Premier Ministre doit pouvoir joindre mon mari à tout moment. Je sais que tout le monde croit que la ligne vient jusque chez nous parce que nous étions disposés à la payer, mais je vous assure que l'idée n'était pas de nous.

– Il n'y a pas nécessairement de rapport entre la fonction de conseiller de votre mari et le fait qu'il tombe périodiquement malade, madame.

– Peut-être pas, mais j'ai remarqué un détail très curieux. Ses crises coïncident toujours avec des conditions météorologiques particulières : elles surviennent toujours par temps très clair, jamais quand il pleut ou qu'il y a du brouillard. Cela m'a frappée, il y a six semaines, au début du mois de mars, il me semble, après cette longue période de pluie et de neige que nous avons eue. Le ciel a fini par se dégager, la nuit était d'une remarquable pureté, et mon mari est retombé malade pour la première fois depuis plus de deux mois. C'est alors qu'en y réfléchissant je me suis rendu compte qu'il en avait toujours été ainsi.

– Lorsque vous êtes allés consulter des médecins sur le continent, madame, votre époux est-il tombé malade ? Combien de temps a duré votre séjour, et quel temps avez-vous eu ?

– Nous y sommes restés sept semaines, les nuits claires ont été nombreuses, et sa santé était bonne.

– Je crois que ce n'est pas tout ce que vous avez à nous dire, madame, déclara Holmes. Achevez, je vous prie. »

Mme Barker poussa un profond soupir, et je remarquai avec étonnement que ses mains soignées tremblaient.

« Vous avez raison, monsieur. J'ai deux choses à ajouter : il est de nouveau tombé malade il y a deux semaines, un mois après que j'eus commencé à m'interroger sur les coïncidences que j'ai mentionnées. La première nuit, il me demanda de le laisser seul, comme de coutume. Je sortis prendre l'air et me promenai longuement dans les jardins. En revenant vers la maison, je levai les yeux vers la fenêtre de mon mari et vis une lumière clignoter sur le toit, au-dessus de sa chambre.

– Et vous pensez qu'il se pourrait que M. Barker transmît secrètement des secrets d'État au Kaiser », interrompit Holmes avec un brin d'impatience.

Mme Barker devint livide et vacilla dans son fauteuil. Je courus la soutenir pendant que Holmes allait chercher du cognac. Elle ne s'évanouit pas entièrement, et l'alcool la ranima, mais elle était encore pâle de bouleversement lorsque nous nous rassîmes.

« Comment l'avez-vous deviné, monsieur Holmes ?
– C'est vous-même qui me l'avez dit, chère madame. »
Devant son air abasourdi, il expliqua avec une patience exagérée : « Vous avez déclaré que ses indispositions coïncidaient avec des nuits claires où des signaux se voient de très loin, et qu'il était invariablement seul dans ces occasions. J'ai de surcroît remarqué dans la voiture ses traits manifestement germaniques. Votre émotion indique que vous êtes déchirée entre le désir de connaître la vérité et la crainte de découvrir que votre époux est un traître. Si vos soupçons se portaient sur quelqu'un d'autre, vous ne seriez pas aussi bouleversée. À présent, parlez-moi de votre domesticité. »

Mme Barker but une gorgée de cognac avant de répondre.

« Nous avons cinq serviteurs à demeure. Les autres sont des femmes de ménage du village. Il y a Terrence Howell, le valet de mon mari ; Sylvia Jacobs, ma femme de chambre ; Sally et Ronald Woods, la cuisinière et le jardinier, et enfin Ron Athens, qui s'occupe des chevaux et de nos deux voitures. Terrence est au service de mon mari depuis des années ; j'ai engagé Sylvia il y a huit ans ; les trois derniers sont avec nous depuis que nous avons emménagé. »

Holmes regarda fixement un coin de la pièce pendant quelques minutes, puis se leva d'un bond.

« Si vous aviez l'obligeance de rentrer chez vous, madame, il est fort probable que deux de vos voisins frapperont à votre porte dans l'après-midi. Vers trois heures, dirons-nous ? Une visite inopinée, vous comprenez ? »

Mme Barker se leva, les mains crispées sur son sac à main.

« Merci, monsieur. J'espère... » Elle baissa les yeux. « Si mes craintes se révèlent exactes, j'ai épousé un traître. Si je me trompe, c'est moi qui suis coupable de pensées déloyales. Je n'ai à gagner ici que le sentiment d'avoir fait mon devoir. »

Holmes lui effleura la main et elle le regarda. Il lui sourit avec une extraordinaire bonté.

« Il n'y a pas de traîtrise dans la vérité, madame. C'est parfois douloureux, mais affronter honnêtement toutes les conclusions pouvant être tirées d'un ensemble de faits est ce qu'un être humain peut faire de plus noble. » Holmes savait se montrer étonnamment compréhensif parfois, et ses paroles eurent un effet apaisant sur Mme Barker. Elle eut un faible sourire, lui tapota la main et partit.

Holmes et moi poursuivîmes nos expériences malodorantes et, à deux heures, en laissant portes et fenêtres grandes ouvertes, nous quittâmes la fermette pour nous rendre au manoir. Nous nous en approchâmes en promeneurs, passant à travers champs plutôt que par les routes, et en profitâmes pour étudier la configuration des lieux.

Construit sur une des plus hautes collines de la région, le manoir dominait les environs. D'autant que l'on y avait ajouté à une extrémité une grande tour carrée, sorte d'extravagance architecturale dans le faux style roman. Cela déséquilibrait le bâtiment qui, en dehors de cette excroissance, avait une apparence robuste et confortable. J'en fis la remarque à Holmes.

« Oui, celui qui l'a fait construire souhaitait peut-être avoir vue sur la mer, répondit-il. En étudiant de près les cartes topographiques, nous trouverions sans doute une corrélation entre la tour et cette trouée entre les collines, là-bas.

– Il y en a une.

– Ah ! voilà donc à quoi vous vous occupiez pendant que je laçais mes brodequins.

– J'ai jeté un coup d'œil à vos cartes, en effet. Je ne connais pas cette partie des Downs aussi bien que vous, et j'ai donc jugé bon de repérer le terrain.

– Nous pouvons supposer, je pense, que les appartements de Richard Barker occupent le dernier étage de la tour. Ah ! voici le gentleman en personne. Prenez votre air je-passais-par-là le plus dégagé, Russell.

« Ohé ! Bonjour ! » lança-t-il d'une voix forte.

Ce qui eut deux résultats immédiats et stupéfiants. Le vieux gentleman quitta son fauteuil d'un bond, nous tourna le dos et agita furieusement les bras en criant des paroles inintelligibles. Holmes et moi nous regardâmes avec perplexité, mais découvrîmes vite la raison de ce comportement extraordinaire. Une meute qui semblait compter une bonne quarantaine de chiens apparut en effet sur la terrasse et fonça dans notre direction sans prêter la moindre attention aux gestes frénétiques du vieil homme. Holmes et moi nous écartâmes légèrement l'un de l'autre, et tînmes prêtes les lourdes cannes dont nous nous munissions toujours en prévision de ce genre d'incidents. Mais la meute n'avait pas d'intentions sanguinaires et se contenta de nous encercler en aboyant furieusement. Le vieil homme s'approcha, mais sa présence n'eut aucun effet. Un autre homme arriva en courant, suivi bientôt par un troisième, et ils fendirent la mer multicolore des chiens en saisissant peaux du cou, queues et poignées de fourrure. Leurs voix prévalurent peu à peu, et l'ordre fut rétabli. Ayant accompli leur devoir, les chiens s'assirent et attendirent gaiement d'autres réjouissances, la langue pendante et la queue frétillante. Mme Barker sortit de la maison sur ces entrefaites, et tout le monde se tourna vers elle.

« Il va vraiment falloir faire quelque chose à propos de ces chiens, ma chérie », dit son mari d'une voix fluette.

Elle regarda les bêtes avec sévérité et leur parla.

« Vous n'avez pas honte ? C'est de cette façon que vous recevez des visiteurs ? Vous devriez avoir plus d'éducation. »

Ses paroles eurent un effet immédiat. Les mâchoires se

refermèrent, les têtes s'inclinèrent, les queues glissèrent entre les jambes. L'air penaud et nous regardant d'un air coupable, les chiens s'en allèrent sur la pointe des pieds. Il n'étaient que dix-sept, remarquai-je, qui allaient de deux minuscules yorkshires à un énorme chien-loup qui devait bien peser soixante-dix kilos.

Mme Barker attendit, les mains sur les hanches, que le dernier d'entre eux eût disparu, puis se tourna vers nous en secouant la tête.

« Je suis vraiment navrée. Nous avons si peu de visiteurs qu'ils s'excitent outre mesure.

– Laissons les chiens se complaire à aboyer et à mordre, car Dieu les a faits ainsi, commenta poliment Holmes, quoique de façon un peu inattendue. Nous aurions dû nous faire annoncer. Je m'appelle Holmes, et voici Mary Russell. Nous nous promenions et avons souhaité voir de plus près votre belle demeure. Nous ne vous importunerons pas davantage.

– Non, non, dit Mme Barker avant que son mari pût intervenir. Entrez prendre quelque chose. Un verre de sherry, ou le thé peut-être, s'il n'est pas trop tôt. Oui, le thé. Nous sommes voisins, je crois. Je vous ai croisés sur la route. Je suis Mme Barker, et voici mon mari. » Elle se tourna vers les deux autres hommes. « Merci, Ron, ils se tiendront tranquilles maintenant. Terrence, pourriez-vous dire à Mme Woods qu'elle veuille bien servir le thé dans la serre, et que nous serons quatre. Merci.

– C'est très aimable à vous, madame. Ce thé sera assurément le bienvenu après notre longue promenade. » Il se tourna vers le vieil homme qui avait regardé avec affection sa femme s'occuper des chiens, des invités et des hommes. « C'est un bâtiment fort intéressant, monsieur. Pierre de Portland, n'est-ce pas ? Début du XVIIIe ? Et de quand date la tour ? »

L'intérêt manifeste de Holmes pour le manoir conduisit

à une longue conversation sur les fondations branlantes, les termites, les fenêtres à tout petits carreaux, le prix du charbon et les insuffisances de l'artisan britannique. Après un thé copieux, on nous proposa de visiter les lieux, et Holmes, le passionné d'architecture, parvint même à se faire montrer la tour. Nous montâmes l'escalier de bois, étroit et abrupt, pendant que M. Barker prenait place dans le minuscule ascenseur qu'il avait fait installer. Il nous rejoignit au sommet.

« J'ai toujours rêvé d'une tour d'ivoire, dit-il en souriant. C'est ce qui m'a décidé à acheter ce manoir. L'ascenseur est une folie, mais j'ai du mal à monter les marches. Voici mes appartements. Le panorama vaut le coup d'œil. »

On y avait en effet une vue étendue vers le nord, jusqu'à la lisière sombre de la Wield. Après avoir admiré le paysage et les pièces, nous nous apprêtâmes à redescendre, mais Holmes rebroussa brusquement chemin pour se diriger vers une échelle appuyée contre le mur, au bout du couloir.

« J'espère que cela ne vous ennuie pas, monsieur, mais je tiens absolument à voir le sommet de cette magnifique tour. Cela ne me prendra qu'un instant. Vous avez remarqué combien cette trappe est ingénieuse, Russell ? » Sa voix s'affaiblit en même temps que ses pieds disparaissaient.

« Mais c'est dangereux, là-haut, monsieur Holmes, protesta M. Barker. Je ne sais vraiment pas pourquoi cette trappe n'est pas fermée, poursuivit-il à mon adresse. J'ai demandé à Ron d'y mettre un cadenas. J'y suis monté il y a trois ans, et ça ne m'a pas plu du tout.

– Il sera prudent, asssurai-je. Et il n'y restera certainement qu'un instant. Tenez, le voilà qui redescend. » Les longues jambes de Holmes réapparurent en effet, et il se tourna gaiement vers nous.

« Merci, monsieur Barker, vous avez une tour très intéressante. Mais j'aimerais que vous me parliez des objets d'art primitif qui se trouvent dans votre vestibule. Nouvelle-Guinée, n'est-ce pas ? La rivière Sepik, il me semble ? »

Cela suffit à distraire M. Barker, qui descendit lentement l'escalier au bras de Holmes en nous racontant ses voyages dans les régions sauvages du monde. Quand nous partîmes, une heure plus tard, nous avions admiré de magnifiques bronzes africains, un didgeridoo des aborigènes d'Australie, trois défenses de morses sculptées et une exquise statuette inca en or. Nous prenions congé de nos hôtes sur le seuil lorsque Holmes s'engouffra de nouveau dans le vestibule.

« Il faut que je remercie personnellement la cuisinière pour cet excellent thé. Pensez-vous qu'elle consentirait à donner la recette de ces petits gâteaux roses à Mlle Russell ? La cuisine est par là, j'imagine ? »

Je répondis aux regards ébahis des Barker par un haussement d'épaules signifiant que je n'étais pas responsable de ses bizarreries de comportement, et m'élançai à sa suite. Je le trouvai en train de serrer la main d'une petite femme aux cheveux gris et aux joues rouges, qu'il remerciait avec effusion. Une autre femme, plus jeune et plus jolie, buvait une tasse de thé, assise à une table.

« Merci... madame Woods, n'est-ce pas ? Votre thé nous a merveilleusement revigorés après l'attaque de ces épouvantables chiens. Ils étaient si nombreux... c'est vous qui vous en occupez ? Ah ! bien. C'est un travail d'homme, vous avez raison. Tout de même, ils mangent sûrement beaucoup et j'imagine que vous devez préparer leur pâtée ? »

Mme Woods répondit à ce bavardage en gloussant comme une petite fille.

« Ah ! pour ça, monsieur, ils donnent du travail au boucher du village. Pas plus tard que ce matin, on a dû aller à trois chercher la commande... les os devaient déjà bien peser dix kilos à eux tout seuls.

– Les chiens mangent beaucoup d'os, n'est-ce pas ? » Je me demandais où il voulait en venir, mais il avait apparemment obtenu ce qu'il souhaitait.

« Eh bien, merci encore, madame Woods, et n'oubliez pas que Mlle Russell veut cette recette. »

Elle nous salua gaiement et nous sortîmes par la porte de la cuisine. Les chiens étaient là, vautrés sur un bout de pelouse labourée, mais ils nous ignorèrent superbement. Nous fîmes le tour de la maison et rejoignîmes la route.

« Qu'est-ce que c'était que cette histoire de gâteaux, Holmes ? Vous savez que je n'y connais rien en pâtisserie. Vous pensez que la maladie de M. Barker est provoquée par un poison ?

– Ce n'était qu'une ruse, Russell. N'est-ce pas aimable de la part du gouvernement d'avoir installé cette ligne de téléphone pour M. Barker et moi-même ? Sans parler des oiseaux. » Le visage de mon compagnon exprimait la satisfaction et une pointe de malice.

« Désolée, Holmes, mais que cherchons-nous ? Avez-vous vu quelque chose sur le toit ?

– Oh ! Russell, c'est moi qui vous dois des excuses. J'oubliais que vous n'étiez pas montée là-haut. Sinon, vous auriez trouvé ceci, dit-il en me tendant un éclat de bois noir. Ainsi que cinq ou six mégots, que nous analyserons tout à l'heure. »

J'examinai l'éclat de bois, mais il ne m'éclaira pas. « Puis-je avoir un indice, Holmes, s'il vous plaît ?

– Je suis très déçu, Russell. C'est très simple, en vérité.

– Élémentaire, en fait ?

– Précisément. Considérez donc les éléments suivants : un bout de bois traité dans une pièce inutilisée au sommet d'une tour ; le jour du marché ; des os ; l'art de la rivière

Sepik ; aucune trace de poison et ces bois que la route traverse, là, devant nous. »

Je m'arrêtai net et réfléchis avec fureur tandis que Holmes m'observait avec intérêt, appuyé sur sa canne. Un éclat de bois... quelqu'un sur la tour... nous le savions, pourquoi... le jour du marché... un jour fixe... avec des os pour nourrir les chiens pendant que la ligne de téléphone qui suivait la route... Je levai les yeux, offensée.

« Êtes-vous en train de me dire que c'est le valet de chambre ?

– Ce sont des choses qui arrivent, j'en ai peur. Si nous fouillions ces bois pour y chercher les débris ? »

Il nous fallut une dizaine de minutes pour trouver une petite clairière semée d'ossements. À en juger par certains osselets bruns et desséchés, il y avait quelques mois que le boucher contribuait à l'alimentation des chiens.

« Un brin d'escalade vous tente-t-il, Russell ? Ou préférez-vous que ce soit moi ?

– Si vous me prêtez votre ceinture, je ne demande pas mieux. » Nous examinâmes les poteaux téléphoniques voisins et, finalement, Holmes poussa une exclamation étouffée.

« Celui-ci, Russell. » Il portait en effet des traces indubitables de crampons, nombreuses et récentes.

« Je n'ai remarqué ni crampons, ni signes d'escalade sur ses chaussures, et vous ? dis-je, en me baissant pour délacer mes lourds brodequins.

– Non, mais je suis certain que, si nous fouillions sa chambre, nous y découvririons une paire portant des égratignures et des éraflures éloquentes.

– Bon, je suis prête. Rattrapez-moi si je tombe. » M'appuyant sur le cercle bouclé de nos deux ceintures, je pressai fermement mes pieds nus contre le bois raboteux et commençai lentement à grimper. Un pied, un autre, la ceinture ; un pied, un autre, la ceinture. J'arrivai sans encombre au sommet, m'accrochai pour plus de sécurité et entrepris d'examiner les fils. Les marques étaient nettes.

« Il y a des traces de branchement sur cette ligne, criai-je à Holmes. L'absence de poussière au point de contact indique que quelqu'un est monté ici il y a quelques jours. Faudra-t-il que nous revenions relever les empreintes digitales ? » Je redescendis et rendis sa ceinture à Holmes. Il regarda la boucle tordue d'un air dubitatif. « L'utilisation d'une corde plus solide serait peut-être recommandée, ajoutai-je.

– Si ce temps se maintient, je pense que ce soir ou demain au plus tard nous pourrons prendre les doigts eux-mêmes sur le fait. Faites-moi penser à téléphoner à notre chère hôtesse lorsque nous serons rentrés. Je tiens à la remercier et à m'enquérir de l'état de santé de son époux. »

Le soleil était presque couché lorsque nous arrivâmes à la fermette, où l'air était beaucoup plus respirable qu'à midi. Holmes emporta aussitôt les mégots de cigarettes dans le laboratoire, pendant que j'allais chercher le repas froid que nous avait laissé Mme Hudson et préparer du café. Nous mangeâmes courbés sur nos microscopes, bien que les empreintes de nos doigts graisseux sur les porte-objets ne nous facilitassent guère la tâche. Finalement, Holmes se redressa.

« Les cigarettes viennent de chez un petit marchand de tabac de Portsmouth. La police de cette ville pourra sans doute procéder à une enquête pour nous. Mais d'abord, Mme Barker. »

Ce fut notre hôtesse elle-même qui décrocha. Holmes la remercia de nouveau de son hospitalité, et je compris à sa façon de parler qu'elle n'était pas seule.

« Je souhaitais également remercier votre époux, madame. Est-il là ? Non ? Oh ! je suis navré de l'apprendre, mais il n'avait pas l'air en bonne forme, cet après-midi. Dites-moi, fume-t-il la cigarette ? Non ? C'est bien ce qui me semblait. Oh ! ce n'est rien. Écoutez-moi, madame. Je suis certain que votre mari va se rétablir, vous comprenez ? Oui. Bonsoir, madame, et merci encore. »

Ses yeux scintillaient lorsqu'il raccrocha.

« C'est pour ce soir, alors, Holmes ?

– On le dirait. M. Barker s'est retiré dans sa chambre en compagnie de son fidèle valet. Vous devriez aller vous reposer un peu, Russell. Je vais téléphoner aux personnes qui s'occupent de ce genre de choses, mais je suis convaincu que rien ne se passera avant au moins deux heures. »

Je suivis son conseil et, en dépit de mon excitation, glissai dans le sommeil en écoutant le son étouffé de sa voix dans la pièce voisine. Un bruit de voiture dans l'allée me réveilla quelque temps plus tard et, en descendant, je trouvai Holmes dans le salon en compagnie de deux hommes.

« Préparez-vous, Russell. Votre manteau le plus chaud, surtout, cela durera peut-être un certain temps. Je vous présente M. Jones et M. Smith, qui sont venus de Londres pour notre petite affaire. Messieurs, Mlle Russell, mon bras droit. Vous êtes prêts ? » Il prit un petit sac à dos, enfonça sa casquette sur son crâne, et nous descendîmes l'allée en faisant crisser le gravier.

Le manoir se trouvait à près de cinq kilomètres par la route, et nous marchâmes en silence sur le bas-côté herbeux. Arrivés aux arbres, nous quittâmes la route et longeâmes les bois jusqu'au bas des jardins. Là, nous nous arrêtâmes et échangeâmes quelques mots. Une légère brise s'était levée, qui emportait le bruit de nos voix et notre odeur loin des oreilles et du nez des chiens habitant le manoir.

« On voit le sommet de la tour d'ici, je crois. Vos collègues devraient être à leur poste du côté de la mer, à présent ?

– Oui, monsieur. Nous étions convenus d'être en place à onze heures. Il est onze heures dix. Nous sommes prêts. »

Les lumières s'éteignirent une à une dans la maison, et nous connûmes bientôt cet état particulier d'ennui et d'excitation qui accompagne les longues attentes. À une heure du matin, je murmurai à l'oreille de Holmes :

« Il n'était sûrement pas aussi tard quand Mme Barker a vu des lumières depuis le jardin. Ce ne sera peut-être pas pour cette nuit. »

Invisible et silencieux à côté de moi, il réfléchissait intensément.

« Est-ce que vous ne discernez pas quelque chose sur cette tour, Russell ? »

Je regardai si fixement la tour noire dans la nuit noire que mes paupières se mirent à battre. Je détournai légèrement les yeux, et remarquai un changement à peine perceptible dans l'air au-dessus de l'obscurité. Je poussai une exclamation étouffée, et Holmes se dressa d'un bond.

« Vite, Russell, grimpez dans cet arbre. Nous sommes assis ici, aveugles comme des taupes, alors qu'il est si loin du bord que nous ne pouvons le voir. Montez, Russell. Alors ? »

Tout en grimpant, je regardais la tour et, à quatre mètres du sol, le faisceau m'apparut soudain, intermittent, dirigé vers les collines basses et la mer.

« Il est là ! » Je dégringolai les branches en m'écorchant au passage. « Il est là-haut avec... » Mais ils couraient déjà vers le manoir, et la lumière de leurs torches dansait follement dans l'obscurité. M'élançant à mon tour, je piétinai des parterres de fleurs, contournai une fontaine puis, brusquement, devant moi, la nuit explosa. Dix-sept gueules s'ouvrirent pour protester contre notre intrusion ; des jappements, des aboiements et des grondements à vous glacer le sang déchirèrent l'air, suivis de cris, d'un tintement de verre. J'entendis Holmes lancer un avertissement à ses compagnons, des chiens se mirent à geindre et à hurler, deux voix jurèrent, puis il y eut de nouveau un bruit de verre brisé, plus fort, et celui d'une porte ouverte à la volée. Des lumières électriques s'allumèrent une à une dans la maison, et je vis des chiens fuir dans toutes les directions. Une première bouffée d'air pestilentiel m'incita à retenir ma respiration jusqu'à la porte du manoir, que je trouvai entièrement illuminé. Je courus vers la tour, où j'entendis des pas lourds résonner dans l'escalier. Ils s'affaiblirent soudain, ainsi que les bruits de voix, et je supposai que mes compagnons étaient sur le toit.

Une pensée me vint subitement à l'esprit. Il s'était bien écoulé vingt secondes entre les premiers aboiements des chiens et l'instant où Holmes s'était élancé dans la tour. Et si... ? Parvenue au palier du premier étage, je me glissai silencieusement sous les marches et attendis, pour le cas où. Bientôt, un bruit m'alerta, un bruit de pas furtifs et pressés. J'aperçus une chaussure inconnue et, priant qu'elle n'appartînt pas à Smith, Jones ni Barker, l'empoignai. Un hurlement retentit, suivi du fracas d'une longue chute et des cris de mes compagnons, qui dévalaient l'escalier. Je sortis lentement de ma cachette et allai voir ce que j'avais fait.

Debout sur le palier, je regardai le corps recroquevillé de Terrence Howell et j'eus l'impression que mon estomac me montait aux lèvres. Puis Holmes arriva, je me tournai vers lui, et son bras s'enroula autour des mes épaules. Je tremblais.

« Oh ! mon Dieu, Holmes, je l'ai tué ! Je ne pensais pas qu'il tomberait aussi violemment. Oh ! mon Dieu, comment ai-je pu faire une chose pareille ? » Je sentais encore le contact du cuir de sa chaussure sur ma main, et j'avais devant les yeux son corps inerte et bizarrement tordu.

« Appelez un médecin, madame Barker, voulez-vous ? dit quelqu'un. Il a une vilaine bosse sur le crâne et quelques os cassés, mais il est vivant. »

Un immense soulagement m'envahit, et je fus soudain prise de vertige.

« Il faut que je m'assoie une minute, Holmes. »

D'une poussée, il m'assit sur une marche et me fourra la tête entre les genoux. Son sac à dos atterrit à côté de moi, et je le vis vaguement en sortir une petite bouteille. Le bruit d'un bouchon qui saute, et la puanteur concentrée de notre expérience du matin me sauta aux narines. Je me rejetai en arrière, et ma tête heurta violemment le mur. Les larmes me montèrent aux yeux.

« Ça va, Russell ? »

Je me tâtai délicatement le crâne.

« Oui, mais ce n'est pas à vos sels que je le dois, Holmes. Un peu trop spectaculaire comme technique de réanimation, vous ne trouvez pas ? Je reconnais toutefois que, contre les chiens, c'est assez efficace. » Un soulagement fugitif passa dans ses yeux, et il reprit son expression sardonique coutumière.

« Lorsque vous vous en sentirez la force, Russell, nous irons nous occuper de M. Barker. »

Je pris sa main pour me relever, et nous montâmes lentement jusqu'à la chambre du vieil homme. Une forte odeur de sueur et de maladie nous assaillit sur le seuil, et la lumière nous révéla la pâleur moite et les yeux vitreux du fiévreux.

« Épongez-lui le front un moment, jusqu'à l'arrivée de Mme Barker, Russell. Je vais voir ce que je peux trouver dans la chambre de Howell. Ah ! vous voici, madame. Votre époux a besoin de vous. Allons-y, Russell. » Il sortit sans répondre à ses questions anxieuses.

« Que cherchons-nous ? demandai-je.

– Un paquet de poudre ou une bouteille de liquide. Je commence par l'armoire, occupez-vous de la salle de bains. » Grognements et vêtements volèrent bientôt à travers la chambre à coucher, et la salle de bains se remplit d'odeurs à mesure que je débouchais les flacons de parfum, de lotions après-rasage et de sels de bain que je trouvais dans les tiroirs. Mon pauvre nez était un peu endolori, mais je finis par mettre la main sur un flacon à l'odeur anormale. Je retournai dans la pièce voisine où Holmes était enfoncé jusqu'aux mollets dans les habits, les tiroirs retournés, les couvertures et les draps.

« Vous avez trouvé quelque chose, Holmes ?

– Des cigarettes de la boutique Fraser de Portsmouth, des chaussures égratignées au niveau de la voûte plantaire. Que m'apportez-vous ?

– Je ne sais pas, je n'ai plus d'odorat. Est-ce que cela sent *Eau d'Arabe*, à votre avis ? » Un reniflement, et Holmes quittait la chambre en tenant haut le flacon.

« Vous l'avez trouvé, Russell. Maintenant il faut savoir combien lui en donner. » Il alla sur le palier et se pencha.

« Dites-moi, Jones, est-ce qu'il s'est réveillé ?

– Non, et il ne faut pas y compter avant quelques heures.

– Tant pis, dit Holmes. Nous allons devoir procéder empiriquement. »

Mme Barker leva les yeux à notre entrée. « Auriez-vous une petite cuiller, madame ? Oui, c'est parfait. Versez, Russell, vous avez la main ferme. Deux gouttes pour commencer. Nous recommencerons toutes les vingt minutes jusqu'à obtenir un résultat. Glissez-lui la cuiller entre les lèvres, oui, comme cela. Peut-on lui faire avaler un peu d'eau ? Bien. Maintenant, nous attendons.

– Que lui avez-vous donné, monsieur Holmes ?

– L'antidote contre le poison qui provoque cette fièvre, madame. Il est certainement très concentré, et je ne veux pas lui nuire en lui en donnant trop, et trop vite. Il devra en prendre le restant de ses jours, mais il ne sera plus jamais malade.

– Mais je vous ai dit qu'on ne l'empoisonnait pas. Je devrais être malade, moi aussi, si c'était le cas.

– Oh ! non, il n'a pas reçu de poison depuis plus d'un an.

Et l'antidote lui était administré régulièrement, ainsi qu'à vous, sans aucun dommage. Vous m'avez dit que son valet était à son service depuis des années. L'a-t-il accompagné en Nouvelle-Guinée ?

– Oui, je crois. Pourquoi cette question ?

– Les poisons sont une de mes marottes, madame. Certains, très rares, ont la particularité de s'installer définitivement dans le système nerveux. On ne s'en débarrasse jamais, mais l'ingestion régulière de l'antidote peut les neutraliser efficacement. L'un de ces poisons est très apprécié par une tribu de la rivière Sepik en Nouvelle-Guinée. Il est fabriqué à partir de coquillages très étranges originaires de cette région. Par une coïncidence intéressante, l'antidote est tiré d'une plante que l'on ne trouve, elle aussi, que dans cette région. Manifestement, pendant le séjour de votre époux dans cette île, son valet a mené ses propres recherches en secret. Il finira sans doute par nous dire pourquoi il a choisi de trahir, mais c'est ce qu'il a fait, et il a utilisé son poison l'an dernier. Votre mari téléphonait en général le jour du marché, n'est-ce pas ?

– En effet, mais comment le savez-vous ? Ron conduisait toujours les Woods en ville, j'allais faire une promenade à pied ou en voiture, et Howell...

– Allait promener les chiens.

– En effet. Mais comment...

– Il les emmenait jusqu'aux bois, escaladait le poteau téléphonique et écoutait les conversations de votre époux pendant que les chiens rongeaient leurs os. Puis dès qu'une nuit claire s'annonçait, il cessait d'administrer le contrepoison, s'enfermait avec son maître et montait sur le toit communiquer par signaux ce qu'il avait entendu à un complice sur la côte. Ah ! je crois que l'antidote commence à agir. »

Le vieil homme ouvrit les yeux et posa un regard hébété sur Mme Barker.

« Que font ces gens ici, ma chérie ? murmura-t-il.

– Russell, je crois que nous devrions prendre congé et aller voir si nous pouvons aider au transport de M. Howell. Madame Barker, je vous conseille de conserver précieusement ce flacon jusqu'à ce que son contenu puisse être analysé et reproduit. Bonsoir. »

Nous trouvâmes les ambulanciers en train de descendre tant bien que mal les marches étroites avec leur fardeau. Jones les attendait à la porte d'entrée, prêt à leur ouvrir. Un vacarme familier retentissait de l'autre côté. Holmes chercha sa petite bouteille dans son sac, mais je posai une main sur son bras.

« Laissez-moi essayer d'abord », dis-je. Je m'éclaircis la voix, me redressai de toute ma taille (plus d'un mètre quatre-vingts dans ces brodequins) et ouvris la porte pour affronter la meute. Les mains sur les hanches, je les foudroyai du regard.

« Vous n'avez pas honte ? » Dix-sept gueules se refermèrent lentement, trente-quatre yeux se braquèrent sur moi. « C'est ainsi que vous traitez des agents de Sa Majesté ? À quoi pensez-vous ? » Dix-sept chiens s'entre-regardèrent, puis considérèrent ma personne et les hommes sur le seuil. Le premier à faire volte-face et à s'éloigner furtivement fut le chien-loup, le dernier, le yorkshire au nœud bleu, mais tous s'en allèrent.

« Vous avez des ressources inexploitées, Russell, murmura Holmes. Rappelez-moi de faire appel à vous chaque fois qu'il y aura une bête sauvage à affronter. »

Nous accompagnâmes le valet félon et ses gardes jusqu'aux grilles, puis rentrâmes à pied dans la nuit en devisant de choses et d'autres.

Ma première affaire

...ce qui est petit et bas est déjà meilleur que ce qui n'est pas.

L'affaire Barker fut la première où Holmes et moi collaborâmes (si l'on peut parler de collaboration lorsqu'une personne dirige et que l'autre obéit aux instructions). Les vacances de printemps se terminèrent sans autre incident, et je retournai à Oxford, revigorée par les travaux pénibles effectués sous la supervision de Patrick et par le fait d'avoir épinglé mon premier criminel. (Je devrais peut-être préciser que notre intervention permit la capture d'une bonne douzaine d'espions allemands, que M. Barker recouvra la santé et que Mme Barker paya fort généreusement les services rendus.)

Lorsque je réintégrai ma pension, M. Thomas sembla satisfait de mon apparence, et je me consacrai aux mathématiques, aux investigations théologiques et à la carrière de Ratnakar Sanji avec un enthousiasme renouvelé. Je m'astreignis également à prendre de l'exercice en allant marcher dans les collines environnantes (un livre à la main, cela va de soi) et lorsque l'année prit fin, au mois de juin, je n'étais pas tout à fait aussi épuisée.

Le printemps et l'été 1918 furent une période d'émotions intenses et d'événements capitaux aussi bien pour le pays que pour l'étudiante que j'étais. Le Kaiser avait lancé sa dernière attaque massive et, autour de moi, les visages tirés et amaigris devenaient lugubres. Nous dormions mal derrière les rideaux du black-out. Puis, miraculeusement, l'offensive allemande commença à faiblir, tandis que les Alliés recevaient à flots continus les transfusions américaines en hommes et en matériel. Même le bombardement meurtrier que subit Londres au mois de mai ne changea pas le sentiment que l'armée allemande se vidait de son dernier sang et qu'enfin, après toutes ces années d'épreuves, une lueur d'avenir brillait dans l'air.

Lorsque je rentrai chez moi cet été-là, âgée de dix-huit ans et demi, j'étais forte, adulte, et j'avais le monde à mes pieds. Je m'intéressai de près à la gestion de la ferme et interrogeai pour la première fois Patrick sur notre équipement et nos projets pour l'après-guerre.

Je constatai que, en mon absence, Holmes avait changé. Il me fallut quelque temps pour percevoir qu'il était peut-être un peu décontenancé par la jeune femme qui avait remplacé l'adolescente précoce et dégingandée que j'étais. Non que mon apparence se fût beaucoup modifiée – je m'étais étoffée, mais en prenant des muscles plutôt que des rondeurs, m'habillais de la même façon et portais toujours deux longues nattes. Mais mon attitude, ma façon de me mouvoir et de le regarder en face étaient différentes. Je commençais à avoir conscience de ma force et à l'essayer, et je crois que cela lui donnait le sentiment d'être vieux. Je sais que c'est cet été-là que je remarquai pour la première fois une certaine prudence chez lui, lorsqu'il contourna une pente abrupte au lieu de la dévaler. Ce qui ne signifie pas qu'il devenait un vieux monsieur croûlant... loin de là. Il était juste un peu songeur parfois, et je le surprenais à me regarder d'un air pensif lorsque j'avais donné libre cours à mon exubérance dans un domaine ou un autre.

C'est cet été-là aussi que deux affaires nous échurent. Je dis deux, bien que la première méritât à peine ce nom :

c'était plutôt une amusette. Tout débuta un matin de juillet où, en me rendant chez Patrick pour lui montrer un article consacré à une nouvelle technique de paillage mise au point en Amérique, je le trouvai en train d'arpenter sa cuisine avec fureur. Après lui avoir ôté des mains la bouilloire brûlante avec laquelle il menaçait de s'ébouillanter, je la vidai dans la théière et lui demandai ce qui n'allait pas.

« Oh ! rien de bien grave, mademoiselle Mary. C'est juste que Tillie Whiteneck, vous savez, à l'auberge ? elle a été dévalisée hier soir. »

L'auberge du Tonneau-du-moine, sur la route Eastbourne-Lewes, était très appréciée des gens du pays, des vacanciers. Et de Patrick.

« Dévalisée ? Elle est blessée ?

– Non, tout le monde dormait. » Un cambriolage, donc. « Ils ont forcé la porte de derrière et emporté la caisse et des provisions. Tout ça sans un bruit : personne ne s'est rendu compte de rien avant que Tillie descende allumer le poêle, le lendemain matin. Et il y avait une grosse somme dans sa caisse, plus que d'habitude. Elle avait eu beaucoup de clients et était trop occupée pour aller porter l'argent à la banque. »

Je compatis, lui donnai l'article et retournai chez moi, en réfléchissant. Je téléphonai à Holmes et, pendant que Mme Hudson allait le chercher, regardai Patrick traverser la cour, le visage contracté par la colère et l'accablement. Lorsque Holmes répondit, j'allai au fait.

« Ne m'avez-vous pas dit il y a quelques semaines qu'il y avait eu une série de cambriolages dans les auberges et les pubs d'Eastbourne ?

– Deux cambriolages ne font pas une série, Russell. Vous interrompez une expérience délicate sur l'hémoglobine, vous savez.

– Il y en a trois, maintenant, poursuivis-je sans tenir

compte de sa protestation. La bonne amie de Patrick s'est fait dérober sa caisse à l'auberge, hier soir.

– Je suis à la retraite, ma chère. Je ne suis plus obligé de courir après les plumiers disparus ni de traquer les maris dévoyés.

– Celui qui s'en est emparé a choisi un jour où elle contenait beaucoup plus d'argent que d'habitude, insistai-je. Ça n'est pas très rassurant de savoir que le voleur se trouve peut-être dans la région. En outre, ajoutai-je, sentant une légère hésitation au bout de la ligne, Patrick est un ami. » J'avais joué la mauvaise carte.

« Je suis vraiment ravi que vous comptiez votre régisseur au nombre de vos amis, Russell, mais ce n'est pas une raison pour m'entraîner dans cette petite affaire. Je crois avoir entendu dire que le Sussex disposait désormais d'une police. Peut-être aurez-vous l'obligeance de la laisser faire son travail et de me laisser faire le mien.

– Vous ne voyez pas d'inconvénient à ce que je mène ma propre enquête ?

– Grands dieux, Russell, si vous avez tellement de temps de reste et que vous soyez à court de bandages à enrouler, je vous en prie, allez fourrer votre nez dans ce crime extraordinaire, cet accroissement soudain de la dépravation à notre porte. Je vous suggère seulement de ne pas ennuyer la police plus que nécessaire. »

Il raccrocha et, irritée au plus haut point, j'allai chercher ma bicyclette.

En sueur et couverte de poussière, je n'avais pas un aspect très imposant lorsque je parvins à l'auberge, et je dus quasiment tirer l'agent de police du village par la manche pour qu'il m'autorise à jeter un coup d'œil sur les lieux du délit. L'envie de regarder de plus près me démangeait littéralement mais, fier de ce petit événement, le brave agent Rogers avait interdit l'accès de la majeure partie du rez-de-chaussée et attendait l'arrivée de son inspecteur. Même la propriétaire, ses employés et ses clients étaient obligés de se faufiler à travers la pièce derrière un mur de palmiers en pot.

« Je vous promets de ne rien déranger, implorai-je. Je veux juste regarder le tapis.

– Impossible, mademoiselle. Je ne dois laisser passer personne, ce sont les ordres.

– Ce qui signifie que je ne peux même pas me servir de ma cuisine, gronda une voix derrière l'agitation furieuse des palmes. Et qu'en plus de ma caisse, je perds aussi ma journée d'aujourd'hui. Oh ! bonjour, vous êtes la mademoiselle Russell de Patrick, n'est-ce pas ? Vous venez jeter un coup d'œil à notre crime ?

– J'essaie, reconnus-je.

– Oh ! pour l'amour du ciel, Jammy... bon, d'accord, d'accord : “monsieur l'agent”, laisse-la passer. C'est une fille intelligente, et elle est ici. On ne peut pas en dire autant de ton fameux inspecteur.

– Oui, Rogers, laissez-la passer, dit une voix traînante. Je me porte garant qu'elle ne dérangera rien.

– Monsieur Holmes ! » s'écria le policier avec étonnement. Il porta la main à son casque, puis, changeant d'avis, se contenta de se redresser.

« Holmes ! m'exclamai-je. Je vous croyais occupé.

– Le temps que vous cessiez de me retenir, le sang s'était irréparablement coagulé », répondit-il en haussant les épaules. Puis, sans prêter attention à l'ébahissement provoqué par sa remarque, il répéta : « Laissez-la passer, Rogers. » Docilement, l'agent alla décrocher sa corde.

Partagée entre la fureur et l'humiliation, je rassemblai les derniers lambeaux de dignité qui me restaient et allai examiner le tapis. Il était neuf, avait été brossé la veille et révéla vite ses secrets. La joue au ras du sol pour profiter de l'angle de la lumière, je dis à Holmes :

« Voici l'empreinte d'une botte d'homme de taille

moyenne dont le bout est pointu et le talon gauche usé. Elle est plus visible sur les poils du tapis que sur le sol. Il y a aussi des petits bouts de gravier, gris foncé et noir, ou... ? »

Holmes apparut à mes côtés et me tendit la loupe dont j'avais omis de me munir.

« Du gravier foncé couvert de goudron. Et là... un peu de terre rougeâtre collée au bord du tapis, on dirait ? »

Holmes me prit la loupe de la main et étudia le sol à quatre pattes. Puis, sans faire de commentaire, il me rendit l'instrument et me fit signe de continuer. Il transformait cette enquête en un examen oral un peu trop public à mon goût.

« Où trouve-t-on de la terre rouge ? demandai-je. Je sais qu'il y en a au sud du village, là où la route descend, et dans deux ou trois autres endroits, le long de la rivière. Près de la maison des Barker aussi, il me semble ?

– Pas si rouge, je crois, intervint Holmes. Et à mon avis, une loupe plus puissante montrerait que celle-ci est plus argileuse. » Il n'en dit pas davantage. Très bien, pensai-je, à votre guise. Je me tournai vers l'agent de police Rogers, qui semblait mal à l'aise.

« La commune a fait goudronner un certain nombre de routes récemment, n'est-ce pas ? Sauriez-vous par hasard où les ouvriers ont travaillé ces dernières semaines ? »

Il bougea d'un pied sur l'autre, jeta un regard interrogatif à Holmes et obtint apparemment une réponse, car il déclara : « Il y a un tronçon à une dizaine de kilomètres au nord du village, un autre à l'est de chez Warner. Et ils ont revêtu la route du moulin, la semaine dernière. Rien d'autre dans les environs depuis le mois dernier.

– Merci, cela réduit un peu les possibilités. Pourrais-je vous dire un mot, madame Whiteneck ? » Je pris l'amie de Patrick à part, lui demandai le nom et l'adresse de ses employés et lui assurai que, dès que l'inspecteur de police serait passé, sa cuisine lui serait rendue. Elle parut soulagée.

« D'après Patrick, le voleur a aussi emporté de la nourriture ? ajoutai-je.

– Et comment ! Quatre beaux jambons bien gras que je venais de sortir du fumoir, et trois bouteilles de mon meilleur whisky. Une jolie somme qu'elles m'avaient coûté, et Dieu sait comment je vais arriver à les remplacer avec tous ces rationnements. Dites, vous êtes sûre qu'il me laissera utiliser ma cuisine ?

– Certaine. Même s'il est pris d'un accès de zèle incontrôlé, il voudra tout au plus montrer ce bout de tapis et les portes à un spécialiste en empreintes digitales, mais à mon avis c'est déjà trop espérer. Je vous ferai savoir ce que j'ai trouvé. »

Lorsque nous quittâmes l'auberge, peu après, un beau soleil éclairait la ruelle du village.

« J'aimerais jeter un coup d'œil sur vos cartes topographiques, si vous voulez bien », dis-je à Holmes. C'était admettre que je n'avais pas solidement en tête les détails géographiques de ma propre région, mais il ne fit pas de commentaire.

« Toutes les ressources de la maison sont à votre disposition », répondit-il. Celles-ci incluaient, comme je m'en aperçus, une des automobiles du service de taxi rural assuré par son voisin. Elle attendait près de l'auberge et nous ramena à la fermette de Holmes.

Je saluai Mme Hudson et allai dans le bureau où il conservait sa vaste collection de cartes. Je trouvai celles dont j'avais besoin, les étalai sur la table et pointai les cinq endroits où je savais qu'une argile rouge perçait sous le sol crayeux des Downs. Holmes vaquait à ses propres activités, mais en passant près de la table pour aller chercher un livre, il posa négligemment le doigt sur un point de la carte, puis sur un autre, me rappelant deux autres emplacements.

« Merci, dis-je à son dos. Dans tous ces endroits sauf un, la carte indique la présence d'un affleurement rocheux. Deux d'entre eux... Cela vous intéresse-t-il le moins du monde, Holmes ? » Il ne quitta pas son livre des yeux mais eut un geste de la main que j'interprétai comme une invitation à poursuivre. « Il n'y a que deux endroits où l'on trouve à la fois de la terre rouge, des travaux de revêtement routier récents et des employés de l'auberge : à trois kilomètres au nord, sur la route de Heathfield ; et à l'ouest, près de la rivière. »

J'attendis une réponse, n'en obtins aucune et me dirigeai vers le téléphone. Apparemment, c'était à moi de mener l'enquête, surveillée toutefois par un critique aux yeux de lynx. Pendant que l'on cherchait mon correspondant, il me vint à l'esprit que je n'avais pas entendu le taxi repartir et, en jetant un coup d'œil par la fenêtre, je vis qu'en effet il était toujours dans l'allée, et que le chauffeur, carré sur son siège, lisait un livre. J'eus un instant de contrariété, moins parce que Holmes avait prévu que nous en aurions besoin, que parce que je n'y avais pas pensé moi-même.

Le central me mit en communication avec l'auberge.

« Madame Whiteneck ? Mary Russell. L'inspecteur est arrivé ? Oui ? Oh ! c'est vrai ? L'agent Rogers a dû être déçu. Oui. Enfin, on vous a au moins rendu votre cuisine. Écoutez, madame, pourriez-vous me dire lesquels de vos employés travaillent à l'auberge aujourd'hui, et jusqu'à quelle heure ? Oui. Oui. Je vous remercie. Oui, je vous tiendrai au courant. » Je raccrochai.

« L'inspecteur Mitchell est venu. Il a jeté un coup d'œil, passé un savon à Rogers pour lui avoir fait perdre son temps et est reparti », dis-je en m'adressant à la pièce en général. J'obtins la réponse que j'escomptais, c'est-à-dire aucune, et regardai la liste des employés. J'y trouvai Jenny Wharton, femme de chambre à l'auberge, habitant au nord du village et qui travaillerait jusqu'à huit heures, et Tony Sylvester, le nouveau barman, qui ne rentrerait chez lui, près de la rivière, qu'après sept heures.

Et maintenant, que faire ?

Je pouvais difficilement me rendre à leurs domiciles respectifs et les fouiller en leur absence. Si je tombais en toute innocence sur le butin volé, en revanche, ce serait différent. Mais comment prétendre avoir aperçu par hasard la caisse sous un lit de la chambre à coucher du premier étage ou avoir senti le jambon dans... ah ! mais c'était une idée, l'odeur de quatre jambons... et si... ?

« Holmes, pensez-vous que... ? Oh ! ça ne fait rien. » Je décrochai de nouveau le téléphone et demandai un autre numéro. Holmes tourna une page de son livre.

« Bonjour, madame Barker. Mary Russell à l'appareil. Comment allez-vous ? Et votre époux ? Bien, j'en suis ravie. Oui, nous avons eu de la chance, n'est-ce pas ? Dites-moi, madame, est-ce que, parmi vos chiens, vous en auriez un qui sache suivre une piste ? Oui ? Verriez-vous un inconvénient à me le prêter quelques heures ? Non, non, je vais passer le prendre. Il n'a rien contre les automobiles, j'espère ? Bien, à tout à l'heure, alors. Merci. »

Je me tournai vers Holmes. « Cela vous dérangerait-il que je profite de la voiture qui attend si ostensiblement dans l'allée ?

– Mais pas du tout », répondit-il en reposant son livre sur l'étagère.

Nous nous rendîmes à l'auberge, où j'empruntai un torchon propre sur lequel je frottai l'un des jambons restants, puis nous roulâmes jusqu'au manoir des Barker. Le chauffeur fit un écart et jura à voix basse lorsque les chiens se ruèrent sur la voiture, bondirent, mordirent les pneus, en donnant l'impression qu'ils allaient nous dévorer vivants. J'ouvris la porte et, lorsque je descendis, la meute tout entière se tut instantanément, se mit à étudier le ciel, à renifler les touffes d'herbe en bordure d'allée, puis s'éloigna discrètement. Mme Barker s'avança, un collier et une laisse à la main, parut étonnée du calme de ses chiens et alla tirer de sous un buisson un spécimen de piteuse allure, qui avait les oreilles longues, le poil inégal et un ventre au ras du sol. Elle nous l'amena et me tendit la laisse.

« Il s'appelle Justinien », dit-elle. Et elle ajouta : « Ils portent tous des noms d'empereur.

– Je vois. Eh bien, nous reconduirons l'empereur chez lui avant la nuit, je pense. Viens, Justinien. » Il trottina sans hâte jusqu'à la voiture, y grimpa laborieusement et entreprit de laver les chaussures de Holmes à grands coups de langue.

Je demandai au chauffeur de nous emmener d'abord au nord du village, où nous parcourûmes les chemins au hasard. Justinien renifla avec entrain, mais le torchon parfumé au jambon le laissa parfaitement indifférent. Au bout de quelque temps, nous remontâmes dans la voiture et gagnâmes la route du moulin, près de laquelle habitait Tony Sylvester. De nouveau, Holmes et moi arpentâmes les bas-côtés pendant que Justinien reniflait et arrosait les herbes sauvages. Nous marchâmes, interminablement, et j'eus tout le temps de regretter amèrement de m'être lancée dans cette équipée grotesque. Holmes ne disait rien. C'était inutile.

« Encore un demi-kilomètre, dis-je, les dents serrées, et nous supposerons, soit que le voleur n'était pas à pied, soit que le nez impérial n'est plus ce qu'il était. Viens, Justinien. » J'agitai le torchon devant son nez. « Cherche ! Cherche ! »

Il interrompit l'examen attentif d'un crapaud écrasé pour humer le tissu parfumé, les yeux pensivement baissés, s'absorba dans des réflexions profondes, s'assit pour gratter une puce sur son oreille gauche, se releva, éternua vigoureusement et se mit en route d'un air décidé. Nous lui emboîtâmes le pas et, quelques minutes plus tard, il s'engagea dans un chemin étroit, se glissa sous une clôture et passa dans un champ. Holmes fit signe au chauffeur de nous attendre, et nous suivîmes Justinien.

« J'espère que ce n'est pas le champ du taureau, grommelai-je.

– Étant donné qu'il y a un sentier, cela me paraît peu probable. Tiens, qu'avons-nous là ? »

C'était un billet de dix shillings, enfoncé dans la terre molle par le sabot d'un bovin. Holmes le dégagea avec précaution et me le tendit.

« Pas vraiment très professionnel, Russell ? Il n'a même pas attendu d'être rentré chez lui pour admirer son butin.

– Je n'ai pas entrepris cette enquête pour son intérêt intellectuel mais pour aider un ami, répliquai-je sèchement.

– On ne peut être trop exigeant, je suppose. Enfin, je serai peut-être rentré à temps pour reprendre mon expérience sur l'hémoglobine. Ah ! je crois que nous... je crois que vous avez trouvé la maison de M. Sylvester. »

Le sentier arrivait à une seconde clôture et s'arrêtait devant une petite ferme de pierre à l'air désolé. Aucun signe de vie, aucune réponse à nos appels. Justinien nous tira vers un petit fumoir qui se dressait un peu à l'écart et dont sortaient des volutes de fumée odorante. Il s'immobilisa, le nez pressé contre la porte, en poussant des geignements irrités. J'ouvris et aperçus dans la pénombre trois jambons entiers et le restant d'un quatrième. Sortant mon couteau, j'en découpai un gros morceau que je jetai à Justinien.

« Bon chien. » Je lui tapotai la tête et retirai vivement la main quand il gronda en me montrant les dents. « Mauvais chien. Comme si j'allais te le reprendre aussitôt après te l'avoir donné !

– Où comptez-vous chercher la caisse, Russell ?

– Elle se trouve forcément dans un endroit malcommode, les chevrons de ce fumoir, par exemple, ou la fosse des cabinets. Une cachette ne supposant pas une grande imagination. Je reconnais que ce n'était pas une mauvaise idée de dissimuler les jambons dans un fumoir en activité, mais j'y vois le signe d'un solide instinct criminel plutôt que d'un cerveau puissant ; même un enquêteur citadin estimerait bizarre de découvrir un porc gratifié de deux paires de jambons mais n'ayant ni pieds ni lard.

– Oui, soupira Holmes. Les criminels doués d'instinct et dépourvus de bon sens ont empoisonné mon existence. Je vous abandonne celui-ci. Je vais chercher le chauffeur pendant que vous fouillez la maison. Voulez-vous que je vous ouvre ? ajouta-t-il poliment en sortant son assortiment de rossignols.

– Oui, s'il vous plaît. »

La caisse n'était ni dans le fumoir, ni dans la fosse odorante. Je ne la découvris pas non plus se balançant au bout d'une corde dans le puits, cachée sous le lit, dans le grenier ni même sous une latte du plancher. Dehors, plongé dans la lecture d'un roman de quatre sous, le chauffeur attendait sans protester, mais l'heure tournait. Holmes me rejoignit dans la petite cuisine. Sylvester avait mangé des haricots, la veille au soir, et la casserole, pleine de sauce figée, se trouvait sur le buffet. Le restant du quatrième jambon reposait sur une assiette dans le placard. Les mouches s'en donnaient à cœur joie.

« Il n'a pas montré beaucoup d'intelligence pour le cambriolage, mais il a bien caché son butin, dis-je.

– N'est-ce pas ? À quelle heure quitte-t-il son travail ? Sept heures ? Il est six heures et demie, et nous ferions bien de renvoyer la voiture. Puis-je suggérer que nous remettions au chauffeur un mot pour ce bon Rogers, dont la présence pourrait nous être d'une certaine utilité vers... sept heures et demie ?

– Un peu plus tard, peut-être. Il faudra au moins vingt minutes à Sylvester pour revenir de l'auberge à vélo. Il serait regrettable que la police le double sur la route.

– Vous avez raison, Russell. Disons huit heures moins le quart, alors. Je vais remettre ce mot au chauffeur.

– Demandez-lui aussi de ramener Justinien. Il mérite de faire une entrée triomphale. »

La voiture fit demi-tour devant la maison et s'éloigna. Holmes disparut dans une des remises et revint avec un ciseau rouillé et un marteau. Il se dirigea vers la porte ouverte.

« Que faites-vous, Holmes ? demandai-je.

– Toutes mes excuses, Russell, je m'oubliais. Les vieilles habitudes ont la vie dure. Je vais remettre ces outils à leur place.

– Attendez ! Ce n'était qu'une question.

– Ah ! Eh bien, j'ai parfois mis à profit le fait qu'une personne ayant des raisons de croire un bien précieux menacé a tendance à se précipiter aussitôt vers l'endroit où il se trouve. Mais vous avez certainement un autre plan. Pardonnez-moi cette intervention.

– Non, non, je vous en prie, Holmes, allez-y. » Je le regardai fermer avec adresse la porte de la cuisine avec un rossignol, puis démolir la serrure avec ciseau et marteau. Pendant qu'il allait ranger ces outils, je sortis quatre petits pains rassis d'un paquet posé sur la table et retournai dans le fumoir couper quelques tranches dans un jambon volé qui n'avait pas encore nourri la moitié des mouches du Sussex. Je ne mange pas de porc en temps normal, mais décidai que je pouvais faire une exception pour l'occasion. J'essuyai une salissure sur la couenne, tranchai le jambon, et contemplai d'un air songeur ma main, puis le jambon, puis le sol.

« Holmes ! criai-je.

– Du nouveau, Russell ?

– La sénilité est-elle contagieuse, Holmes ? Parce que si c'est le cas, nous en sommes atteints tous les deux.

– Pardon ?

– Ce jambon a été posé sur une terre rouge argileuse, et un pied a laissé de la terre rouge argileuse sur le sol du fumoir. Ne pensez-vous pas qu'il serait bon d'aller regarder de plus près cet affleurement d'argile rouge ? Tenez, voici un sandwich. Désolée de ne pas avoir de bière à vous offrir.

– Un instant. » Holmes retourna dans la cuisine, j'entendis des coups sourds et un bruit de verre brisé, puis il revint avec une grande bouteille de Bass et deux verres, qu'il rinça à la pompe. « Nous y allons ? »

Nous emportâmes notre pique-nique sur la hauteur voisine et trouvâmes l'argile rouge au pied d'un chaos de rochers abrupts. L'escalader et explorer les cachettes possibles prendrait du temps, et il était déjà plus de sept heures. L'examen des lieux révéla plusieurs empreintes semblables à celle que nous avions vue sur le tapis de l'auberge ainsi que des traînées rouges sur les rochers. Je mordis dans mon sandwich, et le goût du pain me fit grimacer.

« Je suis d'avis que nous le laissions descendre cette caisse à notre place. J'aimerais savourer tranquillement ce jambon et cette bière.

– Un jambon excellent malgré son second fumage. Nous pourrions peut-être convaincre Mme Whiteneck de nous en céder un peu à titre de paiement. Que pensez-vous de ces buissons, là-bas ? Ils nous offriraient à la fois un abri et un excellent point de vue sur la maison et la colline. »

Nous nous installâmes donc, et Holmes ouvrit la bouteille. Notre homme apparut bientôt, pédalant avec vigueur. À partir de là, nous assistâmes à une belle réaction en chaîne, déclenchée par la serrure brisée de la porte de derrière. Tout en mangeant et buvant derrière notre écran de feuillage, nous vîmes Sylvester contempler sa porte avec consternation, disparaître à l'intérieur, où il trouva tous les indices d'une fouille brutale, ressortir comme un ouragan et grimper à toute allure dans notre direction. Le visage rouge et suant, il escalada les rochers, et je grimaçai quand il glissa et se cogna durement le tibia. À mi-hauteur, il s'allongea, passa un bras derrière deux gros rochers, et nous vîmes son corps entier se détendre lorsque sa main toucha la caisse.

« Allez, murmura Holmes, sois gentil, redescends-la ; cela nous évitera d'aller la chercher. Ah ! parfait, je pensais bien que tu ne résisterais pas. »

Serrant gauchement la boîte de métal contre sa poitrine, Sylvester redescendit lentement. Il faillit tomber une fois, et je retins mon souffle en imaginant déjà des os brisés et des billets éparpillés aux quatre vents, mais il s'en tira avec une entaille au genou et arriva en bas sans encombre. Une expression réjouie sur le visage, il trotta alors vers sa maison. Holmes et moi finîmes notre bière et le suivîmes.

« C'est le moment de faire intervenir nos renforts, je pense, Russell. Je vais attendre ici pendant que vous allez cherchez l'agent Rogers... discrètement !

– Les chiens des Barker m'écoutent peut-être, Holmes, mais ce n'est pas le cas de l'agent Rogers. Je crois que vous feriez mieux d'y aller vous-même.

– Hum ! Vous avez sans doute raison. Mais dans ces conditions, vous ne devez en aucun cas vous approcher de M. Sylvester. S'il s'en va, suivez-le, mais à distance respectable. Les rats acculés mordent, Russell : pas d'héroïsme, je vous prie. »

Je lui assurai que je n'avais pas l'intention de m'attaquer toute seule à notre homme, et nous nous séparâmes. Je me postai derrière le fumoir, afin de le voir s'il tentait de fuir vers la rivière, et ramassai une poignée de cailloux pour m'exercer à jongler. J'en étais à cinq cailloux quand quelque chose que je n'entendis ni ne vis déclencha une nouvelle série d'événements rapides.

Il se fit d'abord un grand tapage dans la maison, puis la porte de la cuisine s'ouvrit à la volée, et un jeune voleur aux cheveux noirs et à l'expression terrifiée jaillit de la maison, en semant derrière lui des billets de banque qui voletèrent comme des feuilles d'automne. Des cris retentirent à l'entrée de la ferme, suivis par un bruit de pas lourds, mais Sylvester courait vite et avait une avance considérable. Il me dépassa comme une flèche et, sans y penser, je rattrapai au vol un de mes derniers cailloux et le lançai dans sa direction. Il l'atteignit à une jambe et dut l'engourdir un instant, car le genou plia, et notre homme roula pesamment à terre. Je me baissai pour ramasser un autre caillou, mais Holmes et Rogers arrivèrent sur ces entrefaites, et ce ne fut pas nécessaire.

Nous dînâmes à l'auberge de Mme Whiteneck, ce soir-là. Holmes prit du jambon, moi du mouton à la menthe, accompagnés de pommes de terre minuscules, de carottes et de divers autres produits savoureux de notre bonne terre du Sussex. Mme Whiteneck nous servit elle-même avec compétence et simplicité, puis se retira.

Un certain temps s'écoula avant que je ne me carre dans mon fauteuil en poussant un soupir de bien-être.

« Merci, Holmes. Nous nous sommes bien amusés.

– Vous avez donc trouvé du plaisir même à cette petite enquête rustique toute simple ?

– Oui. Je ne me vois pas passer ma vie à exercer ce genre d'activités, mais comme distraction un jour d'été à la campagne, c'était très agréable. Vous ne trouvez pas ?

– Vous avez mené cette enquête de façon très professionnelle, Russell.

– Oh ! merci, Holmes. » J'étais ridiculement flattée. « Où avez-vous appris à lancer comme cela, au fait ?

– Mon père considérait que toutes les jeunes filles devraient savoir lancer et courir. La maladresse apprise ne l'amusait pas. Il aimait beaucoup le sport et s'efforçait d'introduire le cricket à San Francisco l'été qui a précédé... l'accident. Je devais être son lanceur.

– Formidable, murmura mon compagnon.

– C'était aussi son avis. C'est un talent utile, reconnaissez-le. On trouve toujours des bouts de quelque chose à jeter sur les malfaiteurs.

– *Quid erat demonstrandum.* Cela dit, Russell... » Il me fixa d'un œil froid, et je m'attendis à essuyer une critique dévastatrice. « ... à propos de cette expérience sur l'hémoglobine... »

LIVRE DEUX

Études pratiques

La fille du sénateur

La vie errante des bohémiens

...on la saisit, on l'emprisonne,
...on la porte loin de sa demeure...

L'affaire de l'auberge du Tonneau-du-moine fut, ainsi que je l'ai dit, une simple amusette, dont même un romantique invétéré comme Watson aurait eu du mal à faire un récit captivant. La police aurait certainement arrêté Sylvester assez vite et, à la vérité, même en ces temps de pénurie chronique, trente guinées et quatre jambons pouvaient difficilement prétendre aux gros titres du *Times*.

Néanmoins, en dépit des événements tumultueux qui se déroulèrent par la suite, elle reste gravée dans mon esprit, pour la simple raison que ce fut la première fois où Holmes me laissa prendre des décisions et agir librement.

Cinq semaines plus tard, cependant, une autre affaire donna à celle du Tonneau-du-moine ses véritables proportions. L'enlèvement de la fille du sénateur américain ne fut pas une amusette mais un événement d'importance internationale, dramatique et complexe. Cette enquête tissa entre Holmes et moi des liens plus étroits que ne l'avait jamais fait mon apprentissage, et nous unit indissolublement un peu à la manière des survivants d'une catastrophe naturelle. Elle mc rendit à la fois plus sûre de moi-même et, paradoxalement, plus prudente, car je vis de près les résultats potentiellement désastreux que pouvait avoir un acte inconsidéré. Elle changea aussi Holmes, je crois, parce qu'il put constater que les années qu'il avait passées à me former avaient porté leurs fruits. Il se rendit compte qu'il avait créé une force non négligeable, et le réexamen qu'il fit de ce que j'étais devenue, le jugement qu'il porta sur mes capacités sous le feu de l'ennemi, pour ainsi dire, influencèrent profondément les décisions qu'il devait prendre quatre mois plus tard lorsque le ciel nous tomba sur la tête.

Et, pourtant, je faillis bien rater entièrement toute l'affaire. Aujourd'hui encore, j'ai des sueurs froides en pensant à ce qu'aurait été décembre sans notre collaboration du mois d'août, sans la confiance mutuelle qui s'établit entre nous au pays de Galles. Si j'avais manqué l'affaire Simpson, si Holmes s'était simplement volatilisé (comme il l'avait fait en d'autres occasions) ou qu'il ne m'ait pas permis de l'accompagner, Dieu seul sait comment nous aurions affronté les intempéries de décembre.

Aux environs de midi, par une journée caniculaire de la mi-août, notre équipe de faneurs atteignit le bout du dernier champ et se dispersa, épuisée et le pas lourd. Cette année-là, la camaraderie facile et le robuste entrain du Corps des travailleuses agricoles avaient été assombris par l'arrivée parmi nous d'un homme, jeune, silencieux, commotionné – un enfant, en réalité, excepté pour les tranchées –, qui n'abattait guère de besogne et sursautait au moindre bruit inattendu, mais dont la triste présence stimulait notre zèle. Grâce à lui, nous finîmes de bonne heure, ce 18 août. Je rentrai chez moi, avalai un énorme repas dans la cuisine de Patrick puis, alors que je ne rêvais que de m'écrouler dans mon lit pour y dormir une vingtaine d'heures, je me rendis dans la salle de bains, me débarrassai de la croûte de poussière et de paille collée à ma peau par la sueur et, physiquement épuisée mais remplie d'une sensation de bien-être et de ce sentiment de liberté que donne une tâche pénible bien accomplie, j'enfourchai ma bicyclette et allai voir Holmes.

Dans l'allée qui menait à la fermette, des sons remarquables me parvinrent aux oreilles. De la musique, mais comme je n'en avais encore jamais entendu de pareille chez Holmes, un air gai et dansant, tonifiant et totalement inattendu. J'appuyai plus vigoureusement sur les pédales, fis le tour de la maison et entrai par la porte de la cuisine. En arrivant dans le salon, il me fallut un instant pour reconnaître l'homme à la peau et aux cheveux sombres qui appuyait un menton mal rasé sur son violon. Une lueur d'appréhension passa sur son visage, aussitôt suivie d'un sourire enjôleur qui me révéla l'éclat d'une incisive en or. Je ne fus pas dupe. J'avais surpris sa première réaction en me voyant apparaître à l'improviste sur le seuil, et je fus aussitôt sur mes gardes.

« Ne me dites pas que le pasteur a besoin d'un violoneux tsigane pour la fête du village, Holmes.

– Bonjour, Russell, fit-il avec une désinvolture étudiée. Je ne m'attendais pas à avoir le plaisir de votre visite. Je suis heureux de vous voir, cela va m'éviter de vous écrire. Je souhaitais vous demander de surveiller l'expérience sur les plantes. Juste quelques jours, et cela n'a rien de terriblement...

– Que se passe-t-il, Holmes ? » Il avait l'air beaucoup trop innocent.

« Ce qui se passe ? Mais rien du tout. Il se trouve que je dois m'absenter quelques jours, et...

– Vous êtes sur une affaire.

– Oh ! voyons, Russell...

– Pourquoi ne voulez-vous pas m'en parler ? Et ne me racontez pas qu'il s'agit de secrets d'État.

– C'est un secret. Je ne peux rien vous dire. Plus tard, peut-être. Mais j'ai vraiment besoin que...

– Au diable ces plantes, Holmes ! coupai-je avec colère. Cette expérience n'a absolument aucune importance.

– Russell ! s'exclama-t-il d'un air offensé. Je ne les abandonne que parce qu'il m'est impossible de refuser mon aide à la personne qui me l'a demandée.

– Je suis Russell, Holmes, pas Watson, ni Mme Hudson. Vous ne m'intimidez pas le moins du monde. Je veux savoir pourquoi vous comptiez filer à l'anglaise sans me prévenir.

– Filer à l'anglaise ! J'ai dit que j'étais heureux de vous voir.

– Je ne suis pas aveugle, Holmes. Vous êtes entièrement déguisé, exception faite de vos chaussures, et il y a un sac tout prêt dans le coin. Je répète : que se passe-t-il ?

– Je suis navré, Russell, mais je ne peux pas vous associer à cette affaire.

– Pourquoi ? » Je commençais à être vraiment en colère. Lui aussi.

« Parce que cela peut être dangereux, bon sang ! »

Je le dévisageai un instant et, lorsque je repris la parole, je constatai avec plaisir que ma voix était calme et posée.

« Mon cher Holmes, je vais feindre de n'avoir rien entendu. Je vais aller admirer les fleurs de votre jardin pendant une dizaine de minutes. À mon retour, nous reprendrons cette conversation de zéro et, à moins que vous ne souhaitiez mettre définitivement fin à notre relation, l'idée de protéger la petite Mary Russell ne vous effleurera pas l'esprit. »

Je sortis en refermant doucement la porte derrière moi, et allai bavarder avec Will et les deux chats. J'arrachai quelques mauvaises herbes, entendis le violon jouer à nouveau, une mélodie plus classique cette fois, et, les dix minutes écoulées, retournai dans le salon.

« Bonjour, Holmes. Vous êtes bien élégant, aujourd'hui. Je n'aurais jamais pensé à mettre une cravate orange avec une chemise rouge de ce ton, mais c'est original. Alors, où allons-nous ? »

Holmes me regarda, les yeux mi-clos. J'attendis sur le seuil, les bras croisés. Finalement, il poussa un grognement et fourra le violon dans son étui miteux.

« Très bien, Russell. Je suis peut-être fou, mais nous allons essayer. Avez-vous suivi l'affaire Simpson dans les journaux ?

– J'ai vaguement lu un article, il y a quelques jours. J'aidais Patrick à faire les foins.

– Manifestement. Jetez un coup d'œil là-dessus pendant que je compose votre personnage. »

Il me tendit une pile d'exemplaires du *Times*, puis monta dans son laboratoire.

Je les classai par date. Dans le premier, qui remontait au 10 août, un court article en page intérieure annonçait que le sénateur américain Jonathan Simpson allait passer ses vacances au pays de Galles avec son épouse et leur fille de six ans.

L'article suivant, daté du 13, occupait la première page avec, en manchette :

« LA FILLE DU SÉNATEUR ENLEVÉE
LES RAVISSEURS RÉCLAMENT UNE RANÇON EXORBITANTE »

Les Simpson avaient reçu un message dactylographié disant simplement qu'ils avaient une semaine pour réunir vingt mille livres sterling et que, s'ils prévenaient la police, ils ne reverraient pas leur enfant vivante. L'article n'expliquait ni comment le journal avait obtenu cette information, ni comment les Simpson pourraient tenir la police à l'écart après que la nouvelle avait fait les gros titres. L'intérêt suscité par l'affaire s'émoussait peu à peu, et le journal du jour ne contenait plus que la photo granuleuse d'un couple à l'air hagard : les parents.

J'allai m'appuyer contre la porte du laboratoire, pendant que Holmes mesurait, versait et remuait.

« Qui a fait appel à vous ?

– Mme Simpson a insisté, apparemment.

– Vous n'avez pas l'air content. »

Il reposa brutalement une pipette qui, naturellement, se brisa.

« Comment pourrais-je l'être ? La moitié du pays de Galles a piétiné les lieux, la piste est vieille d'une semaine, il n'y a pas d'empreintes, personne n'a vu qui que ce soit, les parents sont hystériques et, comme personne ne sait quoi faire, on décide de contenter cette dame et d'appeler ce vieux Holmes. Holmes, le faiseur de miracles. » Il contempla son doigt d'un air sombre pendant que j'y appliquai un sparadrap.

« À lire les sornettes de Watson, on croirait que je n'ai jamais connu de véritables échecs, de ceux qui vous rongent et vous empêchent de dormir. Je connais ces affaires, Russell, je les flaire, et celle-ci en a toutes les caractéristiques. Elle pue l'échec, et je n'ai pas envie d'être là lorsque l'on retrouvera le cadavre de cette enfant.

– Refusez, dans ce cas.

– Je ne peux pas. Il y a toujours une chance pour que la police ait laissé échapper un détail, pour que mes vieux yeux soupçonneux repèrent quelque chose. » Il eut un petit rire cynique. « Tiens, voilà un morceau de choix pour les notes de Watson : Sherlock Holmes compte désormais sur la chance. Asseyez-vous, Russell, que je vous étale cette saleté sur le visage. »

C'était horrible, chaud, noir et visqueux comme ce que dépose un chien sur le trottoir, il fallait qu'il m'en mette dans le nez, dans les oreilles et autour de la bouche, mais je m'assis.

« Nous serons deux bohémiens. J'ai fait en sorte qu'une roulotte nous attende à Cardiff, où nous verrons les Simpson avant de nous mettre en route vers le nord. J'avais prévu d'engager un conducteur, mais puisque vous avez conduit l'attelage de Patrick, vous devriez vous débrouiller. Je suppose que l'on ne vous a pas appris à Oxford des choses aussi utiles que la cartomancie ?

– L'étudiante qui habite au-dessous de chez moi est une mordue de tarots. Je devrais pouvoir imiter le jargon. Et je sais jongler.

– Il y avait un jeu de cartes dans le placard... Ne bougez pas ! J'ai dit à Scotland Yard que je serais à Cardiff demain.

– Les ravisseurs n'accordaient qu'une semaine aux parents, il me semble ? Que pouvez-vous espérer faire en deux jours ?

– Vous avez omis de lire les petites annonces, fit-il d'un ton de reproche. Ce délai était fixé pour la forme, et il en va de même pour les instructions concernant la police. Personne ne prend ce genre d'exigences au sérieux, les ravisseurs moins que quiconque. Nous avons jusqu'au 30 août. Le sénateur essaie de réunir la somme, mais cela consommera sa ruine, ajouta-t-il d'un ton distrait en étalant la gelée répugnante sur mes paupières. Un sénateur, même puissant comme Simpson, n'est pas toujours un homme riche.

– Nous allons au pays de Galles. Vous croyez que l'enfant y est toujours ?

– C'est un endroit très isolé, personne n'a entendu passer d'automobile après la tombée de la nuit, et la police a barré toutes les routes dès six heures du matin. Ces barrages sont toujours en place, mais Scotland Yard, la police galloise et l'état-major américain estiment qu'elle se trouve à Londres. C'est là qu'ils déploient tous leurs efforts, et ils nous laissent le pays de Galles pour apaiser les Simpson et ne plus les avoir dans leurs jambes. L'avantage, c'est que nous avons à peu près carte blanche. Oui, je pense qu'elle est toujours au pays de Galles. Mieux, je crois qu'elle ne se trouve pas à plus de trente kilomètres de l'endroit où elle a disparu. Je vous ai dit de ne pas bouger ! gronda-t-il.

– Des individus de sang-froid, si c'est le cas, remarquai-je.

– Comme vous dites. Et prudents : ils ont utilisé un papier ordinaire et des enveloppes ordinaires ; les messages sont tapés sur la deuxième sorte de machine à écrire la plus courante et postés dans des bureaux de poste importants de Londres. Pas d'empreintes digitales. L'orthographe, le choix des mots et la ponctuation sont atroces de bout en bout. La disposition des textes sur la page est précise, l'alinéa, toujours de cinq espaces, et la pression exercée sur les touches indique une certaine habitude de la dactylographie. L'analphabétisme de façade mis à part, les messages sont clairs et modérément violents, pour ce genre d'affaires.

– "De façade" ?

– Oui, dit-il d'un ton ferme. Il y a un cerveau derrière cet enlèvement, Russell, et pas une brute sans éducation. » Sur son visage et dans sa voix, l'horreur que lui inspirait le crime le disputait avec le plaisir constitutionnel qu'il prenait à la chasse. Je ne dis rien, et il continua à m'enduire les mains et les bras de son abominable produit. « Voilà pourquoi nous ne prendrons aucun risque et ne supposerons aucune faiblesse à nos adversaires. Nous endosserons notre rôle dès que nous franchirons le seuil de cette maison et ne l'abandonnerons plus un seul instant. Si vous ne vous en sentez pas capable, mieux vaut le dire tout de suite, car la moindre erreur peut coûter la vie à cette enfant. Sans parler des complications politiques qu'entraînerait le fait que le représentant d'un Allié précieux et assez peu enthousiaste perde sa fille sur notre territoire. »

Il parlait d'une voix presque douce, mais lorsqu'il me

regarda dans les yeux, je faillis renoncer. Il ne s'agissait plus de mettre le turban de Ratnakar Sanji et de prendre un accent de music-hall en s'exposant tout au plus à un renvoi. Si je jouais mal mon rôle, c'était la vie d'un enfant qui était en jeu. Peut-être même la nôtre. Il m'aurait été facile de battre en retraite, mais si je flanchais maintenant, retrouverais-je jamais le courage nécessaire et l'occasion de le mettre à l'épreuve ? J'avalai ma salive et hochai la tête.

« Voilà, dit-il. J'ai fini. Espérons que cela ne bouchera pas les canalisations une seconde fois. Allez prendre un bain et faites-vous un rinçage avec cela. »

J'emportai la bouteille de teinture visqueuse et, quelque temps plus tard, contemplai dans la glace une jeune femme aux cheveux d'un noir de jais, à la peau café au lait et aux yeux bleus exotiques, qui, grâce aux coffres de Holmes, portait une multitude de jupes volumineuses, des foulards colorées et, au cou et aux poignets, toute une quincaillerie de bijoux clinquants. Je remis mes lunettes habituelles, jugeai qu'elles faisaient trop sérieux et les remplaçai par une paire à grosse monture dorée dont les verres étaient légèrement teintés. L'effet était saugrenu mais bizarrement approprié – un complément moderne à la verroterie tapageuse que je portais déjà. Je reculai d'un pas pour essayer des sourires séducteurs mais ne réussis qu'à me faire pouffer.

« Par bonheur, c'est le jour de congé de Mme Hudson. » Ce fut tout ce que dit Holmes lorsque je fis une entrée froufroutante dans le salon. « Asseyez-vous, nous allons voir comment vous vous débrouillez avec ces cartes. »

Nous attendîmes la tombée de la nuit pour aller prendre le dernier train en direction de l'est. Je téléphonai de la fermette pour annoncer à ma tante que j'avais décidé d'aller passer une semaine dans le Berkshire chez mon amie, lady Veronica, dont la grand-mère venait de mourir. Je raccrochai très vite pour couper court à ses questions et à ses protestations. J'aurai à affronter sa colère à mon retour, mais au moins elle ne compliquerait pas les choses en signalant à la police que sa nièce avait disparu.

Arrivés à la gare, nous descendîmes de l'omnibus poussif avec nos nombreux paquets et nous dirigeâmes vers le guichet. Je glissai mes lunettes dans ma poche, de peur que l'employé de Seaford, que nous connaissions, ne me regardât de trop près, mais il m'aurait fallu être complètement aveugle pour ne pas remarquer son air méprisant sous le vernis de ses manières officielles.

« Oui, monsieur ? dit-il avec froideur.

– Deux premières pour Bristol, marmonna Holmes.

– Des premières ? Je regrette, mais nous n'avons rien qui soit susceptible de vous convenir. Les secondes sont très confortables, à cette heure, vous savez.

– Non, faut qu'ce soit des premières. C'est l'anniversaire de ma fille, et elle veut des premières. »

L'employé me regarda, et je lui adressai un sourire timide (que je trouvai à peu près aussi convaincant que des couettes d'écolière sur une belle-de-nuit, mais qui parut l'adoucir).

« Eh bien, ma foi, comme il fait nuit, nous allons peut-être pouvoir vous arranger ça. Mais il faudra que vous restiez dans votre compartiment. Pas question de vous promener et d'importuner les autres passagers. »

Holmes se redressa de toute sa taille et lui jeta un regard noir.

« S'ils nous importunent pas, on l'fera pas nous non plus. C'est combien ? »

Des yeux scandalisés se détournèrent lorsque nous montâmes dans le train avec nos sacs et nos paquets (j'imaginai des lettres envoyées au matin à la rédaction du *Times*, mais comme nous fûmes très occupés les jours suivants, j'ignore s'il y en eut vraiment), et nous eûmes un compartiment pour nous seuls. J'ouvris le dossier que Holmes me tendit, mais ma longue journée de travail au soleil et la tension des dernières heures eurent raison de moi. Il me réveilla à Bristol, où nous trouvâmes des chambres dans un hôtel miteux près de la gare et dormîmes jusqu'au matin.

Le seconde partie de notre voyage fut nettement moins luxueuse et, en arrivant à Cardiff, Holmes dut m'aider à descendre du train, car les poids conjugués des sacs et de ma voisine m'avaient engourdi la jambe. Lorsque je pus marcher, il approcha son visage moustachu de mon oreille et murmura :

« Maintenant, Russell, nous allons voir ce que vous êtes capable de faire toute seule. Nous avons rendez-vous avec les Simpson dans le bureau du commissaire Connor à midi et demi. Entrer par la grande porte ne serait évidemment pas une très bonne idée. Nous allons donc nous faire arrêter. Ayez la bonté de ne pas trop malmener la vieille carcasse de votre persécuteur. »

Il prit les deux plus petits sacs et s'éloigna, me laissant me débrouiller avec les quatre autres. Je le suivis vers la sortie, où un agent en uniforme surveillait la foule – et nous en particulier, sans aucun doute. Dans la cohue, Holmes s'arrêta brutalement pour ne pas marcher sur un enfant. Je me cognai contre lui et laissai tomber un paquet, et alors que je me baissai pour le ramasser, divers pieds le catapultèrent hors de ma portée, à commencer par la botte voyante d'un bohémien. En jouant des coudes et des épaules, je parvins à le suivre mais, au moment où j'allais le reprendre, je fus violemment projetée contre le mur, où je m'effondrai dans une envolée de jupes et de paquets. Une voix grogna au-dessus de moi :

« Tu peux donc pas faire attention à tes sacs, nom de Dieu ! J'aurais dû venir avec ton frère ; il tient au moins sur ses jambes, lui ! » Il m'agrippa par le bras et me releva d'une secousse, mais comme il me lâcha trop tôt, je perdis l'équilibre et allai heurter un groupe d'hommes élégamment vêtus. Des mains gantées me relevèrent, tandis que tout le monde s'immobilisait autour de nous.

« T'es bien la fille de ta mère ! Toujours prête à tomber dans les bras du premier venu. Allez ! viens ramasser tes affaires », hurla-t-il. Et, m'arrachant aux mains qui m'avaient soutenue, il me poussa rudement vers les sacs. Le choc contre le mur m'avait mis les larmes aux yeux, et je cherchai à l'aveuglette poignées et ficelles. Des voix bien élevées murmurèrent des protestations, mais personne ne fit un geste pour arrêter mon « père ».

« Mais papa, ils voulaient seulement que m'aider... »

Je vis sa main arriver et tâchai de l'éviter, mais elle m'atteignit tout de même bruyamment. Je me recroquevillai sur moi-même en me protégeant la tête de mes bras et sanglotai à fendre le cœur lorsque son pied s'enfonça dans une valise, à côté de moi.

Le coup de sifflet attendu retentit enfin.

« Arrêtez ! cria la voix de l'autorité, avec un fort accent gallois. Vous n'avez pas honte de frapper une enfant !

– C'est pas une enfant et faut lui faire entrer un peu de bon sens dans le crâne.

– Non, mon vieux ! s'exclama l'agent en retenant le bras levé de Holmes. Nous ne voulons pas de ça. Au poste, tous les deux. On verra si ça vous adoucit le tempérament. » Il me regarda avec plus d'attention, puis se tourna vers le groupe d'hommes. « Il serait peut-être préférable que vous vérifiez que rien n'a disparu de vos poches, messieurs. »

À mon grand soulagement, rien ne manquait : Holmes aurait été parfaitement capable d'ajouter cette touche de vraisemblance à la scène. L'agent n'en mit pas moins sa menace à exécution et, tandis que je me joignais à Holmes pour vociférer des injures, il nous poussa sans ménagement vers la voiture cellulaire. Une fois à l'intérieur, nous évitâmes de nous regarder. Je reniflais de temps à autre pour dissimuler le sourire qui s'obstinait à revenir sur mes lèvres.

Au poste, un agent prit Holmes par le bras et l'entraîna rudement. La matrone à qui l'on me confia ne semblait pas savoir si j'étais une victime innocente ou une pire fripouille que mon père, et il fallut d'énormes efforts et un temps considérable avant que je n'arrive à me rendre suffisamment insupportable pour que l'on m'accorde ce que je demandais, à savoir un bref entretien avec le commissaire Connor. Finalement, j'arrivai devant la porte portant son nom. La matrone corsetée et revêche m'ordonna de ne pas bouger et alla parler à une secrétaire. L'une me fusillait du regard tandis que l'autre me toisait d'un air scandalisé, mais je m'en moquais. Je touchais au but, et il n'était que midi vingt.

À ma consternation, toutefois, la secrétaire secoua la tête, manifestement décidée à me refuser l'entrée du bureau. Je sortis un crayon et un bout de papier de mes vastes poches, et, après avoir réfléchi un instant, écrivis le nom de l'enfant. Je pliai le billet en trois et le tendis avec déférence à la secrétaire.

« Je suis navrée, mademoiselle, dis-je. Je n'importunerais pas le commissaire si je n'étais absolument certaine qu'il souhaite me voir. Donnez-lui ceci, je vous en prie. Si malgré tout il refuse de me voir, je m'en irai sans insister davantage. »

Elle regarda le bout de papier, et ma syntaxe dut produire son effet, car elle le prit et ouvrit résolument la porte. À l'intérieur, la conversation s'interrompit, j'entendis la secrétaire parler d'un ton d'excuse, une exclamation étouffée retentit, et un homme rubicond aux cheveux roux clairsemés, vêtu d'un costume de tweed qui lui allait mal, jaillit de la pièce.

« Si Moïse avait empoisonné Pharaon autant que je l'ai été par tous les fauteurs de trouble du monde, il aurait conduit en personne les enfants d'Israël jusqu'aux portes de Jéricho, gronda-t-il de sa magnifique voix de Gallois. Maintenant, écoutez-moi bien, mademoiselle, continua-t-il en braquant sur moi deux yeux d'un bleu éclatant. C'est lamentable les procédés des gens de votre sorte. Venir ici et... »

J'essuyai sans broncher cette tempête verbale et prononçai deux mots avec fermeté : « Sherlock Holmes. »

Il sursauta comme si je l'avais giflé et recula d'un pas pour me regarder des pieds à la tête. Je le vis avec amusement se dire que même un homme célèbre dans le monde entier pour son habileté à se déguiser ne pouvait pas être la personne qui se trouvait devant lui. Il plissa les yeux.

« Et comment savez-vous... » Il s'interrompit, jeta un coup d'œil à la secrétaire ébahie et me fit entrer dans un petit bureau, plus miteux que celui que j'avais aperçu : une salle d'interrogatoire. Il ferma la porte derrière nous.

« Expliquez-vous, ordonna-t-il.

– Avec plaisir, fis-je avec douceur. Verriez-vous un inconvénient à ce que je m'asseye ? »

Il me regarda véritablement pour la première fois, stupéfait d'entendre l'accent d'Oxford dans la bouche d'une bohémienne. Il me désigna une chaise. Je m'assis et attendis. Il s'assit.

« Merci, dis-je. Vous avez dans vos cellules un certain bohémien... mon "père". Il s'agit en fait de Sherlock Holmes. Il ne souhaitait pas que l'on sût qu'il s'occupait de l'affaire Simpson. Nous avons donc préféré entrer par la petite porte, si l'on peut dire. Vos agents se sont montrés très courtois, lui assurai-je, en mentant un peu.

– Seigneur ! jura-t-il à voix basse. Sherlock Holmes sous les verrous. Donaldson ! » Une porte s'ouvrit derrière moi. « Amenez-moi le romanichel que l'on a arrêté à la gare. »

Un silence pesant s'installa, et Connor se souvint soudain des deux Américains qui attendaient dans son bureau et s'éclipsa. Sa voix résonna quelques minutes dans la pièce voisine, puis il ressortit et murmura à sa secrétaire :

« Nous allons prendre du thé, mademoiselle, et des biscuits... ce que vous trouverez. Un plateau pour les Simpson, s'il vous plaît. Et ici, trois thés. Oui, trois. »

Il revint dans la salle d'interrogatoire, s'assit avec précaution en face de moi et croisa les mains sur la table.

« Je ne savais pas que quelqu'un l'accompagnerait, dit-il.

– Il ne l'a su lui-même qu'hier. Je m'appelle Mary Russell. Je serai son assistante dans cette affaire. »

Il faillit s'étouffer, mais l'arrivée de Donaldson et de Holmes lui évita de poursuivre sur le sujet. Ce dernier avait l'œil pétillant de malice et s'amusait manifestement, en dépit de ses menottes, du bleu qui assombrissait sa joue déjà brune et de sa lèvre gonflée. Connor le regarda d'un air atterré.

« Qu'est-ce que cela signifie, Donaldson ? Que lui est-il arrivé ? Et enlevez-lui ces menottes.

– Vous bilez pas pour moi, commissaire, intervint Holmes. Vos gars faisaient juste leur boulot, comme qu'y dirait. »

Connor le dévisagea un instant, puis s'adressa à son brigadier.

« Vous allez descendre au bloc prévenir les hommes qui ont le coup de poing facile que je ne veux plus de ça ici, Donaldson. Je me moque de savoir ce que mon prédécesseur permettait ou encourageait. Cela ne doit pas se reproduire. C'est grave, Donaldson. Allez. »

Mlle Carter entra alors que le brigadier s'éclipsait, tout penaud. Elle posa le plateau sur la table, discrètement mais en rayonnant littéralement de curiosité. Il était évident que nous n'entrions pas dans la catégorie habituellement invitée à prendre le thé par Connor.

Elle ferma la porte derrière elle, et Holmes s'assit à côté de moi.

« Vous êtes parfaitement à l'heure, Russell. J'espère ne pas vous avoir fait mal ?

– Quelques bleus, rien de plus. Vous avez réussi à manquer mes lunettes. Et vous ?

– Aucun problème, comme je l'ai dit. Vous avez déjà fait la connaissance de Mlle Russell, je suppose, commissaire ?

– Elle... s'est présentée. Comme votre “assistante”. Est-ce bien nécessaire, monsieur Holmes, je vous le demande ? »

Les sous-entendus étaient nombreux dans cette question mais, innocente comme je l'étais, je ne m'en aperçus pas aussitôt... jusqu'à ce que je remarque la façon dont Holmes observait Connor et me sente brusquement rougir des pieds à la tête. Je me levai.

« Je pense qu'il vaut mieux que vous vous occupiez seul de cette affaire, en fin de compte. Je vais rentrer...

– Asseyez-vous. » C'était dit sur un tel ton que j'obéis. Je ne regardai pas le commissaire.

« Mlle Russell est mon assistante, commissaire. Dans cette affaire comme dans d'autres. » Il n'ajouta rien de plus, mais Connor remua sur son siège, se racla la gorge et me jeta un bref coup d'œil, la seule excuse à laquelle j'aurais droit, étant donné que rien n'avait été dit à voix haute.

« Votre assistante. Bien.

– Sa présence ne modifie toutefois en rien nos arrangements. Les Simpson sont-ils ici ?

– Dans la pièce voisine. J'ai pensé que nous aurions à parler en privé avant de les rejoindre.

– En effet. Nous quitterons la ville aussitôt après les

avoir vus. Je présume que les barrages sont toujours en place et que vos hommes ont quitté la région, comme je l'avais requis.

– Comme vous l'aviez demandé, oui. » Le ton de Connor indiquait clairement qu'il avait dû obéir à des ordres venus d'en haut et n'en était pas ravi.

Holmes lui jeta un regard pénétrant, puis se carra dans son fauteuil, un mince sourire aux lèvres, ses longs doigts tapotant son gilet sale. « Je crois qu'une petite mise au point s'impose, commissaire. Je n'ai rien "demandé". Et certainement pas que l'on me colle cette affaire. Vos collègues se sont adressés à moi, et je n'ai accepté qu'après que tous les intéressés sont tombés d'accord pour me donner carte blanche sur ces quelques kilomètres carrés de campagne galloise. Appelez mes ordres des souhaits, si cela vous fait plaisir, mais ne les traitez pas comme tels. Je tiens en outre à préciser que Mlle Russell, ici présente, est ma représentante officielle et que, en mon absence, ses messages ou ses "souhaits" devront être pris en compte immédiatement et sans discussion. Sommes-nous bien d'accord, commissaire ?

– Monsieur Holmes, commença Connor, rouge d'indignation. Je ne pense pas...

– Cela me paraît évident, jeune homme. Si vous le faisiez, vous vous rendriez sans doute compte qu'il vous suffit de répondre par "oui" ou par "non". Si vous êtes d'accord, nous parlons aux Simpson et nous mettons au travail. Si c'est "non", vous pouvez rendre ses sacs à Mlle Russell. En échange, je vous rendrai votre affaire. La décision vous appartient. Personnellement, je serais ravi de retourner à mes expériences et de dormir dans mon lit. Alors ?

Yeux gris froids et yeux bleu vif s'affrontèrent, et, au bout d'une longue minute, les bleus vacillèrent.

« Je n'ai pas le choix, hein ? Cette femme aurait ma tête. »

Il se leva, l'air maussade, et nous le suivîmes dans son bureau.

Les deux personnes qui se tournèrent vers nous avaient cette expression hagarde des gens stupéfiés par l'appréhension et la fatigue. Tous les deux avaient le teint gris, une apparence négligée et l'air fragile. L'homme ne se leva pas à notre entrée, son regard interrogea seulement Connor. Ni l'un ni l'autre n'avaient touché à leur thé.

« Monsieur le sénateur, madame, permettez-moi de vous présenter M. Sherlock Holmes et son assistante, Mlle Russell. »

Le sénateur sursauta violemment, comme un meneur de cortège funèbre devant une plaisanterie de mauvais goût. Holmes s'avança aussitôt :

« Je vous dois des excuses pour cette étrange apparence, dit-il avec son accent le plus aristocratique. J'ai pensé qu'il était préférable pour la sécurité de votre fille que l'on ne me voie pas entrer dans ce commissariat. Je suis donc passé par l'entrée de service, pour ainsi dire. Le costume de Mlle Russell est tout aussi fantaisiste. » Simpson se détendit et se leva pour lui serrer la main. Je remarquai que Mme Simpson semblait indifférente à nos déguisements : depuis l'instant où Connor avait prononcé le nom de Holmes, elle le regardait avec autant d'intensité qu'une femme en train de se noyer, un espar flottant, et suivait chacun de ses mouvements.

« Maintenant, allons au fait, dit Holmes d'un ton brusque. J'ai lu vos déclarations, vu les photos, étudié le rapport de police. Il me semble inutile de vous obliger à tout raconter une fois encore. Je vais simplement récapituler les faits, et vous me corrigerez si je me trompe. » Il passa alors en revue les informations dont nous disposions : les Simpson avaient décidé d'aller camper dans les collines du pays de Galles ; ils avaient pris le train jusqu'à Cardiff et fait le reste du trajet en voiture ; après deux journées paisibles, ils s'étaient réveillés au matin du troisième pour constater que leur fille avait disparu.

« Ai-je oublié quelque chose ? » Les deux Américains se regardèrent, secouèrent la tête. « Bien. Je n'ai que deux questions. La première : pourquoi avez-vous choisi cette région ?

– Ce... c'est moi qui ai insisté, je le crains, dit Mme Simpson, qui tordait furieusement un délicat mouchoir de dentelle. Johnny n'avait pas pris un seul jour de congé depuis près de deux ans, et je lui ai dit... je lui ai dit que, s'il ne prenait pas de vacances, je partirais avec Jessie dans mon pays natal. » Sa voix se brisa, et Holmes fut aussitôt auprès d'elle, manifestant cette compassion et cette compréhension qui le caractérisaient mais qui, pour une raison ou une autre, surprenaient toujours. Cette fois, il alla jusqu'à lui prendre la main pour l'obliger à le regarder.

« Écoutez-moi, madame. Ce n'était pas un accident, dit-il avec vigueur. Votre fille n'a pas été enlevée parce qu'elle s'est trouvée sur cette colline au mauvais moment. Je sais comment agissent les ravisseurs. Si elle n'avait pas été enlevée ici, elle l'aurait été pendant qu'elle se promenait dans un parc avec sa gouvernante, ou dans sa chambre à coucher. C'est un crime délibéré, préparé avec soin. Vous n'y êtes pour rien. »

Naturellement, Mme Simpson éclata en sanglots, et ce n'est qu'après de nombreux mouchoirs et l'administration judicieuse d'un verre de cognac que nous pûmes revenir à nos moutons.

« Mais pourquoi ici ? insista Holmes. Quand avez-vous décidé ce voyage, et qui était au courant ? »

Le sénateur répondit : « Nous voulions être aussi loin de la civilisation que possible. Londres... je ne suis pas très diplomate, je sais, mais c'est une ville abominable. L'air pue ; on ne voit jamais d'étoiles, même avec le black-out ; le vacarme est incessant, et on court toujours le risque d'un bombardement. Le pays de Galles nous a semblé ce que l'on pouvait trouver de plus écarté. Je me suis arrangé pour prendre une semaine de vacances... c'est à la fin mai, je crois, que nous avons commencé à faire des projets, juste après ce dernier gros bombardement.

– Quelqu'un vous a-t-il conseillé la région ?

– Je ne pense pas. La famille de ma femme est originaire d'Aberystwyth, et nous la connaissions donc plus ou moins. C'est accidenté comme le Colorado, où j'ai grandi, sans véritables montagnes naturellement, mais nous nous sommes dit qu'il serait agréable d'y faire un peu de marche et de camper. Rien de fatigant, parce que Jessie était... est trop petite.

– Et l'équipement, le transport... une automobile vous a déposés, n'est-ce pas ? Et il était convenu qu'elle devait passer vous chercher au bout de cinq jours. Vous avez aussi averti la police et les journaux. Qui s'est occupé de tout cela ?

– Mon assistant. Il est anglais. Je crois que son frère savait où louer la tente et le reste, mais pour les détails, il faudra que vous vous adressiez à lui.

– J'ai ces renseignements, monsieur Holmes, grogna Connor. Je vous les communiquerai avant votre départ.

– Merci, commissaire. Cette dernière journée, maintenant, monsieur le sénateur. Vous avez fait une promenade, acheté des saucisses et du pain dans une ferme, mangé à cinq heures, puis lu dans votre tente parce qu'il s'était mis à pleuvoir. Vous vous êtes endormis à onze heures et, en vous réveillant à quatre heures, vous avez constaté que votre fille avait disparu.

– Elle n'est pas sortie de la tente toute seule ! intervint Mme Simpson. Elle a peur du noir ; elle ne serait pas sortie même pour voir les chevaux. Je sais qu'elle aimait ces poneys sauvages qui se promenaient aux alentours, mais elle ne les aurait pas suivis, pas Jessie.

– Ce qui m'amène à ma deuxième question, dit Holmes. Comment vous êtes-vous sentis à votre réveil ?

– Sentis ? » Le sénateur le regarda avec incrédulité, et j'avoue que l'espace d'un instant, la question me parut absurde à moi aussi. « Que croyez-vous que nous ayons éprouvé en nous apercevant que notre fille avait disparu ? »

Holmes l'apaisa d'un geste.

« Ce n'est pas ce que je voulais dire. Vous étiez affolés, naturellement, mais comment vous sentiez-vous physiquement ?

– Bien, je suppose. Je ne me rappelle pas. » Il se tourna vers sa femme.

« Moi, je me souviens. Je me sentais mal. J'avais la tête lourde. J'ai eu l'impression de respirer du champagne en me retrouvant à l'air libre. » Ses yeux égarés cherchèrent ceux de Holmes. « Avons-nous été drogués ?

– C'est fort probable. A-t-on examiné les saucisses, commissaire ?

– Naturellement. Rien dans les deux qui restaient, ni dans les autres aliments. Le vieux couple de la ferme semble inoffensif. Vous trouverez tout cela dans le rapport. »

Pendant une demi-heure encore, Holmes interrogea le commissaire et les Simpson, sans grand résultat. Ils ne se connaissaient pas d'ennemi, n'avaient vu aucun inconnu la veille du rapt, faisaient venir d'Amérique l'argent de la rançon, prêté par le père du sénateur. À la fin de l'entrevue, le sénateur était pâle et sa femme tremblait. Holmes les remercia.

« Je suis profondément navré de vous avoir infligé cette épreuve. À ce stade de l'enquête, un détail infime peut se révéler d'une importance capitale. Avez-vous des questions, Russell ?

– Une seule, au sujet de l'enfant. J'aimerais savoir

comment votre fille supporte la situation, à votre avis, madame Simpson ? Comment pensez-vous qu'elle réagisse au fait d'avoir été enlevée par des gens qui sont sans doute de parfaits inconnus ? » Je craignais que ma question ne la bouleversât mais, bizarrement, il n'en fut rien. Elle se redressa et me regarda droit dans les yeux pour la première fois.

« Jessica est une enfant indépendante et décidée. Elle est très intelligente et ne cède pas facilement à la panique. À vrai dire, si on la traite bien, elle est sans doute moins bouleversée que sa mère. » Une ombre de sourire passa sur son visage défait. Il n'y eut pas d'autre question.

Connor les reconduisit et revint avec un épais classeur.

« Voici le dossier complet, tout ce que nous avons trouvé, les copies des empreintes, les interrogatoires des gens de la région, etc. Je suppose que vous souhaitez l'emporter, plutôt que le lire ici.

– Oui, je veux me mettre en route le plus vite possible. Où est la roulotte ?

– Au nord de la ville, sur la route de Caerphilly. Des écuries tenues par Gwilhem Andrewes. Ce n'est pas vraiment un ami de la police, et je ne lui ferais pas confiance le dos tourné, mais c'est ce que vous vouliez. Je vous fais conduire en voiture ?

– Ce ne serait guère approprié pour deux bohémiens, non ? Sans compter qu'il vous faudrait mettre Mlle Carter et Donaldson au courant. Nous ne voulons pas que toutes les forces de l'ordre sachent que le sénateur Simpson a passé une heure en compagnie de deux bohémiens arrêtés, n'est-ce pas ? Non, il vaut mieux que vous vous contentiez de nous remettre en liberté. Vous savez où nous allons. Si vous avez besoin de me parler, faites-moi arrêter par un de vos agents. Personne ne s'étonnera de voir un policier embarquer un bohémien. Mais demandez-lui de le faire avec douceur. Je promets de ne plus malmener ma fille dans les gares. »

Connor hésita, puis consentit à rire. Peut-être n'avait-il perdu son sens dc l'humour qu'en raison des circonstances.

Nous nous levâmes. Connor fit de même et tendit la main à Holmes.

« Je vous présente mes excuses pour ce qui vous est arrivé ici, monsieur. J'occupe ce poste depuis peu, mais je vous dis cela à titre d'explication, et non pour me disculper. » Holmes lui serra la main.

« Vous avez de bons agents, commissaire. Un peu jeunes, c'est vrai, mais il suffit de vous regarder pour savoir qu'ils mûriront vite.

– Comptez sur moi. Je vous souhaite bonne chance et bonne chasse, monsieur. Et à vous aussi, mademoiselle. »

Nous fûmes bientôt dans la rue et, portant chacun trois sacs, nous gagnâmes les faubourgs de la ville, où nous trouvâmes sans difficulté les écuries Andrewes. Holmes me laissa dans le bureau et partit à la recherche du propriétaire. Au bout d'une demi-heure, que je passai à m'entraîner à jongler, des voix se firent enfin entendre audehors, et je vis entrer un individu louche et fuyant, suivi de la personne à peine plus recommandable de Holmes, qui sentait le whisky et faisait étinceler sa dent en or. Andrewes me lorgna jusqu'à ce que Holmes le distraie en lui agitant de l'argent sous le nez.

« Bon, ben, tout est réglé, monsieur Andrewes. Merci d'avoir gardé la roulotte de mon frère. Voilà ce que je vous dois. Viens, Mary, la roulotte est dans la cour.

– Une minute, monsieur Todd, il manque un shilling.

– Oh ! j'm'excuse. J'ai dû le faire tomber. » Il compta avec application trois pence, un demi-penny et six farthings. « Voilà ! Nous sommes quittes. Allez ! ramasse nos affaires, Mary.

– Oui, papa. » Chargée une fois de plus des quatre plus gros sacs, je le suivis docilement jusqu'à la roulotte. On mettait dans les brancards un cheval à la robe rude et aux jambes épaisses. J'allai aider à la tâche, en bénissant les cours que m'avait dispensés Patrick, et constatai que, bien que différent de celui d'une charrue ou d'une charrette à foin, l'attelage était logique et facile à apprendre. Je montai à côté de Holmes sur la dure banquette de bois. Il me tendit les rênes, le visage impassible. Je jetai un coup d'œil aux deux hommes qui nous observaient, saisis les épaisses lanières et en cinglai le large dos du cheval, qui eut l'obligeance de se mettre en route. Nous roulâmes bientôt en direction du nord, sur la piste de Jessica Simpson.

Une enfant disparaît de son lit

...qu'on la leur restitue... et l'accueil qu'elles lui font est extraordinaire et touchant... ce chant bienheureux et si particulier...

À la sortie de la ville, Holmes me fit arrêter la roulotte et serrer le frein.

« Je crains qu'il ne nous faille procéder à une vérification complète de notre équipage, dit-il. La dernière fois que j'ai loué une de ces voitures, une des roues s'est détachée. Il serait assez ennuyeux que cela nous arrive pendant ce voyage. Désharnachez le cheval et examinez-le, je pense que vous trouverez quelques plaies. Il y a une étrille, de la pommade et des chiffons dans le sac de calicot. » Il disparut sous la roulotte et, pendant que je brossais et soignais le cheval étonné, il resserra des boulons et graissa les essieux. Lorsque j'eus réattelé l'animal, j'allai voir si je pouvais l'aider.

« Besoin d'un coup de main ? demandai-je aux longues jambes qui dépassaient de sous la voiture.

– Inutile que nous soyons deux à avoir l'air de mécaniciens. J'ai bientôt fini. » Une minute passa, silencieuse de mon côté, ponctuée de grognements et de jurons étouffés du sien.

« J'ai une question à vous poser, Holmes.

– Pas maintenant, Russell.

– Il faut que je sache. Ma présence est-elle... gênante ?

– Ne soyez pas ridicule.

– Je suis sérieuse, Holmes. Aujourd'hui, le commissaire Connor vous a quasiment accusé... m'a quasiment accusée... Il faut que je sache si je vous embarrasse.

– J'espère qu'en dépit du fait que vous avez insisté pour m'accompagner dans cette charmante excursion, vous ne vous flattez pas de pouvoir me faire céder à toutes vos volontés, ma chère Russell. À mon grand... oh ! zut. Passez-moi un chiffon, voulez-vous ? Merci. À mon grand étonnement, vous vous êtes révélée une assistante capable, qui promet de plus de devenir tout à fait remarquable. Je dois dire que c'est une expérience nouvelle, et parfois stimulante, que de travailler avec quelqu'un qui vous inspire, non par le vide, mais par de véritables suggestions. La clé anglaise, s'il vous plaît. » La suite de son discours fut entrecoupée de grognements. « Connor est un imbécile. Ce que lui et ses pareils choisissent de croire m'est parfaitement indifférent, et jusqu'à présent vous n'avez pas paru en souffrir. Ce n'est pas votre faute si vous êtes une femme, et je serais moi aussi une sorte d'imbécile si je dédaignais vos talents simplement en raison de leur enveloppe.

– Je vois. Je crois.

– Par ailleurs, étant donné ma réputation de célibataire endurci, il serait probablement plus embarrassant que vous fussiez un garçon. »

Il n'y avait vraiment rien à répondre à cela. Quelques minutes plus tard, noir comme un mineur, Holmes réapparut, se nettoya du mieux qu'il put, et nous nous remîmes en route.

Notre petite roulotte colorée et remarquablement inconfortable progressa en bringuebalant vers le nord. Nous quittions notre siège dans les montées et chaque fois que les oscillations et les cahots mettaient notre dos à trop rude épreuve, c'est-à-dire presque tout le temps. Holmes me bombardait d'informations, critiquait et corrigeait sans merci ma démarche, ma façon de parler, mes attitudes, me gavait de grammaire et de vocabulaire gallois, et se lançait de temps à autre dans des discours pontifiants sur la région et ses habitants. Si nous n'avions eu constamment à l'esprit l'enfant et le fil ténu qui la rattachait à la vie, ce voyage aurait été des plus divertissants.

Après le Glamorgan, nous obliquâmes vers l'ouest, traversant le tapis de verdure vallonné qui montait vers les Brecon Beacons, une région de fermes, de fougères, de terrasses, de terrils et de moutons. Les bergers nous regardaient passer avec méfiance ; dans les villages et les hameaux, les enfants accouraient en hurlant, les pieds nus et boueux, puis regardaient, ébahis, les doigts dans la bouche, la splendeur rouge, vert et or de nos costumes.

Nous donnions partout une représentation. Devant les enfants, je jonglais, tirais des foulards colorés de leurs poches grises et des pièces d'un demi-penny de leurs oreilles sales, puis, lorsque nous avions l'attention de leurs mères, Holmes sortait du pub en s'essuyant la bouche d'un revers de main et jouait du violon. Je prédisais l'avenir à des femmes qui n'en avaient pas, lisais les lignes de leurs mains crevassées, promettais vaguement des inconnus mystérieux et des fortunes inattendues ou, de façon plus réaliste, des enfants sains qui subviendraient à leurs besoins dans leur vieillesse. Le soir, lorsque les hommes étaient présents, leurs épouses me lançaient des regards meurtriers, mais quand elles entendaient les belles histoires de mon « père » et voyaient que nous reprenions notre route à la nuit, elles me pardonnaient les œillades et les remarques de leurs maris.

Le deuxième jour, nous franchîmes le barrage de police en nous attirant seulement quelques grossièretés, vu que nous ne cherchions pas à sortir de la zone surveillée mais à y entrer. Le troisième jour, nous dépassâmes l'endroit où avaient campé les Simpson, roulâmes encore un bon kilomètre et nous arrêtâmes dans un chemin. Je préparai le dîner et, lorsque Holmes se contenta de remarquer qu'il n'aurait pas cru possible que des haricots en conserve puissent ne pas paraître cuits, je considérai que mes talents de cuisinière s'amélioraient.

La vaisselle faite, nous allumâmes la lampe à pétrole et épluchâmes de nouveau le dossier que Connor nous avait remis – photographies, messages dactylographiés, entretiens avec les parents, déclarations des témoins de la région et de l'état-major du sénateur à Londres... Des pages et des pages de documents, qui ne faisaient que souligner l'absence totale d'indices, la ruine financière prochaine de la famille et le fait brutal que, bien trop souvent, après avoir touché la rançon, les ravisseurs ne rendent en échange qu'un cadavre muet.

Holmes fuma trois pipes et alla se coucher sans mot dire. J'éteignis et restai éveillée longtemps après que sa respiration eut pris un rythme égal. Finalement, vers la fin de cette courte nuit d'été, je sombrai dans le sommeil... pour me retrouver aux prises avec Le Rêve, déchirée par les griffes de la culpabilité, de la terreur et de l'abandon, toute l'inévitabilité monstrueuse de mon enfer personnel. Cette fois, cependant, avant qu'il n'atteignît son point culminant, juste avant le moment d'horreur ultime, une voix forte m'en libéra et me ramena, suffocante et tremblante, dans l'intérieur paisible de la roulotte.

« Russell ? Russell ? Ça va ? »

Je me redressai, et il s'écarta.

« Non. Oui, ça va, Holmes. » Je tâchai de reprendre mon calme. « Désolée de vous avoir réveillé. C'était juste un cauchemar. L'inquiétude au sujet de cette enfant, sans doute. Cela m'arrive de temps à autre. Pas de quoi s'inquiéter. »

Il gratta une allumette et alluma une bougie. Je détournai la tête.

« Voulez-vous un verre de quelque chose ? Une boisson chaude ? »

Sa sollicitude m'irrita.

« Non ! Non merci, Holmes. Dans une minute, tout ira bien. Retournez vous coucher. »

Je sentais ses yeux posés sur moi. Avec brusquerie, je me levai et saisis mes lunettes et mon manteau.

« Je vais aller prendre l'air. Retournez vous coucher », répétai-je d'un ton féroce. Et je sortis de la roulotte en trébuchant.

Au bout de vingt minutes de marche, je ralentis enfin le pas. Dix minutes après, je m'arrêtai et allai m'asseoir sur une forme sombre qui se révéla être un muret. Des étoiles brillaient dans le ciel, chose assez rare dans ce coin pluvieux d'un pays pluvieux, et l'air sentait les fougères, l'herbe et les chevaux. Je l'inspirai à pleins poumons en me rappelant que Mme Simpson l'avait comparé à du champagne. Je me demandai si Jessica le respirait encore en cet instant.

Le Rêve s'estompa peu à peu. Il avait commencé à la mort de ma famille, une reconstitution précise qui me hantait, me torturait et faisait de mes nuits un purgatoire. Cette fois-ci, par bonheur, Holmes l'avait interrompu, et ses effets se dissipèrent bien plus rapidement. Au bout d'une heure, transie, je regagnai la roulotte aux premières lueurs de l'aube et dormis un peu.

Au matin, nous ne mentionnâmes ni l'un ni l'autre les incidents de la nuit. Je préparai du porridge, saupoudré d'un peu de cendre et si grumeleux que Mme Hudson ne l'aurait jugé bon que pour les poulets. Nous nous dirigeâmes ensuite vers le campement des Simpson, en faisant un détour et en emportant une pelle pour justifier notre présence.

Il n'y avait personne sur les lieux lorsque nous arrivâmes. La tente était toujours dressée ; à côté, un cercle noirci et deux casseroles en train de rouiller indiquaient l'emplacement où Mme Simpson avait cuisiné. L'endroit sentait les cendres froides et avait l'aspect mélancolique d'un jouet d'enfant oublié sous la pluie. Une image qui me fit frissonner.

J'allai regarder à l'intérieur de la tente : un désordre de tapis de couchage, de sacs à dos et de vêtements, abandonnés pour courir à la recherche de l'enfant et conservés en l'état par les usages policiers. Holmes faisait le tour de la tente, les yeux fixés sur le sol piétiné et détrempé.

« Combien de temps avons-nous ? demandai-je.

– Connor s'est arrangé pour que l'agent de garde s'absente jusqu'à neuf heures. Un peu moins de deux heures, donc. Ah ! »

En entendant cette exclamation de satisfaction, j'allai derrière la tente où m'attendait le spectacle étrange d'un bohémien vieillissant qui, étendu tout de son long entre les cordes, une loupe puissante à la main, piquait délicatement la couture inférieure de la toile avec un stylo à encre. Le stylo s'enfonça et disparut. Je retournai dans la tente et vis ce que Holmes avait découvert : une fente minuscule juste au niveau de la couture, dont les bords étaient poussés vers l'intérieur.

« Vous vous y attendiez ? questionnai-je.

– Pas vous ? » J'eus envie de lui faire une grimace de mon côté de la toile mais me retins ; il l'aurait su.

« Un tube, pour répandre un gaz somnifère ?

– Tu l'as dit, Mary. » Et le stylo fut retiré. Je me relevai et regardai l'endroit où avait dormi Jessica Simpson. Selon ses parents, une seule chose avait disparu de la tente : ses chaussures. Ses pulls, ses collants et même sa poupée préférée, tout le reste était là.

Ramassant la poupée, qui gisait les pieds en l'air dans le fouillis, je lissai sa jupe froissée et écartai une mèche de cheveux en coton de ses grands yeux fardés. Ses lèvres, autrefois rouges, me souriaient d'un air énigmatique.

« Pourquoi ne me racontes-tu pas ce que tu as vu cette nuit-là, hein ? murmurai-je. Cela nous épargnerait bien des efforts.

– Vous dites ? s'enquit Holmes.

– Rien. Verrait-on un inconvénient à ce que nous emportions la poupée, à votre avis ?

– Je ne pense pas. S'ils ont laissé tout cela ici, c'est surtout pour nous. Ils ont leurs photos. »

Jc fourrai la poupée dans la poche de ma jupe, jetai un dernier regard autour de moi et sortis. Les poings sur les hanches, Holmes regardait vers la vallée.

– Vous admirez le paysage ? demandai-je.

– Si vous enleviez une enfant, Russell, comment l'emmèneriez-vous ? »

Je me mordillai la lèvre quelques minutes en contemplant la colline couverte de fougères.

« Personnellement, j'utiliserais une automobile, répondis-je. Mais personne ne semble en avoir entendu, cette nuit-là, et un homme, même robuste, n'aurait pas pu aller bien loin à pied avec une enfant de vingt-deux kilos sur le dos. » Je remarquai soudain les sentiers qui serpentaient sur et autour de la colline. « Bien sûr ! Des chevaux. Personne ne ferait attention à leurs empreintes avec toutes celles qu'il y a déjà par ici. Ils sont venus à cheval, n'est-ce pas ?

– Il est bien triste que, face à une colline, la jeune fille moderne pense à une voiture. Voilà qui était un peu lent, Mary Todd. Vous avez négligé l'évidence. La théologie se révèle aussi préjudiciable aux capacités de raisonnement que je ne le craignais. »

Je me recroquevillai sur moi-même et dis d'une voix geignarde :

« C'est pas ma faute, papa. J'regardais dans la tente. »

Après avoir corrigé distraitement mon accent, Holmes demanda : « Alors ? Par où ?

– Pas du côté de la route, ils couraient le risque d'être aperçus.

– Ont-ils pris par la vallée ou par la colline, dans ce cas ?

– Dommage que nous n'ayons pas été là, il y a une semaine, il y avait peut-être encore des indices.

– Si les regrets étaient des chevaux...

– Les détectives feraient de l'équitation, terminai-je. Je m'éloignerais du village le plus proche, je pense, en franchissant la colline ou en la longeant.

– Nous avons une heure avant le retour du garde. Voyons si nous pouvons trouver quelque chose. »

Nous zigzaguâmes sur la colline et autour, en décrivant des arcs de plus en plus amples à partir de la tente. Une demi-heure s'écoula sans nous apporter autre chose que des douleurs dorsales et une raideur dans le cou. Trois quarts d'heure, et je commençai à guetter avec nervosité l'équivalent gallois de « Hé ! vous, là-bas, qu'est-ce que vous faites ? » Holmes et moi atteignîmes le point le plus éloigné de nos arcs respectifs et revînmes par le milieu. Quelque chose attira mon attention... mais ce n'était rien, juste une éraflure luisante sur un rocher, sans doute faite par un sabot. Je continuai à marcher, puis revins sur mes pas. Un sabot non ferré aurait-il éraflé la pierre ? J'inclinais à penser que non.

« Hol... Hé ! papa », appelai-je. Il accourut à grandes enjambées, la pelle tressautant sur son épaule, et était à peine essoufflé lorsqu'il me rejoignit. Je tendis le doigt, et il s'accroupit, sa loupe à la main.

« Bien joué ! Voilà qui rattrape votre défaillance de tout à l'heure, dit-il avec magnanimité. Voyons où cela nous mène. » Nous marchâmes lentement de chaque côté du sentier tracé par des générations de sabots. Une heure plus tard, nous dépassions les limites des recherches de la police.

Holmes et moi aperçûmes la tache blanche en même temps. C'était un petit mouchoir, presque entièrement enfoui dans la boue. Holmes le ramassa et le déplia. Il était brodé de la lettre « J ».

« Est-ce un accident ? me demandai-je à voix haute. Est-il possible qu'elle l'ait laissé tomber délibérément ? Une enfant de six ans est-elle capable de faire une chose pareille ? Je ne l'aurais pas cru. »

Nous continuâmes et, quelques minutes plus tard, tous mes doutes se dissipèrent, car, au bord du sentier, un mince ruban bleu pendait à des fougères. Je le brandis triomphalement.

« Bravo, Jessie ! »

Nous marchâmes encore, mais ne trouvâmes plus d'autres indices. Finalement, le sentier fourcha, escaladant d'un côté la colline et descendant de l'autre vers un bouquet d'arbres. Nous étudiâmes un instant les deux possibilités qui s'offraient à nous sans que rien n'attirât notre attention.

« Je vais prendre le chemin du haut.

– Attendez. Est-ce que le sol n'a pas été piétiné, là-bas, près de ces arbres ? »

Nous descendîmes et là, dans un petit creux de terrain, nous trouvâmes en effet les signes d'une grande activité. Holmes en fit le tour avec précaution, puis se pencha tout à coup pour ramasser quelque chose que je ne pouvais voir de l'endroit où j'étais. Il poursuivit son examen, ramassa un autre objet et me permit enfin d'approcher.

« Elle a sauté à bas du cheval, dit-il. Elle était pieds nus, bien qu'ils eussent pris ses chaussures ; ils ne se sont pas donné la peine de les lui mettre. Elle n'avait pas les mains attachées. Regardez, fit-il en désignant du doigt une motte de gazon. Vous voyez ces lignes courtes parallèles ? Ses orteils. Et ici, ces lignes plus longues qui se rejoignent ? Elles ont été laissées par ses doigts lorsqu'elle s'est relevée et a couru vers ces buissons. » Une fois qu'il me les eut indiquées, je vis nettement ces marques, malgré les pluies qui étaient tombées depuis. Il se releva et suivit les empreintes laissées par les sabots et les chaussures. « Elle est arrivée jusqu'ici avant qu'ils ne la rattrapent. Ils l'ont saisie par sa chemise de nuit, dont un bouton a sauté, et par les cheveux. » Il me montra l'objet qu'il avait ramassé un peu plus tôt ainsi que des mèches de cheveux auburn croûtées de boue.

« Mon Dieu ! gémis-je. J'espère qu'ils ne lui ont pas fait de mal.

– Il n'y a aucune indication dans un sens ni dans l'autre, répondit-il distraitement. Comment était la lune, le 12 août ? »

J'étais tout à fait certaine qu'il n'avait pas besoin de mon aide pour trouver la réponse, mais je réfléchis un instant et déclarai : « Aux trois quarts pleine, et il avait cessé de pleuvoir. Il faisait peut-être assez clair pour qu'elle voie que le chemin bifurquait, à moins qu'elle n'ait essayé d'atteindre ces arbres. En tout cas, nous savons qu'elle est passée par là. Une enfant remarquable que notre Mlle Simpson. Mais je doute que nous découvrions d'autres indices.

– C'est peu probable, mais ne laissons rien au hasard. »

Nous suivîmes le sentier une bonne heure encore mais ne vîmes plus trace de sabots ferrés. À la bifurcation suivante, nous nous arrêtâmes.

« Direction la roulotte, ma petite Mary. Un déjeuner rapide, et les bohémiens reprendront leur tournée. »

En arrivant, nous constatâmes que nous avions de la visite : un imposant agent de police à l'expression extrêmement renfrognée.

« Que faites-vous sur cette colline, tous les deux ? demanda-t-il.

– C'qu'on fait ? J'crois que ça se voit, non ? On s'est arrêtés pour la nuit, répliqua Holmes.

– Et où étiez-vous ce matin ?

– On cherchait des truffes, dit Holmes en désignant la pelle du pouce.

– Quoi ?

– Des truffes. Des petites racines qui se vendent très cher. Les gens de la haute aiment ça. On en trouve des fois dans les collines.

– Des truffes, oui, mais c'est avec des cochons qu'on les cherche, pas avec des pelles.

– Ya pas besoin de cochons si on a le don. Ma fille, elle a le don de double vue.

– Vraiment ? » Il me regarda d'un air sceptique, et je lui adressai un sourire timide. « Et est-ce que son don de vue pour les truffes a donné quelque chose ?

– Non, pas aujourd'hui.

– Bien. Alors, vous allez me faire le plaisir de circuler. Dans l'heure.

– Je veux déjeuner d'abord, grogna Holmes.

– C'est bon, mais si vous n'êtes pas partis dans deux heures, c'est dans une cellule que vous vous retrouverez. Deux heures. »

Il s'éloigna à grandes enjambées et, soulagée, j'éclatai de rire. « Des truffes ? Bon Dieu, Holmes, est-ce qu'il y en a seulement au pays de Galles ?

– Je suppose. Essayez de nous trouver à manger pendant que je sors les cartes. »

C'étaient des cartes topographiques à très grande échelle qui indiquaient les types de végétation, les droits de passage et la moindre habitation. Il replia la table et en choisit quelques-unes dans un tiroir situé sous ma couchette. Je lui tendis un sandwich et un quart rempli de bière, et nous marchâmes en chaussettes sur un tapis de papier.

« Voici l'itinéraire que nous avons suivi, dit Holmes. Le campement, ici, et le sentier qui longe à peu près cette courbe de niveau. » Le bout de son doigt brun contourna la colline, descendit dans le creux de la carte suivante et s'arrêta à la bifurcation en Y au bord de la troisième. « Et ensuite ? Il fallait qu'elle fût à l'abri des regards avant le lever du jour, Russell. Dans un bâtiment ou un véhicule.

– Mais pas... sous terre ?

– Je ne crois pas. S'ils avaient eu l'intention de la tuer, ils l'auraient sûrement fait lorsqu'elle a tenté de s'échapper, pour s'éviter de nouveaux ennuis. Or, je n'ai vu aucune trace de sang.

– Holmes ! protestai-je.

– Qu'y a-t-il, Russell ?

– Oh ! rien. Vous dites cela avec une telle... froideur.

– Vous préférez un chirurgien qui pleure à l'idée des souffrances qu'il va infliger ? Je pensais que vous aviez compris cette leçon, Russell. Laisser parler ses émotions pendant une opération ne peut que faire trembler la main du chirurgien. Maintenant, si nous supposons que l'enfant a été enlevée dès minuit, et sachant qu'il fait jour à cinq heures... sans automobile, ils n'ont guère pu dépasser cette limite. » Il traça un demi-cercle, en prenant pour centre la bifurcation où nous avions perdu la trace des ravisseurs. « Dans ce secteur. Un endroit où il est possible de téléphoner ; un village assez important pour que la distribution du *Times* passe inaperçue. L'importance des petites annonces ne vous échappe pas ?

– Non, bien sûr », me hâtai-je de dire.

Il fouilla de nouveau dans ses cartes, en sortit cinq ou six d'une échelle encore plus grande et les adapta les unes aux autres. Nous nous penchâmes sur les lignes des cours d'eau, des routes et des chemins, sur les carrés noirs des habitations. J'essuyai distraitement une tache de pickle, balayai quelques miettes et réfléchis à voix haute :

« Il n'y a que quatre petits villages dans ce secteur. Cinq, si nous comptons celui-ci, qu'ils n'ont pu atteindre qu'en poussant leurs chevaux à fond de train. Tous sont assez près de la route pour disposer d'une ligne téléphonique. Dans ces deux-là, les maisons semblent un peu plus dispersées, ce qui pourrait leur donner une plus grande liberté de mouvement. Il me paraît impossible que nous les visitions tous d'ici demain soir.

– Exact.

– Il ne nous reste que six jours avant la date prévue pour la remise de la rançon.

– Je le sais, répondit-il avec irritation. Attelez le cheval. »

Nous nous mîmes en route avant le retour de l'agent de police, mais il faisait presque nuit lorsque nous atteignîmes le premier village. Holmes se dirigea vers le pub, pendant que je m'occupais du cheval et me préparais à bavarder avec les enfants qui apparaissaient inévitablement à notre arrivée. J'avais remarqué que, généralement, l'un d'entre eux prenait la responsabilité de communiquer avec l'étrange visiteur. Cette fois-ci, le porte-parole fut une fillette crottée d'une dizaine d'années. Les autres commentaient ou traduisaient en simultanée, dans un gallois beaucoup trop rapide et familier pour que je le comprisse. Je m'affairai sans faire attention à eux. « Tu es une bohémienne, madame ?

– D'après toi, grognai-je.

– Mon papa dit que oui.

– Ton papa se trompe. » Un silence scandalisé accueillit cette hérésie. Au bout d'une minute, la fillette se lança de nouveau.

– Si t'es pas une bohémienne, c'est quoi que tu es ?

– Une Romani.

– Une Romani ? Ça se peut pas. Ils avaient des lances et ils sont tous morts.

– Ça, ce sont les Romains. Moi, je suis romani. Tu veux donner ça au cheval ? » Un petit garçon me prit l'avoine des mains. « Y a-t-il quelqu'un dans le village qui voudrait me vendre deux dîners ? » La petite bande se consulta du regard, puis :

« Va demander à ta maman, Maddie. Allez, va donc. » Partagée entre le désir de rester et l'honneur indéniable de rendre service, une fillette minuscule s'éloigna à contrecœur et disparut dans le pub.

« Vous avez pas de casseroles ? s'enquit un enfant.

– Je n'aime pas cuisiner », répliquai-je royalement, ce qui provoqua un nouveau silence scandalisé, plus profond encore que le précédent. Si ma première réponse était une hérésie, la seconde aurait pu me valoir le bûcher. « Y a-t-il un téléphone dans le village ? demandai-je au porte-parole.

– Un téléphone ?

– Oui, tu sais, ce machin qu'on décroche et dans lequel on crie ? Est-ce qu'il y en a un, ici ? » Leurs visages perplexes m'indiquèrent que ce n'était pas le bon village. Un enfant intervint.

« Mon papa a parlé dans un, une fois, quand le pépé est mort et qu'il a dû le dire à son frère, à Caerphilly.

– Où est-il allé pour ça ? »

Un haussement d'épaules éloquent.

« Pourquoi que tu as besoin d'un téléphone ?

– Pour appeler mon agent de change. Vous ne voyez pas beaucoup d'étrangers par ici, hein ? poursuivis-je avant qu'ils n'aient le temps de me demander une définition.

– Oh ! si, des tas. À la Saint-Jean, il y a un autocar plein d'Anglais qui s'est arrêté ici, et ils ont bu un verre chez la maman de Maddie.

– Ceux qui ne font que passer ne comptent pas, affirmai-je avec dédain. Je parle de ceux qui viennent, qui mangent, qui boivent et qui restent quelque temps. Vous n'en avez pas beaucoup, n'est-ce pas ? »

Je vis à leur expression qu'ils n'avaient pas d'étrangers idoines à m'offrir et soupirai intérieurement. Demain, peut-être. En attendant...

« Eh bien, il y a nous, mais nous ne restons pas longtemps. Si vous allez prévenir vos parents, vous pourrez venir regarder un spectacle dans une heure. À moins que mon papa ne trouve la bière trop bonne, ajoutai-je. Je tire aussi les cartes. Allez, sauvez-vous, maintenant. »

Le dîner fut bon et copieux, la recette, maigre. Nous repartîmes le lendemain avant l'aube.

Le village suivant avait une ligne téléphonique mais peu de maisons isolées. Ni mes jeunes informateurs, ni les habitués du pub ne mentionnèrent un récent afflux d'éléments allogènes. Nous nous remîmes en route en début d'après-midi sans donner de représentation.

Le troisième village parut d'abord plus prometteur : des lignes téléphoniques, plusieurs maisons très écartées et même des réponses affirmatives à nos questions sur la présence d'étrangers. Mais, à l'heure du thé, tous nos espoirs s'étaient évanouis, car ces étrangers se révélèrent être deux vieilles dames anglaises, installées là depuis six ans.

Nous dûmes revenir sur nos pas pour prendre la route menant aux deux derniers villages et, lorsque le crépuscule tomba, j'étais plus que lasse des cahots, de la dureté du siège et de la croupe brune qui roulait imperturbablement devant moi. Nous allumâmes les lampes de la roulotte et descendîmes guider le cheval, une lanterne à la main.

« Et si les ravisseurs étaient des gens de la région ? dis-je à voix basse. Je sais que cela paraît peu probable, mais si tout avait été combiné par deux types du coin ?

– Qui ont repéré un sénateur américain et pensé aussitôt à utiliser un gaz somnifère et à envoyer des lettres au *Times*, railla-t-il. Servez-vous du bon sens que Dieu vous a donné, Mary Todd. Il y a certainement des gens de la région dans le coup, mais ils ne sont pas seuls. »

Nous entrâmes d'un pas las dans le village numéro quatre où, pour la première fois, nous ne fûmes pas accueillis par une bande d'enfants. « Trop tard pour les petits, je suppose », grogna Holmes en regardant avec dégoût le petit pub de pierre.

« Que ne donnerais-je pas pour un bon bordeaux ! » dit-il avec un soupir. Et il alla faire son devoir.

Je m'occupai du cheval, fis chauffer une boîte de haricots et, me laissant lourdement tomber sur la banquette, me tirai les cartes sur la minuscule table en bois. Je retournai le Pendu, le Fou énigmatique et la Tour à l'air funeste. L'absence de Holmes dura longtemps, et je commençai à envisager de me coucher telle que j'étais, vêtements sales et le reste, lorsque sa voix retentit dans ce qui passait pour la grande rue du village.

« ... mon violon, et je m'en vais vous jouer un air de danse, l'air le plus joyeux que vous entendrez jamais. » Je me levai d'un bond, ne pensant plus du tout à dormir, et les haricots se transformèrent instantanément en briques dans mon estomac. La porte de la roulotte s'ouvrit et mon vieux papa entra en roulant bord sur bord. Il trébucha sur les marches et s'effondra sur mes genoux.

« Ah ! mon canard, continua-t-il à voix haute en se relevant péniblement. Tu sais où que j'ai mis mon violon ? » Il alla le prendre sur l'étagère et me murmura à l'oreille d'un ton farouche : « Attention, Russell : une maison blanche à cinq cents mètres au nord, un platane devant et un autre derrière. Louée fin juin, habitée par cinq hommes, un sixième peut-être qui va et vient. Bon Dieu ! hurla-t-il, je t'avais dit de réparer cette foutue corde. » Il se pencha sur l'instrument et poursuivit : « Je ferai diversion devant la maison dans cinquante minutes. Glissez-vous derrière – prudemment surtout – et observez les lieux sans vous approcher de trop près. Noircissez-vous la peau et prenez votre revolver, mais ne vous en servez que si votre vie est en danger. Ouvrez l'œil : il peut y avoir un garde ou des chiens. Si l'on vous voit, tout est perdu. Vous vous en sentez capable ?

– Oui, je crois, mais...

– Ma petite Mary, brailla-t-il d'une voix d'ivrogne. T'es tout ensommeillée, pas vrai ? Va t'en dormir. C'est pas la peine de m'attendre.

– Mais, papa, le dîner...

– Non, Mary, j'vais pas gâcher toute cette bonne bière avec de la nourriture. Allez, fais de beaux rêves, ma douce. » Et il ressortit d'un pas lourd en claquant la porte. Son violon attaqua un air entraînant et, le cœur battant, les mains maladroites, je me préparai : un pantalon sous mes jupes sombres, une corde de soie autour de la taille, des jumelles, une lampe de poche mince comme un crayon. Le revolver. Je me barbouillai le visage et les mains avec le noir de fumée du verre de lampe, puis jetai un dernier regard autour de moi avant d'éteindre. La poupée de chiffon, affaissée tristement sur une étagère, accrocha mon regard. Sur une impulsion – pour me porter bonheur ? –, je la fourrai dans une poche. Puis je me coulai silencieusement au-dehors et me dirigeai vers la grande maison carrée isolée, qui se dressait à l'écart de la route.

Je progressai avec d'infinies précautions mais ne rencontrai personne et bientôt, tapie dans des buissons, j'observais la maison avec mes jumelles. Les pièces du rez-de-chaussée étaient éclairées, mais de minces rideaux opaques masquaient les fenêtres et, si l'on entendait des bruits de voix provenant apparemment de la pièce du coin, il était impossible de savoir ce qui se passait à l'intérieur. Le premier étage était plongé dans l'obscurité.

Au bout de dix minutes, je n'avais vu qu'une silhouette masculine traverser la pièce devant la lampe et revenir une minute plus tard. Comme rien n'indiquait la présence de gardes ni de chiens, je m'éloignai prudemment de la maison et courus m'abriter derrière une remise délabrée qui sentait le charbon et le pétrole. Les rideaux laissaient filtrer la lumière, de sorte que les alentours de la maison étaient visibles pour des yeux habitués à l'obscurité. Dix minutes de guet encore, et rien ne bougea, excepté les feuillages agités par un vent capricieux.

Quittant la remise, je traversai un jardin potager à l'abandon, franchis une clôture à demi effondrée, passai derrière une deuxième remise (qui sentait, elle, l'essence), puis sous les branches d'un petit verger jonché de prunes pourries, et parvins enfin à une troisième cabane dont la petite taille et l'emplacement auraient révélé la fonction même si son odeur ne l'avait pas fait. Elle avait l'avantage de m'offrir un bon point de vue sur l'arrière de la maison et sur sa cour.

Il y avait de la lumière dans une pièce du haut. D'après la disposition des fenêtres, j'estimai qu'il y avait sans doute deux pièces de ce côté-ci, peut-être séparées par un débarras aveugle ; et c'était celle de droite qui était éclairée. Je notai avec plaisir que les rideaux étaient déchirés, ou mal fermés, car un pinceau de lumière jaune éclairait l'appui de la fenêtre. À condition de monter assez haut, je pourrais voir à l'intérieur. J'étudiai la cabane. Sa hauteur me parut convenir, et les tuiles semblaient assez solides pour supporter mon poids. Je cherchai des yeux comment l'escalader sans faire trop de vacarme, me rappelai avoir vu un seau abandonné dans le verger et allai le chercher. Il était percé, mais les bords tenaient bon et, renforcés par une planche, me permirent d'atteindre le bord du toit et de m'y hisser. J'étais en train de me féliciter du peu de bruit que j'avais fait quand la porte de derrière s'ouvrit, révélant un homme de taille imposante qui tenait à la main une lampe terriblement puissante.

Grâce à l'enseignement de Holmes, l'envie folle de sauter à terre et de courir me réfugier dans les ténèbres se dissipa, ne me laissant qu'un ensemble de muscles parfaitement rigides et le désir de me fondre dans les tuiles du toit. Avant que l'homme n'eût traversé la cour, mon cerveau m'avait d'ailleurs signalé que, bien qu'il s'avançât dans ma direction, il n'était pas armé et n'avait d'autre intention que de se rendre dans la pièce se trouvant au-dessous de moi. Je restai donc immobile, tremblant qu'un craquement ne me trahît et luttant en même temps contre un fou rire quasi irrépressible, mais, lorsqu'il regagna enfin la maison (sept minutes s'étaient écoulées, une éternité !), mon amusement s'évanouit, me laissant au bord de la nausée.

Deux choses m'apparurent peu à peu. La pièce dont l'homme était sorti était la cuisine et, beaucoup plus important, sa présence dans la cour n'avait suscité aucune réaction. De plus, rien dans son attitude n'avait indiqué qu'il s'attendît à en provoquer une. Donc, pas de chiens, pas de gardes.

Probablement.

La lune se levait et, lorsque je me mis lentement debout sur mon toit, je me sentis aussi visible qu'un éléphant sur un terrain de cricket. Et tout cela pour rien : l'angle n'était pas le bon. Mes jumelles ne me montrèrent que le haut de la porte, au fond de la pièce. Je redescendis silencieusement, allai remettre le seau et la planche à leur place et observai la fenêtre en réfléchissant.

Puisqu'il n'y avait pas de garde, rien ne m'empêchait de grimper sur l'arbre qui se dressait dans la cour. Son épais feuillage et ses branches relativement sûres m'offriraient certainement un bon poste d'observation, et même si je devais m'avancer à découvert pour l'atteindre et grimper les premiers mètres du tronc en étant exposée aux regards, cela valait mieux que de traîner dans la cour de gravier jusqu'à ce que quelqu'un d'autre sorte et tombe sur moi.

Mais il fallait d'abord que je me débarrasse de tout ce qui m'encombrait. De l'autre côté de l'allée s'allongeait une haie de troènes mal entretenue dans laquelle je m'ouvris facilement une brèche. Je déposai mes brodequins et mes jupes derrière elle, fourrai la poupée dans la ceinture de mon pantalon et mes autres affaires dans mes poches, puis m'approchai furtivement du mur de la maison. Il me restait huit minutes jusqu'à l'arrivée de Holmes, et j'en passai deux, l'oreille collée à la fenêtre de la cuisine pour m'assurer que toute l'activité - un jeu de cartes, me sembla-t-il – se déroulait à l'autre bout de la maison.

Les premières branches de l'arbre étaient hors de ma portée. Je déroulai donc la corde que j'avais autour de la taille et la lançai sur l'une d'elles. Le second essai fut le bon, et je pus escalader le tronc, non sans produire des grincements et des craquements qui me firent l'effet de hurlements. Mais, comme personne ne se manifesta, je récupérai la corde et grimpai dans l'arbre comme un singe.

Et la chance me sourit, parce qu'elle était là.

Je ne vis d'abord qu'un lit aux draps froissés, et mon cœur se serra, mais en m'avançant dangereusement loin sur la branche, j'aperçus une petite tête et une tresse de cheveux auburn sur l'oreiller. Les cheveux de Jessica Simpson. Le visage de Jessica Simpson.

J'avais accompli une partie de ma tâche : nous savions maintenant qu'elle était dans la maison. L'autre partie, de loin la plus importante, consistait à trouver un moyen de l'en faire sortir. Malheureusement, aucune branche d'une grosseur adéquate ne menait directement à sa fenêtre. L'arbre était en revanche nettement plus près de la pièce voisine. (J'entendis soudain du bruit du côté du village... des voix d'hommes en train de chanter, ce qui me donna une idée de la diversion que Holmes avait en tête.) Je me déplaçai laborieusement dans l'arbre et vis qu'en effet une branche frôlait presque la maison. Tentant. Mais ensuite ? me dis-je. Il n'y avait pas de rebord reliant les deux fenêtres ; les gouttières étaient beaucoup trop haut, et imaginer Holmes se balançant comme une araignée au bout d'une corde passée autour des cheminées ne me disait rien qui vaille. Non, il faudrait sans doute entrer subrepticement dans la pièce obscure.

Cinq hommes, et peut-être un sixième. Quatre d'entre eux étaient en train de jouer aux cartes – quatre voix, corrigeai-je. Et le cinquième ? Se trouvait-il au rez-de-chaussée, dans la chambre de l'enfant ou dans la pièce obscure ? Cela n'avait guère d'importance ce soir, mais demain, lorsque nous reviendrions...

Ce fut alors que l'idée me vint, une idée folle, téméraire, que je repoussai aussitôt, scandalisée. Ce n'est pas un jeu, Russell, me réprimandai-je. Fais ce qu'on t'a dit de faire, puis retourne à la roulotte.

Mais tandis que je me tenais accroupie dans mon arbre, immobile et aux aguets, elle revint à l'assaut, me tourna dans la tête, et j'avais beau la chasser, elle refusait d'abandonner la partie.

Et si je n'attendais pas Holmes pour délivrer Jessica Simpson ?

C'était de la folie. Sa vie était en jeu, et je manquais totalement d'expérience. Je secouai la tête comme pour me débarrasser d'une mouche importune et me concentrai sur ma tâche d'observateur. Ma mission. Une mission capitale que j'avais acceptée. Du côté du village, les voix se faisaient plus fortes ; ils étaient sur la route, à présent, et marchaient vers la maison. Dans une minute, les ravisseurs les entendraient... Je changeai de position pour surveiller ce qui se passait dans la pièce éclairée.

Aussitôt, l'idée importune revint, plus forte, plus indiscutable. Comment pourrions-nous nous y prendre, sinon en nous glissant par la fenêtre obscure pendant que quelqu'un distrayait l'attention des ravisseurs de l'autre côté ? Il n'était pas question d'avoir recours à la force : un otage sur qui l'on braque un revolver est encore plus un otage que lorsqu'il est couché dans une chambre paisible. Et comment Holmes pouvait-il espérer arriver jusqu'à l'enfant sinon en escaladant cet arbre ? Holmes, qui approchait la soixantaine et ne risquait plus tout à fait ses os avec la même insouciance, qui était plus grand et plus lourd que moi, devrait jouer les funambules sur cette même branche... alors qu'il ne nous restait que quelques jours, que la nervosité des cinq hommes ne cessait d'augmenter et qu'ils seraient nécessairement encore plus soupçonneux après la surprise qui approchait à grands pas sur la route.

De la folie. De la démence. Il était impossible que j'y arrive, impossible même que j'arrive à porter l'enfant, à lui faire redescendre l'arbre et à m'enfuir avec elle. Pas si elle se débattait, ce qu'elle ferait forcément. Même une enfant « indépendante et intelligente » risquait fort de s'affoler à la vue d'une inconnue au visage barbouillé de noir qui se proposait de la kidnapper une seconde fois en pleine nuit.

J'oscillais follement entre une prudence obéissante et la témérité la plus insensée, entre la préparation minutieuse d'une intervention ultérieure et le sentiment que l'occasion ne s'en présenterait peut-être jamais, entre exécuter à la lettre les ordres de Holmes et saisir la seule chance qui nous serait peut-être offerte. J'aurais donné cher pour qu'il apparût miraculeusement devant moi et décidât à ma place.

Des chants de Noël ! me dit tout à coup la partie de mon cerveau qui n'était pas paralysée par l'indécision. Mon « père » s'était arrangé pour lever une troupe d'hommes ivres dans ce minuscule endroit et pour les amener jusqu'ici grâce à son violon endiablé. Un magnifique chœur gallois chantait des chansons de Noël en anglais dans un village minuscule par une chaude soirée d'août. Soudain, rien ne semblait plus impossible et, comme si cela avait libéré la maison de son immobilité, un mouvement se fit dans la chambre.

Une ombre traversa la fente de lumière jaune devant moi. Je me penchai dangereusement et en fus récompensée par la vue d'un large dos d'homme. Il était en manches de chemise et en gilet, coiffé d'un passe-montagne de laine sombre, et se tenait sur le seuil de la chambre, près du lit de Jessica. Il avança la tête dans le couloir, hésita (était-ce une voix d'homme qui criait quelque chose d'inintelligible au milieu du tapage grandissant ?), puis il ouvrit la porte en grand et sortit.

Si je n'avais pas vu ce dos quitter la pièce, jamais je ne l'aurais fait, jamais je ne me serais avancée vers la fenêtre obscure. Alors même que je me déplaçais, que je passais la corde autour d'une branche au-dessus de moi, les muscles et le cerveau merveilleusement (stupidement !) libérés de toute indécision, une petite partie de moi-même se proposait encore d'être raisonnable et promit aux esprits de la nuit que si la fenêtre ne s'ouvrait pas, je battrais instantanément en retraite.

Un choc sourd et de gros rires rauques me parvinrent aux oreilles. Un pied toujours sur la branche, me tenant à la corde, je posai l'autre sur l'appui de la fenêtre, sortis mon canif puis,

(Mon beau sapin...)

dépliant tant bien que mal la lame la plus fine, je la glissai entre le chambranle et le châssis et, au bout d'une éternité, sentis plus que je n'entendis le déclic du loquet. J'attendis, mais comme il n'y eut pas de réaction, je me baissai

(Roi des forêts...)

et soulevai la fenêtre qui grinça à peine. Je me coulai

par l'ouverture, prête à une attaque qui ne vint pas. La pièce était vide et, poussant un soupir tremblant, je m'élançai vers

(Que j'aime ta parure...)

la porte. Le couloir et l'escalier étaient déserts, des voix retentissaient au rez-de-chaussée et à l'extérieur, la porte de la chambre était entrouverte. Je sortis la poupée de ma ceinture et m'engageai dans le couloir horriblement éclairé.

(Quand, par l'hiver, bois et guérets...)

« Jessica ! murmurai-je. N'aie pas peur. Voici quelqu'un qui veut te voir. » Tenant la poupée devant moi, je poussai la porte et me trouvai face à une petite fille de six ans à l'expression très grave. Jessica se redressa sur les coudes, regarda mon visage noirci mais souriant et attendit.

« Tes parents m'ont envoyée te chercher, Jessica. Il faut que nous partions tout de suite, sinon ces hommes nous en empêcheront.

– Je ne peux pas », chuchota-t-elle.

Oh ! Seigneur, pensai-je.

« Pourquoi ? »

Sans un mot, elle s'assit et rejeta les couvertures, découvrant un bracelet de métal et une chaîne attachée au pied du lit.

« J'ai essayé de m'en aller, alors ils m'ont mis ça. »

Au-dehors, le tumulte atteignait son comble : un grand fracas de verre brisé, suivi de cris furieux et de rires avinés. Dans un instant, ils se souviendraient de leur otage, et il fallait que nous soyons partis avant. Je devais courir le risque de faire un peu de bruit.

« Une minute, ma chérie. Tiens, prends la poupée. »

Elle serra étroitement dans ses bras le jouet bien-aimé, et je m'agenouillai pour examiner la chaîne. Elle était neuve, solide, attachée par un gros cadenas au bracelet enserrant sa cheville – que les ravisseurs avaient heureusement pris la peine de matelasser – et fixée au pied du lit par une vis de la taille de mon petit doigt, qui semblait avoir été soudée à son écrou. Le lit n'était pas de bonne qualité, mais le pied avait bien huit centimètres d'épaisseur, était collé et emboîté. Vu le temps dont nous disposions, il n'y avait qu'une seule solution et j'espérai ne pas me briser tous les os du pied.

Je soulevai l'extrémité du lit, pris appui sur ma jambe gauche, balançai mon pied droit en arrière et l'envoyai de toutes mes forces en avant. L'angle était malcommode, et le choc me brisa effectivement un os, comme je m'en aperçus plus tard, mais ce n'était pas cher payé, car le lit n'avait désormais plus que trois pieds. Elle était libre. Sans plus me soucier du bruit que nous faisions, je soulevai enfant, chaîne, moignon de pied de lit, et les jetai sur mon épaule comme un sac de pommes de terre.

La clé était dans la serrure ; j'en donnai donc un tour en sortant et l'empochai. Des pas lourds résonnèrent dans l'escalier au moment où je pénétrais dans la chambre obscure. Je fermai la porte et connus un moment difficile lorsque, en équilibre précaire entre le rebord de la fenêtre et la branche, je tâchai de refermer la première. Je faillis laisser tomber Jessica, mais elle ne cria pas, s'agrippa seulement à ma chemise d'une main et à sa poupée de l'autre. J'attrapai le bout de la corde que j'avais laissée en place et, en m'y accrochant, baissai la fenêtre avec mon pied blessé, puis, moitié marchant, moitié me balançant, m'avançai sur la branche. J'avais juste atteint le tronc lorsque des poings martelèrent la porte de Jessica. Des cris suivirent. Je lançai la corde dans les branches pour qu'elle ne nous trahît pas et me préparai à sauter. « Tiens-moi bien fort, Jessie », murmurai-je. Lorsqu'elle m'eut entourée de ses bras et de ses jambes, nous dégringolâmes de l'arbre, gagnâmes la haie de troènes en cinq immenses bonds et nous jetâmes de l'autre côté en perdant quantité de bouts de peau. J'eus à peine le temps de plaquer une main sur les lèvres de Jessica que la porte de derrière s'ouvrait avec violence.

Cette fois, l'homme qui apparut sur le seuil avait une arme, un imposant fusil de chasse. Il s'avança jusqu'à l'arbre où nous nous trouvions encore dix secondes plus tôt et leva les yeux vers la fenêtre éclairée. « Elle n'est pas sortie, Owen, cria-t-il. La fenêtre est bien fermée. » Je n'entendis pas ce qu'on lui répondit, car des cris furieux retentissaient sur la route, mais il fit encore quelques pas dans notre direction et scruta l'arbre. L'enfant et moi écoutions les battements affolés de nos cœurs, mais elle resta parfaitement silencieuse et je ne fis pas un mouvement, craignant que la chaîne ne cliquette ou que mes lunettes ne scintillent à la lumière de la cuisine. L'homme tourna deux ou trois minutes dans la cour, puis on l'appela et il rentra dans la maison. Dès que la porte se referma, je saisis mes brodequins, pris de nouveau l'enfant sur mon dos et trottai pieds nus sur le bas-côté de la route.

« Tu es très brave, Jessica. Continue à ne faire aucun bruit, et nous serons bientôt en sécurité. Les hommes qui se trouvent devant la maison sont nos amis, bien qu'ils ne le sachent peut-être pas encore. Il faut que nous nous cachions un petit moment, jusqu'à ce que la police arrive, et ensuite tu verras tes parents. D'accord ? »

Je la sentis hocher la tête contre mon cou. Je sentais aussi la poupée de chiffon, écrasée entre nous. Je m'éloignai rapidement de la bande bruyante des chanteurs (qui commençait à se disperser), en veillant à tenir fermement serrés la chaîne et le pied de lit et à rester dans l'ombre. Pourtant, lorsque je me retournai, je vis quelqu'un lever le bras et l'agiter frénétiquement au milieu des chanteurs. Holmes nous avait aperçues ; le reste était son affaire.

Je ne m'arrêtai à la roulotte que le temps d'y prendre des couvertures et de la nourriture, puis emmenai l'enfant sur une colline voisine, à l'écart de la route. Parvenue à un arbre, je la laissai glisser à terre. Gardant une main légèrement posée sur son épaule, je décontractai mon dos, puis m'assis contre le tronc, la pris sur mes genoux et nous enveloppai toutes les deux dans les couvertures.

Enfin rassurée sur notre sort, je me mis à trembler de tous mes membres, par réaction et à cause de la sueur qui trempait mes vêtements. J'eus la brusque vision de la tête que feraient les ravisseurs lorsqu'ils parviendraient à ouvrir la porte, et je me mis à pouffer. Jessica se raidit. Au prix d'un effort sur moi-même, je dominai ce début de crise de nerfs, respirai à fond et murmurai à son oreille :

« Tu es en sécurité maintenant, Jessica. Ces hommes ne peuvent pas te trouver. Nous allons juste attendre un peu ici, jusqu'à ce que la police vienne les arrêter, et ensuite tes parents viendront te chercher. Tiens, sers bien cette couverture autour de toi pour ne pas avoir froid. Tu as faim ? » Sa tête oscilla de droite à gauche. « Bien. À présent, il faut que nous cessions de parler et que nous restions immobiles, aussi immobiles qu'un faon dans les bois, d'accord, Jessica ? Je vais rester près de toi, et ta poupée aussi. Je m'appelle Mary, au fait. »

Elle garda le silence. J'arrangeai les couvertures le mieux possible, m'adossai à l'arbre et attendis. Peu à peu, son petit corps se détendit dans mes bras, s'alourdit et, finalement, à ma stupéfaction, elle s'endormit. J'entendis les derniers villageois éméchés rentrer chez eux et, une demi-heure plus tard, plusieurs voitures passèrent à toute vitesse sur la route. Des hurlements lointains, deux coups de feu (l'enfant tressaillit dans son sommeil), puis le silence. Une heure plus tard, des pas résonnèrent sur la route, et une lanterne brilla entre les arbres.

« Russell ?

– Ici, Holmes. » J'allumai ma torche pour le guider. Lorsqu'il nous rejoignit, je ne pus déchiffrer son expression.

« Holmes, je suis désolée si... » Mais le son de ma voix réveilla Jessica, qui poussa un cri à la vue de Holmes. Je me hâtai de la rassurer.

« Non, Jessie, c'est un ami, mon ami et celui de tes parents. C'est lui qui a fait tout ce bruit pour que je puisse te faire sortir de la maison. Il s'appelle Sherlock Holmes, et il n'a pas toujours l'air aussi bizarre. Il est déguisé, comme moi. » Ce bavardage la détendit un peu. Je donnai les couvertures à Holmes et descendis la colline en la portant dans mes bras.

Nous l'emmenâmes dans la roulotte, allumâmes un feu et la vêtîmes d'une de mes chemises en laine, qui lui battit les mollets. La femme du patron du pub nous apporta un ragoût de mouton fumant que nous dévorâmes, et dont Jessica ne mangea que quelques bouchées. Holmes fit chauffer de l'eau, se lava, examina mon pied blessé, qu'il banda étroitement pour empêcher les extrémités de l'os de craquer davantage, puis, avec l'eau qui restait, prépara du café et se rasa. Jessica surveillait ses moindres mouvements. Lorsqu'il eut retrouvé son visage habituel, il lui montra comment il enlevait sa dent en or, et elle le regarda faire avec gravité. Il sortit ensuite ses rossignols, les étala sur la table pour qu'elle pût les examiner et lui demanda si elle voulait qu'il la débarrasse de sa chaîne. Elle eut un mouvement de recul et se blottit contre moi.

« Personne ne te touchera si tu n'en as pas envie, Jessica, dis-je. Je peux le faire, si tu veux, mais il faut que tu t'assoies sur la table. Si tu restes sur mes genoux, je ne peux pas. » Silence. Nous patientâmes un peu, puis Holmes haussa les épaules et prit les rossignols. Elle remua, puis tendit lentement son pied vers lui. Sans faire de commentaire, il se mit au travail et, la touchant aussi peu que possible, vint à bout du bracelet en deux minutes. Elle lui adressa un long regard grave, qu'il lui rendit, puis se serra de nouveau contre moi, le pouce dans la bouche.

Nous attendîmes en somnolant jusqu'à ce qu'enfin une autre voiture se fasse entendre sur la route et s'arrête juste devant la roulotte. Holmes ouvrit alors la porte aux Simpson, et Jessica se jeta dans les bras de sa mère en s'accrochant à elle comme si elle ne voulait plus jamais la lâcher. Puis M. Simpson prit sa femme par les épaules et les conduisit jusqu'à la voiture, et ma vue se brouilla, et Holmes se moucha bruyamment.

Conversation avec Mlle Simpson

...dirigeant tout sans donner d'ordre,
et obéi sans être reconnu.

La fin d'une affaire est toujours longue, ennuyeuse et décevante, et puisque c'est mon histoire, je m'épargnerai le récit des heures qui suivirent, l'épuisement, les questions et la confrontation pénible avec les ravisseurs. Qu'il me suffise de dire que la nuit s'acheva et que je m'écroulai quelques heures sur ma couchette inconfortable avant que des coups frappés à la porte de la roulotte ne me tirent du sommeil. Des litres de café ne réussirent pas à dissiper la lassitude de mes membres et de mon cerveau, et ce fut avec un immense plaisir que, dans l'après-midi, je vis disparaître la dernière voiture au bout de l'étroit chemin. Je frottai mes yeux fatigués, calai mon pied douloureux, pensai vaguement à un bain mais constatai que j'avais juste assez d'énergie pour rester assise sur les marches de la roulotte et regarder le cheval brouter.

Il s'écoula bien une heure avant que je ne prête attention à Holmes qui, assis sur une souche, plantait et replantait son couteau de poche dans un arbre voisin.

« Holmes ?

– Oui, Russell.

– Est-ce toujours aussi gris et horrible à la fin d'une affaire ? »

Il garda un instant le silence, puis se leva brusquement

et regarda dans la direction de la maison aux platanes. Lorsqu'il se retourna, un sourire douloureux flottait sur ses lèvres.

« Pas toujours. En général, seulement.

– D'où la cocaïne.

– D'où la cocaïne, comme vous dites.

– Je ne pense pas pouvoir dormir ici, ce soir, Holmes. Je sais qu'il est tard et qu'à peine en route, il nous faudra nous arrêter de nouveau, mais est-ce que cela vous ennuierait beaucoup que nous ne restions pas ici ? Je crois vraiment que je ne pourrai pas le supporter. »

J'avais parlé à toute vitesse, d'une voix qui tremblait un peu, mais lorsque je levai les yeux, je vis un vrai sourire dans les yeux de Holmes.

« Vous me prenez les mots de la bouche, ma p'tite Mary. Si vous voulez bien atteler la bête, j'en ai pour une minute à tout ranger. »

Il nous fallut bien plus d'une minute, mais le soleil brillait encore au-dessus des collines lorsque la roulotte s'ébranla et reprit en sens inverse la route que nous avions suivie la veille. Je me sentis aussitôt mieux et, au bout de quelques kilomètres, Holmes s'adossa à la porte peinte de la voiture et poussa un soupir.

« Holmes ? Vous croyez qu'ils arrêteront celui qui tirait les ficelles ?

– C'est possible mais peu vraisemblable, à mon avis. Il a été très prudent. Personne ne l'a vu. Il n'est sûrement jamais venu ici : des détails comme la branche d'arbre ou les rideaux ne lui auraient pas échappé. Ses cinq complices ont été engagés et payés anonymement, ils n'avaient ni adresse, ni numéro de téléphone, aucun moyen de le contacter excepté par l'intermédiaire du journal, et leurs ordres leur étaient postés de Londres, jamais de la même boîte aux lettres. Ceux que j'ai vus étaient tous tapés sur la même machine à écrire, qui reposera bientôt au fond de la Tamise. Scotland Yard réussira peut-être à trouver la provenance de l'argent, mais j'en doute. Tôt ou tard, cependant, il se remanifestera, et nous le coincerons peut-être à ce moment-là. Russell ? Ne tombez pas sous les roues, par pitié. Passez-moi ces rênes et allez dormir. Non, allez-y. Je conduisais déjà des chevaux avant que vous ne soyez née. Au lit, Mary. »

Je me réveillai beaucoup plus tard en entendant la porte s'ouvrir. Un bruit léger de pas, un froissement de vêtements, et Holmes grimpa sur sa couchette. Je me tournai et me rendormis.

La roulotte et le cheval se révélèrent une vraie bénédiction, en ce qu'ils nous obligèrent à regagner Cardiff à petite allure. Ces deux lentes journées de voyage nous permirent de remettre l'affaire en perspective. Nous roulâmes et marchâmes, Holmes alterna pipe et violon. Nous parlâmes, mais pas de ce qui s'était passé, ni de l'initiative que j'avais prise.

Après avoir ramené le cheval et la voiture à Andrewes, nous entassâmes nos paquets dans un fiacre, et le cocher nous conduisit dans le meilleur hôtel susceptible de nous accepter. Je me plongeai avec délectation dans l'eau chaude de mon bain et, quatre rinçages plus tard, j'étais de nouveau blonde, quoique ma peau conservât un hâle certain. Je nouais ma cravate devant la glace, lorsque l'on frappa deux coups à la porte.

« Russell ?

– Entrez, Holmes. Je suis quasiment prête. »

Il avait le teint encore légèrement brun, lui aussi, mais ses tempes grisonnaient de nouveau. Il s'assit pendant que je finissais de relever mes cheveux humides avec des épingles, et il me vint à l'esprit qu'il était sans doute la seule personne de ma connaissance qui pût rester assis à me regarder sans que nous éprouvions ni l'un ni l'autre le besoin d'entretenir la conversation. Je pris ma clé de chambre.

« Nous y allons ? »

Comme l'on pouvait s'y attendre, les Simpson étaient reconnaissants et fragiles. Mme Simpson ne cessait de toucher sa fille, comme pour s'assurer de sa présence. M. Simpson paraissait reposé et s'excusa d'avoir à « courir de droite et de gauche » au lieu de bavarder avec nous : il devait se rendre à Londres de toute urgence. Et il y avait Jessica. Elle et moi nous saluâmes avec gravité. Je remarquai sur sa joue l'ombre d'une meurtrissure que je n'avais pas vue dans l'obscurité. Lorsque je pris des nouvelles de la poupée, elle me répondit avec sérieux qu'elle allait bien et me demanda si je voulais voir sa chambre. Je m'excusai et la suivis dans le couloir. (La suite et l'hôtel des Simpson étaient nettement plus luxueux que les nôtres.)

Nous nous assîmes sur le lit et parlâmes à la personne rembourrée. Je fis également la connaissance d'un ours, de deux lapins et d'une marionnette en bois. Jessica me montra quelques livres, et nous discutâmes littérature.

« Je peux les lire, déclara-t-elle.

– Je vois ça.

– Vous saviez lire à six ans, mademoiselle ? » Curieusement, il n'y avait pas trace de fierté dans sa voix ; elle se renseignait simplement.

« Oui, je crois.

– J'en étais sûre. » Elle hocha la tête avec satisfaction et lissa la robe de sa poupée.

« Comment s'appelle ta poupée ? »

Sa réaction m'étonna. Ses mains s'immobilisèrent, elle se mordit la lèvre et s'absorba dans la contemplation du visage de chiffon.

« Elle s'appelait Élisabeth, répondit-elle à voix basse.

– S'appelait ? Elle a changé de nom ? » Je sentais que c'était important mais ne comprenais pas en quoi.

« Maintenant, elle s'appelle Mary, murmura-t-elle, et elle me regarda dans les yeux.

– Mary ? Comme moi ?

– Oui, mademoiselle. »

Ce fut à mon tour de baisser les yeux et de contempler mes mains. Le culte du héros ne faisait pas partie des sujets abordés par Holmes dans son enseignement, et ce fut d'une voix un peu fêlée que je déclarai :

« Voudrais-tu faire quelque chose pour moi, Mary ?

– Oui, mademoiselle. » Aucune hésitation. Je pouvais lui demander de se jeter par la fenêtre, disait son ton, et elle le ferait. Avec joie.

« Pourrais-tu m'appeler Mary ?

– Mais maman a dit...

– Je sais. Les mamans veulent que leurs enfants aient de bonnes manières, et c'est important. Mais juste entre nous, j'aimerais beaucoup que tu m'appelles Mary. Je n'ai jamais... » Quelque chose m'obstruait la gorge. « ... Je n'ai jamais eu de sœur. J'avais un frère, mais il est mort. Mon père et ma mère aussi, ce qui fait que je n'ai plus beaucoup de famille. Voudrais-tu être ma sœur, Jessica ? »

L'adoration éblouie que je lus dans ses yeux était insoutenable. Je la pris dans mes bras pour ne plus avoir à la voir. Ses cheveux sentaient la camomille. Je la serrai contre moi, et elle se mit à pleurer, comme une adulte plutôt que comme une petite fille. Je nous berçai toutes les deux en silence jusqu'à ce que, dans un dernier hoquet, elle s'arrête.

« Ça va mieux ? »

Elle hocha la tête contre ma poitrine.

« C'est à ça que servent les larmes, tu sais, à emporter la peur et à apaiser la haine. »

Comme je m'en doutais, ce dernier mot provoqua une réaction. Elle s'écarta et me regarda, les yeux flamboyants.

« C'est vrai que je les hais. Maman dit que non, mais je les hais. Si j'avais un fusil, je les tuerais tous.

– Tu crois que tu le ferais vraiment ? »

Elle réfléchit un moment, et ses épaules s'affaissèrent. « Peut-être que non, mais j'en aurais envie.

– Oui, ce sont des hommes odieux, et ils ont fait quelque chose d'horrible. Je suis contente que tu ne veuilles pas vraiment les tuer parce que je n'aimerais pas que tu ailles en prison, mais c'est normal que tu les haïsses. Personne ne devrait jamais faire ce qu'ils ont fait. Ils t'ont enlevée, frappée et attachée comme un chien. Moi aussi, je les hais. »

Elle me regarda bouche bée.

« Oui, et tu sais pourquoi je les déteste surtout ? Parce qu'ils t'ont volé ton bonheur. Tu ne fais plus confiance aux gens maintenant, n'est-ce pas ? Pas comme avant. Une petite fille ne devrait pas avoir peur des gens. » Elle avait besoin d'aide, mais j'étais à peu près certaine que, si je suggérais un traitement psychologique, ses parents réagiraient avec le mélange d'horreur et d'embarras habituel. Pour le moment, il lui faudrait se contenter de moi.

« Mary ?

– Oui, Jessica ?

– Vous m'avez libérée de ces hommes. Vous et M. Holmes.

– Nous avons aidé la police, oui », répondis-je prudemment, en me demandant où elle voulait en venir. Je n'eus pas à attendre longtemps.

« Eh bien, quelquefois, quand je me réveille, j'ai l'impression que je suis encore dans ce lit,... que j'entends le bruit de la chaîne quand je bouge. Et même le jour, des fois, je me dis que je rêve et qu'en me réveillant, je serai dans ce lit et qu'il y aura un de ces hommes assis dans la chambre avec son masque sur le visage. Je sais que je suis de nouveau avec papa et maman, mais en même temps j'ai l'impression que non. Vous comprenez ? » interrogea-t-elle sans grand espoir.

Les effets résiduels d'une expérience traumatisante,

pensai-je, en ayant à l'oreille l'élocution germanique précise du docteur en médecine Leah Ginzberg. Puis, presque machinalement, comme celle-ci l'aurait fait, je tâchai d'en savoir plus.

« Oh oui ! je comprends, Jessica. Je comprends, très, très bien. Et cela se mélange à toutes sortes d'autres sentiments, n'est-ce pas ? Tu te dis peut-être que c'était en partie ta faute, que tu aurais pu t'enfuir si tu avais fait un tout petit peu plus d'efforts. » Elle me regarda comme si je sortais des lapins d'un chapeau. « Peut-être même en veux-tu à tes parents de ne pas t'avoir libérée plus vite. » Ces deux suppositions frappèrent juste, comme des explosifs au pied d'un barrage de retenue, et libérèrent un flot de paroles, débitées d'un ton monocorde.

« J'ai presque réussi à m'enfuir, mais j'ai glissé, et l'homme m'a rattrapée, et après j'ai pensé que peut-être, si je ne mangeais rien, ils seraient forcés de me laisser partir, mais j'avais trop faim, même si ça m'obligeait... si je devais me servir du pot, et puis je ne pouvais pas enlever la chaîne de mon pied, et il y avait toujours quelqu'un dans la chambre, et après, quand tous ces jours sont passés sans que personne vienne, j'ai pensé que peut-être, peut-être... maman était rentrée en Amérique et que papa ne voulait plus de moi, conclut-elle dans un murmure inaudible.

– Tu en parles à ta maman ?

– J'ai essayé hier, mais ça l'a fait pleurer. Je n'aime pas voir maman pleurer.

– Non, approuvai-je, maudissant un instant le manque de sang-froid de Mme Simpson. Elle a eu très peur pour toi, Jessica, mais elle ira beaucoup mieux dans quelques jours. Essaie de nouveau à ce moment-là ou parle à ton père.

– J'essaierai », fit-elle d'un ton hésitant. Je posai les mains sur ses épaules et l'obligeai à me regarder.

« Tu as confiance en moi, Jessica ?

– Oui.

– Vraiment confiance ? Beaucoup d'adultes disent des choses qui ne sont pas tout à fait vraies parce qu'ils pensent que c'est mieux pour toi, mais si je t'assure que je ne le ferai jamais, tu me croiras ?

– Oui.

– Alors, écoute-moi bien, Jessica Simpson. Je sais que d'autres gens te l'ont déjà dit, mais maintenant c'est moi, ta sœur, qui te le dis, et c'est la vérité. Tu as fait tout ce qu'il t'était possible de faire, et très bien. Tu as laissé tomber ton mouchoir et ton ruban pour que nous les trouvions...

– Comme Hans et Gretel, précisa-t-elle.

– Exactement. Tu as essayé de t'enfuir, bien qu'ils t'aient frappée pour cela, et quand ils t'ont enfermée dans un endroit dont tu ne pouvais plus t'échapper, tu as attendu, tu as gardé tes forces et tu n'as rien fait qui puisse les pousser à te faire du mal. Tu nous as attendus. Tu t'ennuyais, tu avais peur et tu étais très, très seule, mais tu as attendu. Et, quand je suis arrivée, tu t'es conduite comme la personne intelligente que tu es. Tu n'as pas crié, même quand je t'ai fait passer sur ces branches minuscules, et même quand je t'ai écrasé le bras en descendant de l'arbre.

– Ça ne m'a pas fait très mal.

– Tu as été courageuse, intelligente et patiente. Et, comme tu le dis, ce n'est pas encore vraiment fini. Il faut que tu sois courageuse et patiente encore un peu, que tu attendes que la peur et la colère s'atténuent. Elles le feront. (Et les cauchemars ? pensai-je.) Pas tout de suite, et elles ne disparaîtront jamais entièrement, mais elles diminueront. Tu me crois ?

– Oui, mais je suis quand même très en colère.

– Eh bien, continue de l'être. C'est normal d'être en

colère quand quelqu'un te fait du mal sans raison. Mais crois-tu pouvoir essayer de ne pas avoir trop peur ?

– Être en colère et... heureuse ? » L'idée la séduisait manifestement. Elle la savoura un instant puis se leva d'un bond. « Je vais être en colère et heureuse. » Elle sortit de la pièce en courant. Je la suivis et entrai dans le salon alors qu'elle informait sa mère ahurie de sa nouvelle philosophie de la vie. Je croisai le regard de Holmes, et il se leva. Mme Simpson voulut nous retenir.

« Restez prendre le thé, je vous en prie !

– Je regrette, madame, mais nous devons encore passer au commissariat, et notre train est à sept heures. Il nous faut prendre congé. »

Jessica me serra très fort dans ses bras.

« Tu sais écrire, Jessica ?

– Un peu.

– Alors peut-être que ta maman pourra t'aider à m'écrire une lettre, un jour. J'aimerais beaucoup avoir de tes nouvelles. Au revoir, petite sœur.

– Au revoir, sœur Mary », dit-elle tout bas, pour que sa mère n'entende pas. Et elle pouffa.

Nous prîmes congé d'un commissaire Connor assez embarrassé, qui nous fit conduire en voiture jusqu'à Bristol pour que nous puissions prendre un train plus commode et quitter son secteur plus rapidement. Nous eûmes de nouveau un compartiment pour nous seuls mais, cette fois, nous avions l'air plus recommandable que nos bagages. Lorsque les champs remplacèrent les rues de la ville de l'autre côté de notre vitre, Holmes sortit sa pipe et sa blague à tabac. Chaque tour de roues nous ramenait vers la normalité, mais il y avait encore un point que je devais régler avec Holmes avant de passer à autre chose.

« Vous ne souhaitiez pas que je vous accompagne dans cette affaire, Holmes », dis-je. Il approuva d'un grognement. « Regrettez-vous que je sois venue ? » Il comprit immédiatement où je voulais en venir et ne feignit pas le contraire. Toutefois, il ôta sa pipe de sa bouche, examina le fourneau avec attention et tripota quelque temps le tabac avec son instrument avant de me répondre.

« Je reconnais que la perspective de vous emmener avec moi ne me remplissait pas d'enthousiasme. Vous comprenez, je l'espère, que ce n'était pas parce que je doutais de vos capacités. Je travaille seul. Je l'ai toujours fait. Même lorsque Watson m'accompagnait, il me servait seulement de seconde paire de mains. En ce qui vous concerne, en revanche... je sais depuis un certain temps que vous n'êtes pas du genre à vous contenter de suivre des instructions. Ma réticence n'était pas due à la peur de vous voir commettre un faux pas désastreux, mais à celle de vous en faire commettre un à cause du peu d'habitude que j'ai de travailler en collaboration avec quelqu'un. En fait, en hésitant même à vous confier la responsabilité d'opérer la diversion nécessaire, je vous ai paradoxalement fourni l'occasion de régler cette affaire toute seule.

– Je suis désolée, Holmes, mais comme j'étais...

– Pour l'amour du ciel, Russell ! coupa-t-il avec impatience. Ne vous excusez pas. Je connais les circonstances ; vous avez pris la bonne décision. Vous auriez même commis une erreur en négligeant cette occasion. Je reconnais avoir été pris très au dépourvu en vous voyant courir sur cette route, l'enfant sur le dos. C'était quelque chose que Watson n'aurait jamais fait, même si sa jambe le lui avait permis. On pouvait compter aveuglément sur lui, cela a toujours été sa grande force, mais ses initiatives avaient tendance à être catastrophiques, et je ne les ai donc jamais encouragées. Je vous ai laissée venir avec moi, parce qu'il fallait bien franchir cette étape et qu'il valait mieux que ce fût dans une affaire où vous m'auriez sous la main à tout moment. J'étais loin d'imaginer que, dès que j'aurais le dos tourné, vous en profiteriez pour accomplir un exploit abominablement dangereux comme... » Il s'interrompit et s'occupa de nouveau de sa pipe, qui sembla lui donner beaucoup de tracas. Lorsqu'il en fut enfin satisfait, il me regarda, avec des yeux à la fois pétillants et mélancoliques. « C'est exactement ce que j'aurais fait dans ces circonstances. »

Aussitôt, j'eus dix kilos de moins sur les épaules et gagnai cinq ans en assurance. Bien que le compliment fût nettement équivoque, j'étais ridiculement flattée et dissimulai mon air fat en regardant par la fenêtre. Après quelques dizaines de poteaux télégraphiques, mes pensées changèrent de cours et me ramenèrent à l'enfant et aux moments difficiles qu'elle traversait. Holmes lut dans mon esprit.

« Qu'avez-vous raconté à cette petite ? Elle semblait transformée quand nous sommes partis.

– Ah oui ? Tant mieux. » Je regardai de nouveau défiler les poteaux, puis parce que c'était Holmes, je finis par lui répondre.

« Je lui ai dit certaines choses que quelqu'un m'a dites quand mes parents sont morts. J'espère que cela lui fera un peu de bien. »

Je contemplai nos reflets dans la vitre qui s'assombrissait, Holmes fuma sa pipe, et nous gardâmes le silence jusqu'à notre arrivée à Seaford.

Holmes avait naturellement vu juste en ce qui concernait l'affaire. Les ravisseurs avaient été payés – grassement – pour leur travail ; ils avaient reçu leurs ordres par téléphone et par la poste, toujours de façon anonyme. Des ordres précis et réglant les moindres détails : la location de la maison et l'achat de vêtements à Cardiff, l'emploi du gaz soporifique, le chemin à suivre depuis la tente, le vocabulaire à employer dans les messages des petites annonces et le port de masques en présence de l'enfant. Rien ne permettait de remonter la piste jusqu'à Londres. Avec l'arrestation des ravisseurs, tous les fils s'étaient rompus, ne nous laissant que cinq hommes bavards, de l'argent dont on ne pouvait découvrir la provenance et l'amertume de savoir le marionnettiste impuni et en liberté.

LIVRE TROIS

Association

Le gibier est levé

Nous avons une affaire

...les embûches de l'ombre trop prompte...
la menace froide de l'hiver.

Trois trimestres composent le calendrier d'Oxford, et a chacun son atmosphère particulière. L'année commence à l'automne avec le trimestre de la Saint-Michel, quand les esprits et les corps qui ont vagabondé librement durant l'été se plient de nouveau à la vie universitaire. Les jours raccourcissent, le ciel disparaît, la pluie noircit les pierres et les briques de la ville, et l'esprit se concentre et se discipline.

Pendant le trimestre de Hilary, l'hiver semble éternel ; c'est à peine si l'on perçoit l'augmentation des jours et les premiers indices du renouveau, mais en mai, quand arrive le trimestre de la Trinité, la sève monte vigoureusement avec le soleil et toutes les énergies fleurissent dans les examens de fin d'année.

Des trois, c'est le trimestre de la Saint-Michel que je préfère, lorsque l'esprit reprend le harnais et que les feuilles d'automne tapissent les rues.

Je ne peux me rappeler celui de 1918 sans penser aux tempêtes qui suivirent. J'attaquai avec un immense bonheur cette deuxième année universitaire, où je commençai à travailler sérieusement avec mes directeurs d'études, et je me souviens de deux ou trois occasions où leurs regards pleins de respect et d'intérêt me firent autant plaisir qu'un

« bien joué, Russell » de Holmes. Nous vivions plutôt coupés du monde extérieur, mais je garderai à jamais gravés dans ma mémoire le jour où les canons d'Europe se turent, le spectacle des robes noires envahissant les rues, les mortiers qui volaient dans les airs au milieu des cris, des embrassades et du vacarme des cloches enfin libérées de leur silence, et la ferveur impressionnante de la minute de silence.

Je peux difficilement qualifier d'« affaire » l'aventure qui débuta à la fin de ce trimestre, car nous en fûmes les seuls clients et n'avions à y gagner que nos vies. Elle fondit sur nous comme une tempête, nous malmena et nous ballotta, menaça nos vies, notre santé mentale et le lien étonnamment fragile qui existait entre Holmes et moi.

Pour moi, tout commença, assez opportunément, par une abominable soirée de décembre. J'en avais plus qu'assez d'Oxford et de ses tours, et en premier lieu de son climat épouvantable, en l'occurrence des chutes de neige, suivies de grosses averses d'une pluie glaciale qui transperçaient les manteaux de laine les plus épais et transformaient les chaussures en sacs de cuir trempés. J'avais beau porter des vêtements de saison, mes hauts brodequins et mon prétendu imperméable n'avaient pas entièrement résisté aux intempéries entre la Bodléienne et ma pension. J'étais lasse du temps, fatiguée d'Oxford, irritée par les exigences de mes professeurs, affamée, épuisée et d'assez mauvaise humeur dans l'ensemble.

Une seule chose me sauvait du plus morne désespoir, c'était de savoir que tout cela était temporaire, que, dès le lendemain soir, je serais assise devant une immense cheminée de pierre, un verre à la main, me réjouissant à l'avance du repas savamment préparé que je ferais sous peu en joyeuse compagnie et en écoutant de la bonne musique. Sans parler de la présence du séduisant frère aîné de Veronica Beaconsfield.

Ronnie m'avait en effet invitée à passer deux semaines dans son manoir du Berkshire. J'aurais déjà pu y être d'ailleurs, car j'avais eu l'intention de partir avec elle, trois jours plus tôt, mais, à la dernière minute et de manière parfaitement déraisonnable, un de mes professeurs les plus capricieux et les plus exigeants m'avait demandé un ultime essai.

Mais à présent, j'étais libre : j'avais présenté mon essai, passé six heures à la Bodléienne pour apporter une solution aux trois problèmes soulevés lors de cette présentation et déposé essai et annotations (humides mais lisibles) au collège dudit professeur.

J'étais d'une humeur de chien mouillé lorsque j'arrivai enfin à la pension. M'arrêtant sous le portique, j'enlevai plusieurs couches de vêtements et les accrochai à un clou, où ils gouttèrent tristement sur les pierres. Je pus alors tirer un mouchoir presque sec d'une de mes poches et essuyer mes lunettes avant d'entrer dans la loge du concierge.

« Bonjour, monsieur Thomas.

– Ce serait plutôt bonsoir, mademoiselle. Il fait un temps magnifique, je vois.

– La soirée idéale pour une promenade. Vous devriez emmener votre dame pique-niquer sur la rivière. Oh ! que c'est mignon ! C'est Mme Thomas qui l'a décoré ? » Je mis mes lunettes, qui s'embuèrent aussitôt, et admirai le minuscule arbre de Noël qui se dressait bravement sur la longue table.

« Oui, c'est bien elle. Il est joli, n'est-ce pas ? Ah oui ! vous avez du courrier. Je vais vous le donner. » Il se tourna vers la série de casiers, attribués à chaque locataire en fonction de l'emplacement de son appartement. Le mien était à l'extrême gauche de la troisième rangée du haut. « Voilà. Une lettre apportée par le facteur, et une autre laissée par une vieille... euh... une femme d'un certain âge, qui est passée vous voir. »

La première était la lettre hebdomadaire de Mme Hudson, qui arrivait invariablement le mardi. Holmes m'écrivait rarement, bien que je reçusse parfois une avalanche de télégrammes énigmatiques ; le Dr Watson (oncle John) m'écrivait lui aussi de temps à autre. Je regardai la seconde missive.

« Une femme ? Que voulait-elle ?

– Je ne sais pas vraiment. Elle souhaitait vous parler et quand je lui ai dit que vous ne rentreriez que plus tard, elle a laissé ce message. »

J'examinai l'enveloppe avec curiosité. Elle était de mauvaise qualité, le genre que l'on trouve chez n'importe quel marchand de journaux ou à la gare, épaisse et sale. Mon nom y figurait en lettres moulées et nettes.

« C'est votre écriture, n'est-ce pas, monsieur Thomas ?

– Oui, mademoiselle. Elle était vierge lorsqu'elle me l'a donnée. »

Évitant de toucher à l'empreinte de pouce qui décorait un coin de l'enveloppe, je l'ouvris avec le coupe-papier de M. Thomas et en sortis une feuille pliée plusieurs fois. Avec difficulté, car elle semblait collée par l'humidité, je la dépliai. À ma stupéfaction, ce n'était qu'une publicité pour un fabricant de fenêtres de Banbury Road, dont j'avais vu d'autres exemplaires affichés dans divers endroits de la ville. Elle portait encore des traces de colle au verso ; la moitié d'une empreinte de botte dans un coin et celle d'une grosse patte de chien au centre indiquaient qu'elle avait séjourné sur un trottoir avant d'être glissée dans l'enveloppe. Je la retournai, en me demandant ce que cela signifiait. M. Thomas m'observait, brûlant manifestement de m'interroger mais trop poli pour le faire. Je l'élevai à la lumière. Il n'y avait ni piqûres d'épingle, ni dessin.

« Un message très étrange, mademoiselle.

– N'est-ce pas. J'ai une tante assez excentrique, qui me

joue parfois des tours. C'était sans doute elle. Je suis navrée qu'elle vous ait importuné. À quoi ressemblait-elle ?

– Ma foi, je ne l'aurais jamais prise pour une de vos parentes, mademoiselle. Des cheveux tout ce qu'il y a de noirs et... sauf votre respect, mademoiselle, elle devrait vraiment aller voir un médecin pour cette grosse verrue hideuse qu'elle a sur le menton.

– Quand est-elle passée ?

– Il y a trois heures environ. Je lui ai proposé de vous attendre ici et lui ai servi une tasse de thé, mais quand je suis allé fermer la porte de derrière, elle a dit qu'elle préférait partir. Si elle revient, je la fais monter ?

– Non, envoyez plutôt quelqu'un me prévenir. Je descendrai. » Mes yeux se posèrent sur le casier où M. Thomas avait pris mes lettres. Très étrange. Qui avait voulu savoir où se trouvait ma chambre et, plus important, pourquoi ?

Je remerciai le concierge et m'engageai dans le couloir menant à l'aile du bâtiment où je logeais. Au pied de l'escalier, je m'assis pour retirer mes brodequins – je pense, sans pouvoir en avoir la certitude, que je le fis uniquement parce qu'ils étaient trempés et que je ne souhaitais pas donner plus de travail que nécessaire à Mme Thomas. Quoi qu'il en soit, je montai les marches, mes chaussures à la main, sans faire le moindre bruit.

Le bâtiment était silencieux, un silence presque oppressant. On n'entendait que la pluie sur les fenêtres des paliers. Et dire qu'en montant ces marches j'avais souvent été effarée par le vacarme qu'étaient capables de faire des femmes vivant ensemble. Je dépassai l'appartement de Veronica, dont la porte était fermée – ce qui était rarement le cas – et j'entendais presque le chahut de la folle soirée qu'elle y avait donnée une semaine plus tôt. Celui de la pieuse et silencieuse Jane DelaField, Jane, la buveuse de cacao, avec son don inattendu pour les limericks, qu'elle ne récitait jamais sans rougir. Et celui de Catherine, dont le frère séduisant avait une étrange passion pour... était-ce les roses ? Non, les iris. Elles étaient toutes parties à présent, bien au chaud au sein de leur famille, alors que Mary Russell, grelottante et solitaire, montait l'escalier plein de courants d'air qui menait à sa chambre.

Au dernier étage, je me dirigeai vers le fond du couloir et sortis ma clé. Au moment où je tendais la main vers la serrure, j'en étais arrivée à m'apitoyer sur mon sort au point d'avoir oublié l'étrange visiteuse et sa lettre, et je faillis bien ne pas remarquer les marques sur ma porte. La clé était à quelques centimètres de la serrure quand je me figeai, en éprouvant à peu près ce que doit ressentir un moteur lancé à plein régime lorsque le conducteur passe brutalement la marche arrière. Il y avait une tache noire et graisseuse sur mon beau bouton de porte en cuivre. Il y avait de minuscules égratignures, toutes fraîches, à l'intérieur du trou de serrure. Il y avait un filet de lumière sous la porte...

Allons, Russell, ne sois pas ridicule, me dis-je. Le soir, Mme Thomas venait souvent allumer le feu dans la cheminée et laissait brûler une lampe dans ma chambre. Il n'y avait pas de quoi s'inquiéter. J'étais sur les nerfs, à cause du temps abominable, de mon départ retardé et de mon dernier entretien avec mon professeur, rien de plus. Rien d'autre qu'une pièce ordinaire ne m'attendait de l'autre côté de la porte, comme je m'en assurai d'ailleurs en regardant par le trou de la serrure et, en me sentant plus ridicule encore, sous la porte.

J'avançai de nouveau la clé, mais mes antennes frémissaient pour de bon, à présent ; je reculai et regardai autour de moi, cherchant la confirmation ou l'infirmation de mon malaise. Je ne vis rien de particulier. J'avais toutefois la vague impression d'avoir remarqué quelque chose d'infime dans le couloir. Je me dirigeai lentement vers l'escalier et aperçus, sur l'appui de la fenêtre qui éclairait le palier, une tache de boue, deux feuilles de lierre et quelques gouttes d'eau.

Comment étaient-elles arrivées là ? Comment la tache de boue avait-elle pu échapper au chiffon vigilant de Mme Thomas ?

Ton imagination s'emballe, Russell ! C'est sans doute Mme Thomas elle-même qui, en ouvrant la fenêtre pour chasser un papillon de nuit, a laissé entrer... Non ? Peut-être l'équipe qui avait si mal taillé le lierre, le printemps précédent, était-elle revenue finir son travail ? Mais pourquoi aurait-elle ouvert la fenêtre...

Je retournai d'un pas résolu jusqu'à ma porte... et restai là quelques minutes, la clé à la main, incapable de m'en servir. Je regrettais amèrement de ne pas avoir le revolver que Holmes avait tenu à me donner et qui se trouvait dans ma commode, aussi inutile que s'il avait été en Chine.

La vérité, c'était que Holmes avait des ennemis, beaucoup d'ennemis. Il me l'avait souvent expliqué, en insistant sur les précautions que je devais prendre et en m'obligeant à reconnaître que je pouvais devenir la cible d'adversaires en quête de vengeance. Bien qu'estimant la chose très improbable, je devais admettre qu'elle n'était pas impossible. Et, en cet instant, toute la méfiance qu'il s'était attaché à éveiller en moi me poussait à me demander si quelqu'un n'attendait pas de déverser sur moi le trop-plein de son animosité envers Holmes.

Bien que fortement tentée de descendre prier M. Thomas d'appeler la police, je trouvais fort peu de réconfort à l'idée de voir les agents d'Oxford débarquer chez moi avec leurs godillots et leurs gros sabots. Ils feraient sans doute fuir temporairement un éventuel agresseur, mais je ne dormirais certainement pas mieux après leur départ.

Il me restait donc deux solutions. La première était de me servir de ma clé et d'affronter celui qui se cachait à l'intérieur, mais mon association avec Holmes me portait à la rejeter. La seconde consistait à entrer chez moi autrement que par la porte. Malheureusement, cela signifiait passer par les fenêtres, et elles étaient à sept mètres de hauteur. J'avais bien escaladé le lierre un jour dans l'euphorie – non alcoolisée – d'une longue soirée d'été, mais il faisait chaud et clair, et je ne risquais rien de plus au bout de mon ascension que de tomber la tête la première par une fenêtre ouverte. Je savais certes que le lierre supporterait mon poids, mais en irait-il de même de mes doigts ?

« Oh ! pour l'amour du ciel, Russell, il n'y a que sept mètres. À force de rester assise sur ton derrière toute la journée, tu deviens paresseuse. Tu as peur du froid ? Tu te réchaufferas vite. C'est la seule solution, non ? Alors, vas-y. » L'accent américain de mon père revenait souvent à la surface lorsque je me parlais à moi-même, de même que son agaçante tendance à avoir raison.

Je descendis un étage, puis, au bout du couloir, l'escalier menant dans la cour intérieure du bâtiment, sur laquelle donnaient mes fenêtres. J'ôtai mes bas de laine et ma veste, que je laissai dans un coin sombre avec mes chaussures et mon sac. Puis, après avoir mis mes lunettes dans une poche de chemise que je boutonnai soigneusement, je pris une profonde inspiration et me livrai aux mains mauvaises de la tempête.

La température était encore tombée depuis mon retour, et mes vêtements de laine ne me protégèrent pas plus que de la gaze de l'averse glaciale qui me coupa le souffle, plaqua ma chemise sur mes seins ratatinés et entoura mes jambes d'une couche épaisse de laine gelée. Je me hissai dans le lierre graisseux avec des doigts déjà gourds et des pieds insensibles.

En atteignant les fenêtres du premier étage, je vis les

carreaux éclairés de mon appartement juste au-dessus de ma tête. Redoublant de prudence, je cherchai une nouvelle prise... et m'aperçus que ma main n'avait pas encore lâché la précédente. À partir de ce moment-là, il me fallut commander aux muscles de mes mains de s'ouvrir et, plus important encore, de se refermer sur le lierre. Lentement, très lentement, je me hissai à la hauteur de ma première fenêtre et jetai un œil par l'inévitable fente entre les rideaux. Rien, sinon le feu qui flambait gaiement. Étouffant un juron, je forçai mes doigts à me porter jusqu'à l'autre fenêtre. Le lierre était moins épais à cet endroit et, lorsque l'une de mes mains ne se referma pas assez étroitement, je faillis aller m'écraser dans la cour, mais l'autre tint bon, et le vent couvrit le raffut. Je parvins au second rectangle illuminé et me balançai comme un singe trempé pour regarder par la fente entre les rideaux.

Cette fois, je fus payée de mes peines. Même sans lunettes, je pouvais voir la vieille femme décrite par M. Thomas ; elle lisait, assise devant le feu, les pieds appuyés sur le pare-étincelles. Actionnant tant bien que mal les protubérances insensibles que j'avais au bout de la main, je réussis à défaire le bouton de ma poche de chemise, à sortir mes lunettes et, manquant les laisser échapper à deux reprises, à les poser de travers sur mon nez. Même de profil, elle était extraordinairement laide, et la verrue ressemblait à un gros insecte noir lui rampant sur le menton. J'essayai de réfléchir. Il me fallait agir rapidement, car mes mains me refuseraient bientôt tout service.

Un ruisseau de glace liquide me coulait le long du dos et dégoulinait de mon pied nu. J'avais l'esprit engourdi par le froid, mais quelque chose m'avait frappée chez cette femme. Quoi ? Je posai un pied sur le rebord de pierre moussu, me penchai dangereusement en avant et étudiai l'inconnue. L'oreille ? Puis, brusquement, tout s'éclaira. Je glissai mes pauvres doigts gelés sous la fenêtre et tirai.

La vieille femme leva les yeux, puis vint m'aider à soulever la fenêtre. Je « la » regardai avec amertume.

« Bon sang, Holmes, à quoi jouez-vous ? Et donnez-moi un coup de main, pour l'amour du ciel, si vous ne voulez pas avoir à ramasser mes morceaux dans la cour. »

Bientôt, je gouttai sur mon propre tapis, grelottante, et essuyai mes lunettes au rideau pour pouvoir le regarder sans loucher. Il n'avait absolument pas l'air confus de l'exercice périlleux auquel il m'avait contrainte.

« Votre goût du théâtre aurait pu me valoir de me rompre le cou et, si j'échappe à la pneumonie, ce ne sera pas votre faute. Tournez-vous, il faut que j'enlève tout ça. » Il tourna docilement sa chaise vers un mur et, après m'être déshabillée maladroitement devant le feu, j'enfilai la longue robe de chambre grise que j'avais laissée pliée sur un tabouret et allai chercher une serviette.

« Ça va, vous pouvez vous retourner. » Je poussai mes habits trempés dans un coin, en attendant de pouvoir m'en occuper. Holmes et moi étions intimes, mais je n'avais pas envie de lui agiter mes sous-vêtements sous le nez. Il y a des limites à l'amitié.

Je pris un peigne sur la table de nuit et défis mes tresses pour les faire sécher devant le feu. J'avais les doigts, les orteils et le nez cuisants. Mes tremblements s'étaient un peu calmés, mais de grands frissons me secouaient de temps à autre. Holmes fronça le sourcil.

« Avez-vous du cognac ? s'enquit-il à voix basse.

– Vous savez bien que je n'en bois pas.

– Ce n'est pas la question que je vous ai posée, fit-il, plein de patience et de condescendance. Je vous ai demandé si vous en aviez. J'ai envie d'un cognac.

– Dans ce cas, il faudra que vous alliez en chercher chez ma voisine.

– Je doute que cette jeune personne soit entièrement conquise par mon apparence.

– Aucune importance, elle est en vacances chez elle, dans le Kent.

– Nous allons donc devoir supposer qu'elle est d'accord. » Il sortit dans le couloir, puis repassa la tête par la porte. « Au fait, ne touchez pas à cet engin sur le bureau. C'est une bombe. »

Je regardai fixement la boîte noire entourée de fils enchevêtrés jusqu'à ce qu'il revienne avec la bouteille de ma voisine et deux de ses superbes verres. Il me tendit l'un d'eux, généreusement rempli, et se servit plus modestement.

« Un assez mauvais cognac, mais il aura meilleur goût dans ces verres. Buvez », ordonna-t-il.

J'en avalai docilement une grande gorgée. Cela me fit tousser mais vint à bout de mes frissons, et le temps que je finisse mon verre, une douce chaleur s'était répandue jusqu'au bout de mes doigts.

« Vous savez sans doute que l'alcool n'est pas le meilleur des remèdes contre l'hypothermie », dis-je d'un ton accusateur et quelque peu agressif. Toute cette mascarade m'avait véritablement contrariée, et la bombe y ajoutait une note mélodramatique que je trouvais assommante.

« Si vous en aviez été menacée, je ne vous aurais pas donné de cognac. Je vois néanmoins que cela vous a fait du bien. Finissez donc de vous coiffer et asseyez-vous dans un fauteuil confortable. Nous avons une longue conversation devant nous. Ah ! que je deviens donc distrait avec l'âge. » Ouvrant le panier à provisions de la vieille dame, il en sortit un paquet dont je reconnus aussitôt la provenance. Mon humeur s'améliora instantanément.

« Quelle surprise ravigotante ! Bénie soit Mme Hudson ! Mais je ne peux pas manger en face d'une vieille femme sale qui a un insecte sur le menton. Et si vous me laissez des puces, je vous le pardonnerai difficilement.

– C'est de la saleté propre », m'assura-t-il en arrachant l'horrible verrue. Puis, avec des mouvements raides, il ôta sa jupe et son ample chemisier, et redevint Sherlock Holmes, ou à peu près.

« Mon appétit vous remercie. »

Je finis de sécher mes cheveux humides et m'attaquai avec avidité à l'un des inimitables pâtés en croûte de Mme Hudson. J'avais bien du pain et du fromage en réserve mais, même vieux de deux jours, comme il semblait l'être, le pâté était infiniment supérieur au Stilton qui fermentait dans mon tiroir à bas.

Lorsque j'achevai mon festin, quelque temps plus tard, je m'aperçus que Holmes me regardait avec une expression étrange, qui disparut instantanément, remplacée par son air légèrement supérieur habituel.

« J'avais faim, déclarai-je très inutilement. J'ai eu un cours tuant, qui m'a obligée à sauter le déjeuner, puis j'ai travaillé tout l'après-midi à la Bodléienne. Je ne me rappelle pas si j'ai pris un petit déjeuner. Il est bien possible que non.

– Dans quoi étiez-vous plongée, cette fois ?

– Quelque chose qui vous intéressera peut-être, en fait. Mon professeur de mathématiques et moi travaillions sur des problèmes théoriques concernant la base huit, lorsque nous sommes tombés sur des exercices mathématiques conçus par une de vos anciennes connaissances.

– Vous voulez parler du professeur Moriarty, je suppose ? » Sa voix était aussi froide que le lierre, au-dehors, mais je poursuivis tout de même.

« Précisément. J'ai passé la journée à chercher des articles qu'il avait publiés. Je m'intéressais autant à son esprit et à sa personnalité qu'aux mathématiques.

– Quelle impression vous a-t-il faite ?

– Il utilise la logique et le langage avec une froideur et une dureté qui m'ont paru reptiliennes, encore que ce ne soit pas très gentil pour les serpents. Je crois que, même si j'avais ignoré l'identité de l'auteur, son vocabulaire seul aurait suffi à me hérisser.

– Car vous êtes vous-même un bon mammifère, apparemment, et non la froide machine à raisonner à laquelle on a souvent comparé votre professeur, dit-il sèchement.

– Ah ! fis-je d'un ton léger, la langue déliée par le cognac. Mais moi, je ne vous ai jamais accusé de froideur, n'est-ce pas, mon cher Holmes ? »

Il garda un instant le silence, puis s'éclaircit la voix. « Non, en effet. En avez-vous terminé avec le pique-nique de Mme Hudson ?

– Oui, merci. » Je le laissai ranger les restes. Ses mouvements paraissaient terriblement raides, mais comme il détestait que l'on parlât de ses maux, je ne fis aucun commentaire. Il avait probablement pris froid dans ses vêtements de vieille femme, et ses rhumatismes s'étaient réveillés. « Posez-les dans ce coin là-bas, ce sera parfait pour mon déjeuner.

– Non, je suis désolé, je les remets dans mon panier. Nous en aurons peut-être besoin demain.

– Vous m'inquiétez, Holmes. Je ne suis pas libre, demain. Je pars dans le Berkshire. J'ai déjà retardé mon départ de trois jours, et je n'ai aucune intention de le repousser encore pour satisfaire une de vos exigences.

– Vous n'avez pas le choix, Russell. Nous devons partir d'ici avant qu'ils ne nous trouvent.

– Qui ? Que se passe-t-il, Holmes ? Ne me dites pas que nous allons devoir affronter ça. » Je désignai de la main les flocons de neige fondue qui s'écrasaient contre la fenêtre. « Je ne suis même pas encore entièrement sèche. Et cet engin sur mon bureau... c'est vraiment une bombe ? Pourquoi l'avez-vous apportée ici ? Parlez, Holmes !

– Très bien, pour être bref : nous allons partir, mais pas tout de suite ; la bombe était ici, fixée à votre porte, lorsque je suis arrivé et ce qui “se passe” n’est rien de moins qu’une tentative d’assassinat. »

Je le regardai avec effarement et sentis des doigts froids remonter le long de mon épine dorsale. Lorsque je pus de nouveau respirer, je parlai et constatai avec plaisir que ma voix était presque ferme.

« Qui veut me tuer ? Et comment le saviez-vous ? » Je ne jugeai pas nécessaire de demander pourquoi.

« Bravo, Russell. Un esprit vif ne sert à rien si l’on ne sait pas aussi contrôler ses émotions. Dites-moi d’abord pourquoi vous avez escaladé le lierre au lieu d’ouvrir la porte ? Vous n’aviez pas votre revolver et ne pouviez guère espérer maîtriser l’intrus éventuel en entrant par la fenêtre. » Son ton était légèrement trop désinvolte, mais je ne comprenais pas pourquoi la question avait autant d’importance à ses yeux.

« Il fallait que je sache ce qui m’attendait avant de prendre une décision. Si j’avais aperçu un individu armé, je serais redescendue demander à M. Thomas d’appeler la police. Me trompé-je en supposant que c’est vous qui avez laissé cette traînée noire sur le bouton de porte ?

– Non.

– La boue et les feuilles sur le rebord de la fenêtre du couloir ?

– La boue était déjà là. J’ai ajouté une feuille, pour plus de sûreté.

– Pourquoi cette mise en scène, Holmes ? Pourquoi courir le risque que je me brise les os en escaladant le mur ? »

Il me regarda dans les yeux et déclara avec gravité :

« Parce qu’il me fallait être certain que, même fatiguée, transie et affamée, vous remarqueriez ces petits indices et agiriez correctement.

– Le message dans mon casier n’était pas vraiment un “petit indice”. Vous m’avez habituée à plus de finesse.

Pourquoi ne pas avoir demandé à Mme Hudson où se trouvait mon appartement ? Elle m'a déjà rendu visite. » Quelque chose m'échappait.

« Je n'ai pas vu Mme Hudson depuis un certain temps.

– Mais... le paquet ?

– C'est ce vieux Will qui me l'a apporté. Vous vous êtes peut-être rendu compte qu'il était plus qu'un simple jardinier.

– Je m'en doutais, en effet. Mais pourquoi avez-vous quitté... ? » Je m'interrompis, car je venais de relier entre eux divers détails, dont la raideur de ses mouvements. « Mon Dieu ! Vous êtes blessé. Ils ont essayé de vous tuer en premier, n'est-ce pas ? Où êtes-vous blessé ? C'est grave ?

– Quelques écorchures assez gênantes dans le dos, rien de plus. Je crains d'avoir à vous demander de changer les pansements, mais pas tout de suite. Par bonheur, celui qui a posé la bombe pense que je suis mourant. Un pauvre vagabond s'est fait écraser juste après que l'on m'eut emmené à l'hôpital, et il y est encore, la tête enveloppée de bandages, une feuille de température à mon nom au pied de son lit... et un agent de police à son chevet.

– Quelqu'un d'autre a-t-il été blessé ? Mme Hudson ?

– Elle va très bien, quoique la moitié des fenêtres du côté sud aient volé en éclats. La maison n'est guère habitable par ce temps, et elle est allée s'installer chez son amie de Lewes en attendant que les réparations soient effcctuées. Non, la bombe n'était pas dans la maison ; le ou les criminels l'ont installée dans une des ruches, sans doute pendant la nuit, en sachant que j'en fais le tour chaque matin. L'explosion a été déclenchée par un émetteur radio, ou simplement par les vibrations du sol à proximité. Quoi qu'il en soit, je peux m'estimer heureux qu'elle ne m'ait pas sauté au visage.

– Qui, Holmes ? Qui ?

– Trois noms me viennent à l'esprit, bien que le choix de la ruche indique une sorte d'humour dont je ne les aurais pas crus dotés. J'ai fait incarcérer quatre poseurs de bombes autrefois. L'un d'eux est mort. Un autre est sorti de prison depuis cinq ans, mais j'ai entendu dire qu'il menait une vie de famille rangée. Le troisième a été libéré il y a dix-huit mois et se trouve apparemment toujours dans la région londonienne. Le dernier s'est échappé de Princetown en juillet dernier. N'importe lequel de ces trois hommes a pu confectionner ma bombe : c'était un travail de professionnel, et il n'en reste quasiment aucune trace. En ce qui concerne la vôtre, toutefois, c'est différent. Ces choses-là sont aussi individuelles que des empreintes digitales, et n'étant pas vraiment au fait du dernier cri en matière de bombes, il me faut un expert pour lire ces empreintes-là. Nous l'emporterons avec nous.

– Où allons-nous ? demandai-je avec un flegme que je jugeais méritoire, vu que la réponse allait manifestement ruiner mes beaux projets de vacances.

– Le grand cloaque, bien sûr.

– Pourquoi Londres ?

– Mycroft, ma chère enfant, mon frère Mycroft. Il a les connaissances de Scotland Yard sans la méfiance obsessionnelle de cette vénérable institution, qui a tendance à garder ses informations comme un dragon son or. En passant un seul coup de téléphone, Mycroft pourra m'indiquer où se trouvent nos trois hommes et lequel d'entre eux est le plus susceptible d'avoir fabriqué cet engin. Si mon assassin me croit toujours à l'hôpital, il ne pensera pas à vous chercher chez Mycroft, étant donné que vous ne vous êtes encore jamais rencontrés. Nous serons donc en sécurité chez lui un ou deux jours, et nous verrons si nous trouvons une piste. Je suis venu ici dès que j'ai pu, mais pas assez vite pour prendre notre homme sur le fait.

Je le regrette. Vous avez devant vous un Sherlock Holmes fort diminué, vieux, rouillé et facilement mis hors de combat.

– Par une bombe qui a manqué vous tuer. » Ses longs doigts expressifs écartèrent cette excuse. « Partons-nous tout de suite ?

– Non. Il sait déjà que la bombe n'a pas explosé. Il suppose certainement que vous êtes sur vos gardes, ce soir : le fait que vous n'ayez pas appelé la police suffit à le lui indiquer. Il attendra demain, soit pour poser une autre bombe, soit, si, comme je le soupçonne, il est intelligent et souple, pour faire preuve d'inventivité et utiliser un fusil ou une voiture. Mais nous ne lui donnerons pas l'occasion de vous prendre pour cible. Nous partirons juste avant l'aube. Vous pouvez vous reposer jusque-là.

– Merci. » Je détachai mes yeux de la bombe. « Mais d'abord, votre dos. Combien de gaze me faut-il ?

– Une quantité considérable, je pense. Vous en avez ?

– Une des étudiantes de l'étage est hypocondriaque, et sa mère est infirmière. Si vous pouvez crocheter sa serrure aussi bien que celle de mon autre voisine, je crois que nous aurons tout ce qu'il nous faut.

– Ah ! j'y pense, Russell. Un cadeau d'anniversaire anticipé. »

Il me tendit un petit paquet emballé dans un papier brillant. « Ouvrez-le tout de suite. »

J'obéis avec curiosité et découvris, à l'intérieur d'un écrin de velours noir, un jeu de rossignols étincelants, identique au sien mais plus jeune.

« Toujours romantique, Holmes. Mme Hudson serait ravie. » Il gloussa et se leva avec précaution. « Si nous allions les essayer ? »

Un peu plus tard, nous revenions, munis de plusieurs mètres carrés de gaze, d'un énorme rouleau de sparadrap et d'un litre d'antiseptique. Je lui versai un grand cognac et, lorsqu'il retira sa chemise, je vis que toute la gaze ne serait pas de trop. Je le resservis, et mesurai l'étendue de la tâche.

« C'est Watson qui devrait faire ça.

– S'il était ici, sûrement. Allez, commencez. » Comme il avait vidé son second verre, je lui en servis un troisième et pris les ciseaux.

« Personnellement, j'ai constaté que l'esprit supporte mieux la douleur s'il en est distrait par quelque chose d'également désagréable. Ah ! ah ! j'ai ce qu'il vous faut, Holmes. Racontez-moi donc l'affaire du roi de Bohême et d'Irène Adler. » Bien que Holmes eût rarement été battu, il l'avait été par cette femme, et avec une facilité et un brio qui lui étaient restés sur l'estomac. Il avait encore sa photographie sur une étagère, en souvenir de son échec, et évoquer cette histoire avait de bonnes chances de le distraire de sa douleur.

Il commença par refuser, mais quand j'eus coupé et retiré quelques bouts de sparadrap, de pansement et de peau, il se mit à parler, les dents serrées. « Un soir de printemps, en mars 1888, je crois, le roi de Bohême est venu me demander... pour l'amour du ciel, Russell, laissez-moi un peu de peau, voulez-vous ?... de l'aider. Il avait apparemment eu une liaison avec une femme, une cantatrice, que son rang lui interdisait d'épouser. Malheureusement pour lui, elle l'aimait et refusait de lui rendre une photographie compromettante. Il souhaitait la récupérer et m'a engagé à cette fin. »

Il poursuivit son récit pendant que je tamponnais, coupais et pelais, en m'arrêtant lorsque ses mâchoires se crispaient et que la sueur perlait à son front. Je finis avant lui, mais il continua tout de même, racontant comment elle l'avait reconnu en dépit de son déguisement et comment, avec son nouveau mari, elle avait échappé aussi bien au monarque qu'au détective. Puis il se tut, vida son verre de cognac et regarda fixement le feu, la respiration difficile.

Je rinçai sa chemise tachée de sang dans le lavabo et la mis à sécher devant le feu, puis je me tournai vers lui.

« Vous avez besoin de repos. Prenez mon lit... non, inutile de protester. Il faut que vous dormiez sur le ventre pendant quelque temps, et c'est difficilement faisable dans un fauteuil. Non, c'est logique et nécessaire, et il n'est pas question que vous soyez stupidement galant. Allez.

– Battu de nouveau. Je m'incline. »

Avec une pâle imitation de son sourire sardonique, il se leva et me suivit. Je rabattis les couvertures, et il s'étendit lentement à plat ventre. Je le couvris avec précaution.

« Dormez bien.

– Il vous faudra des vêtements d'homme demain. Je suppose que vous en avez, dit-il dans l'oreiller.

– Naturellement.

– N'emportez qu'un petit sac. Nous achèterons des vêtements si notre séjour se prolonge.

– Je m'en occupe.

– Et écrivez un mot à M. Thomas pour lui dire que vous devez vous absenter quelques jours, que M. Holmes a apparemment eu un accident. Il est à mon service, il comprendra.

– À votre... Vous êtes un homme sournois, Holmes. Dormez. »

J'écrivis à M. Thomas, en le priant en outre de téléphoner à Veronica Beaconsfield afin qu'elle ne m'attende pas à la gare, le lendemain. Puis, assise devant le feu, je tressai lentement mes cheveux bouffants en une longue natte, qui me tombait plus bas que la taille. J'avais commencé la seconde quand Holmes parla de nouveau, d'une voix empâtée par la boisson et le sommeil.

« J'ai demandé un jour à Mme Hudson pourquoi, à son avis, vous portiez vos cheveux aussi longs. Elle a répliqué que c'était un reste de féminité. »

Mes mains s'immobilisèrent. C'était la première fois qu'il faisait un commentaire sur mon apparence qui ne fût pas désobligeant. Watson n'en aurait pas cru ses oreilles. Je souris et retournai à ma natte.

« Oui, c'est normal qu'elle le pense, je suppose.

– C'est vrai ?

– Je ne crois pas. Je trouve les cheveux courts trop embêtants. Il faut toujours les peigner ou les couper. Les cheveux longs sont plus pratiques, paradoxalement. »

Il n'y eut pas de réponse, mais un léger ronflement me parvint bientôt aux oreilles. J'allai prendre une couverture et m'en enveloppai.

Je me réveillai, quelques heures plus tard, engourdie et ne sachant pas très bien où j'étais. Le feu avait baissé, mais j'aperçus une silhouette qui regardait par la fenêtre, une couverture jetée sur les épaules. Je me redressai et cherchai mes lunettes.

« Holmes ? C'est l'heure ?

– Non, chut. Rendormez-vous, mon petit. Je suis seulement en train de réfléchir, du mieux que je le peux sans fumer de pipe. Je vous réveillerai le moment venu. »

Je reposai mes lunettes sur la table, jetai un peu de charbon dans le feu et me réinstallai dans mon fauteuil. Alors que je glissais de nouveau dans le sommeil, je fis un de ces rêves bizarres et mémorables qui s'impriment dans l'esprit et qui, rétrospectivement, semblent prémonitoires. Une phrase s'imposa à moi avec une telle clarté que j'avais l'impression de l'avoir sous les yeux. Une phrase que j'avais lue dans l'introduction philosophique du livre de Holmes sur l'apiculture. Il avait écrit : « Les abeilles d'une ruche doivent être considérées, non comme une espèce unique, mais comme un triumvirat d'espèces apparentées, dont les fonctions s'excluent mais qui sont inextricablement dépendantes les unes des autres. Une abeille séparée des siens mourra, même si elle reçoit toute la nourriture et tous les soins voulus. Une abeille ne peut survivre en dehors de la ruche. »

De surprise, je me réveillai à demi, à ce qu'il me sembla en tout cas, et en regardant Holmes, j'eus l'impression étrange qu'il avait une goutte de pluie sur la joue.

Impossible, bien entendu. Je suis aujourd'hui convaincu que c'était un rêve, en dépit de la netteté de mon souvenir. Je mentionne le fait, non comme une vérité historique, mais comme une indication de l'état complexe de mon inconscient à l'époque... et, comme je l'ai dit, en raison des événements qu'il présageait.

Le gibier, levé

Il s'agit donc de démêler tout cela...

« Réveillez-vous, Russell, dit une voix à mon oreille. Le gibier est levé ! » Il n'y avait d'autre lumière dans la pièce que la flamme du bec Bunsen, et l'air sentait le café.

« Criez " Dieu pour Harry, l'Angleterre et saint George ! " marmonnai-je d'un ton maussade pour compléter le discours d'Henri V. Encore une fois sur la brèche, etc.

– Si vous voulez, et le gibier après lequel les lévriers brûlent de se lancer, c'est nous. Debout, Russell, prenez votre café. Vous n'aurez peut-être pas l'occasion de boire quelque chose de chaud avant longtemps. Et habillez-vous le plus chaudement possible pendant que je rapporte à votre voisine ce que nous lui avons emprunté. Peut-être devriez-vous racheter une bouteille de cet abominable cognac avant le retour de sa propriétaire, ajouta-t-il. Pas de lumière, surtout, nous devons rester invisibles. »

Le temps qu'il revînt, j'étais vêtue en jeune garçon et tenais à la main mes plus épais brodequins.

« Je les mettrai dehors. M. Thomas a l'ouïe très fine.

– Vous connaissez le bâtiment mieux que moi, Russell, et il serait préférable d'éviter la sortie principale. On la surveille certainement depuis la rue. »

Tout en réfléchissant, je bus une gorgée de café fumant et fis la grimace.

« Vous auriez pu rincer le vase à bec avant d'y faire du café. Il a le goût du soufre dont je me suis servie hier. Encore heureux que je n'aie pas fait d'expérience sur l'arsenic.

– Je l'ai senti avant. Un peu de soufre est bon pour le sang.

– Mais cela gâte le café.

– Ne le buvez pas, dans ce cas. Allons, Russell, pressons. »

J'avalai la moitié du liquide bouillant et vidai le reste dans le lavabo.

« Il y a une autre sortie, qui évite à la fois la rue et la petite ruelle de derrière. Je doute que quiconque la connaisse à moins d'avoir étudié une carte médiévale du quartier. Elle débouche dans une cour d'une saleté répugnante, ajoutai-je.

– Cela me semble parfait. N'oubliez pas votre revolver, Russell. Nous en aurons peut-être besoin, et il ne sert pas à grand-chose dans un tiroir à côté de ce fromage dégoûtant.

– Mon superbe Stilton ! Dire qu'il était presque fait ! J'espère que M. Thomas l'appréciera.

– S'il mûrit encore, il rongera le bois et tombera dans la pièce du dessous.

– Vous m'enviez mes goûts distingués.

– Voilà qui ne mérite pas l'honneur d'une réponse. En route, Russell. »

Après avoir suivi sans bruit plusieurs couloirs, nous arrivâmes dans un grenier, où je me servis de mes rossignols tout neufs pour ouvrir la porte d'une sorte de cachette de prêtre, restée inviolée pendant deux cent cinquante ans jusqu'à ce que, l'été précédent, le fiancé d'une de mes colocataires trouvât dans les entrailles de la Bodléienne une lettre en faisant mention, la cherchât et fût récompensé de ses efforts par un poste de chargé de cours. Nous dûmes ensuite passer sur le toit qu'un mélange de neige et de glace rendait dangereusement glissant.

« Êtes-vous perdue, Russell ? siffla Holmes. Cela fait près de vingt minutes que nous sommes dans ce labyrinthe. Le temps est précieux, j'espère que vous le comprenez.

– Oui, mais il n'y avait qu'un autre itinéraire possible, et nous aurions dû nous balancer entre deux bâtiments, suspendus par les mains. L'inconfort physique vous est parfaitement indifférent, je le sais, mais si vous n'y voyez pas d'inconvénient, je préfère que vous vous rouvriez le dos un peu plus tard. » La tension me rendait acerbe, et je ravalai d'autres remarques pour me concentrer sur notre itinéraire.

Nous finîmes par atteindre la cour et, debout dans l'embrasure de la porte, contemplâmes sa surface d'un blanc immaculé, qui cachait des décennies accumulées de crottin de cheval, d'eaux grasses et d'autres matières innommables. En été, son pouvoir odorifère rivalisait avec celui de mon Stilton.

« Comme vous le voyez, cette cour est sûre, murmurai-je. Restent deux problèmes : le premier, c'est qu'il y ait des guetteurs dans la rue ; le second, qu'ils fouillent le bâtiment en constatant ma disparition et découvrent nos deux séries d'empreintes. Si vous préférez, nous pouvons passer par les toits.

– Vraiment, Russell, vous me décevez. Nous n'avons plus le temps de faire de l'escalade. Ils sauront vite que vous leur avez échappé ; qu'ils découvrent vos empreintes n'a donc guère d'importance. Quant aux miennes, ils ne les trouveront pas. S'il y a des guetteurs, servez-vous de votre revolver. »

J'avalai ma salive, mis la main dans ma poche et traversai la cour d'un pas résolu. En me retournant, je vis

Holmes marcher à petits pas dans mes empreintes en retroussant sa jupe. Sans les menaces qui planaient sur nous, j'aurais certainement pouffé bêtement à ce spectacle. Je franchis la porte cochère le revolver à la main mais, hormis quelques souris qui détalèrent entre les poubelles, il n'y avait personne.

Nous continuâmes à progresser de cette manière singulière jusqu'à la rue principale, où la neige avait déjà été transformée en boue par des passants matinaux. Là, nous pûmes marcher côte à côte en imitant une vieille femme boitillante et un jeune paysan gauche. Holmes avait retourné sa jupe et sa cape noires miteuses de la veille, qui étaient maintenant bleues et miteuses, et il avait remplacé sa verrue par une collection de dents gâtées. Ce n'était pas amélioration de mon point de vue, mais devant une bouche pareille, personne ne s'attarderait à contempler son visage, largement dissimulé d'ailleurs par un chapeau et des foulards.

« Ne marchez pas comme cela, Russell ! murmura-t-il d'un ton féroce. Traînez les pieds et écartez un peu les coudes. Il serait bon aussi que vous gardiez la bouche ouverte, et enlevez vos lunettes, pour l'amour du ciel, au moins jusqu'à ce que nous ayons quitté la ville. Je vous signalerai les obstacles. Pensez-vous que vous pourriez convaincre votre nez de couler un peu, juste pour l'effet ? »

Bientôt, j'avançai donc en trébuchant, à moitié aveugle, tout en feignant de soutenir ma vieille mère. À notre arrivée sur la route de Banbury, au nord de la ville, il faisait tout à fait jour.

« Ce n'est pas la direction de Londres. La journée va être longue.

– C'est plus sûr. Tâchez de convaincre ce charretier de nous faire faire un bout de chemin. »

Je m'avançai docilement à la rencontre du fermier qui

rentrait chez lui, son chariot vide, et qui accepta volontiers contre trois pence d'« éviter à ma vieille maman de faire la route à pied jusqu'à Banb'ry pour voir son dernier p'tit fils ».

L'homme était bavard et parla sans interruption pendant tout le trajet, ce qui nous évita d'avoir à inventer une histoire. Mais, quand il nous laissa enfin à Banbury, j'étais lasse de sourire stupidement sous mon chapeau en essayant de ne pas loucher. Lorsque son chariot s'éloigna, je me tournai vers Holmes.

« La prochaine fois, je me déguiserai en vieille femme sourde et vous laisserai le plaisir de rire des heures en écoutant de grosses plaisanteries. »

Ce fut un bien long voyage, car nous contournâmes tout Londres à travers la campagne, pour finalement y entrer par le sud. Nous allâmes de Banbury à Broughton Poggs, d'Hungerford à Guildford, en frôlant le Kent et Greenwich ; à pied, en chariot, en omnibus et en voiture, en payant, en suppliant et – une fois – en resquillant, nous gagnâmes la grande ville de Londres, à laquelle mènent tous les chemins... à la longue. Je savais, au silence de Holmes, que son dos le faisait souffrir, mais nous n'avions d'autre solution que de lui acheter une bouteille de cognac et de poursuivre notre route. Une fois chez Mycroft, nous trouverions l'aide nécessaire.

Il se remit à neiger en fin d'après-midi, mais pas assez pour arrêter la circulation. Il était sept heures et demie, quand un omnibus nous laissa, transis et épuisés, dans Pall Mall, à une centaine de mètres du club Diogène dont Mycroft était le fondateur et le membre principal.

Holmes sortit d'une de ses poches un bout de crayon et une enveloppe sale, déjà utilisée. À la lueur du réverbère, ses doigts paraissaient bleus, et il écrivit lentement et avec maladresse. Ses lèvres minces étaient violettes, en dépit du châle serré autour de son visage pour dissimuler la barbe qui commençait à assombrir ses joues.

« Donnez ça à la porte. Je ne pense pas que l'on vous laisse entrer, mais on transmettra le message à Mycroft si vous dites qu'il est de son cousin. Avez-vous une demi-couronne pour lever d'éventuelles hésitations ? Bien. J'attends ici. Vous feriez peut-être mieux de remettre vos lunettes, Russell. »

Je me dirigeai lourdement vers l'entrée du club. Les brodequins, qui m'avaient si bien gardée au sec pendant la journée, me paraissaient maintenant peser quinze kilos chacun. Le portier montra effectivement peu d'empressement à prendre mon message loqueteux, mais j'insistai et, au bout d'une minute, il me fit entrer dans le vestibule. Mes lunettes s'embuèrent aussitôt et, lorsqu'une voix grondante déclara : « Je suis Mycroft Holmes. Où est mon frère ? » je ne pus que tendre la main dans la direction approximative de mon interlocuteur. Elle fut serrée fermement par quelque chose qui ressemblait à un coussin de pâte à pain tiède. Je regardai la silhouette imposante par-dessus mes lunettes.

« Il attend dehors, monsieur. Si cela ne vous dérange pas, il lui faut... il nous faut... un toit pour la nuit et un repas chaud. Un médecin pourrait également se révéler utile, ajoutai-je à voix basse.

– Oui, je savais qu'il était blessé. Mme Hudson m'a fait un récit très vivant des événements, et j'ai eu toutes les peines du monde à la convaincre que la présence du Dr Watson et de moi-même serait fort peu utile et que les médecins du Sussex étaient parfaitement compétents. Finalement, elle a accepté de ne rien dire à ce brave docteur avant que Sherlock paraisse en état de recevoir des visiteurs. Je dois dire que j'ai été assez surpris d'apprendre par mes amis de Scotland Yard qu'il avait disparu de l'hôpital. Ses blessures sont donc si légères ?

– Non, elles sont très douloureuses, mais sa vie n'est pas en danger. À condition qu'il évite l'infection, naturellement. Il lui faut du repos, de la nourriture et du calme.

– Et il est dehors, dans le froid. » Il demanda son manteau, et nous plongeâmes dans la rue glacée. Mes lunettes retrouvèrent leur transparence, et je regardai dans la direction du réverbère.

« Je l'ai laissé là-bas », dis-je en tendant la main.

Mycroft Holmes était d'une agilité surprenante pour sa corpulence ; il atteignit avant moi la vieille femme en jupe bleue chiffonnée assise sur une caisse retournée et l'aida à se lever.

« Bonsoir, Mycroft, dit Holmes. Navré de te déranger en pleine lecture avec mon petit problème, mais il semble malheureusement que quelqu'un cherche à éliminer Mlle Russell et moi-même. J'ai pensé que tu serais sans doute disposé à nous aider.

– Tu es ridicule de ne pas m'avoir appelé plus tôt, Sherlock. J'aurais pu vous épargner une journée qui a manifestement été pénible. Tu sais bien que tes affaires m'intéressent toujours... sauf quand elles demandent une activité physique excessive, bien sûr. Allons chez moi. »

Mes lunettes me rendirent de nouveau aveugle lorsque nous pénétrâmes dans le bâtiment situé en face du club. Je les ôtai donc et montai pesamment l'escalier derrière les deux frères. Une fois dans l'appartement, je laissai tomber mon sac sur le sol, me rappelant un peu tard qu'il contenait un engin explosif, et m'effondrai dans un fauteuil devant le feu. J'eus vaguement conscience que Mycroft Holmes commandait un repas et me mettait une boisson chaude dans la main, mais la chaleur et l'immobilité étaient un tel bonheur que rien d'autre ne m'intéressait.

Je dus m'endormir, car je sursautai lorsque, quelque temps plus tard, la main de Holmes se posa sur mon épaule.

« Je ne vous laisserai pas dormir deux nuits de suite dans un fauteuil, Russell. Venez manger un peu avec nous. »

Je me levai lourdement et mis mes lunettes. « Pourrais-je me laver d'abord ? demandai-je à un point situé à mi-chemin entre Holmes et son frère.

– Bien sûr ! » s'exclama Mycroft Holmes. Il me conduisit jusqu'à une petite pièce où se trouvait une banquette-lit. « Voici votre chambre. La salle de bains est au fond. J'ai emprunté quelques affaires à des voisins, si vous souhaitez changer de tenue. » Le côté inévitablement intime de cette proposition semblait l'embarrasser, mais je le remerciai avec chaleur et il parut soulagé. Il n'était manifestement pas plus habitué à devoir tenir compte des besoins d'une femme que Holmes avant de me rencontrer.

« Juste une chose », dis-je avec hésitation. Une expression inquiète réapparut sur son visage. « Les blessures de votre frère... il ne faudrait surtout pas qu'il ait à passer la nuit dans un fauteuil. S'il était mieux ici... ?

– Ne vous en faites pas, dit-il en se détendant. J'ai assez de place pour vous deux. » Et il me laissa.

Je me lavai rapidement et enfilai l'épaisse robe de chambre bleue que je trouvai dans la penderie. Mes pieds glissèrent avec reconnaissance dans une paire de pantoufles légèrement trop courtes, et j'allai rejoindre les deux frères.

Dès que j'entrai, Mycroft se leva et vint m'avancer une chaise. Holmes (qui avait retrouvé son aspect habituel, dents blanches et le reste) le regarda un moment, me regarda, posa sa serviette sur la table, puis se leva à son tour, un curieux sourire aux lèvres. Je m'assis, Mycroft m'imita, puis Holmes avec une drôle de moue. Qu'on lui rappelât que j'étais une femme le prenait toujours au dépourvu. Mais je ne pouvais le lui reprocher, car c'était également mon cas.

Le chapon rôti était délicieux, le pain frais, et le vin pétillait sur la langue. Nous parlâmes de choses et d'autres et finîmes par un plateau de fromages, sur lequel je vis avec plaisir un morceau de vieux Stilton. Mycroft et moi le partageâmes, laissant le cheddar à Holmes. Un repas des plus satisfaisants, et je le dis en repoussant mon assiette.

« Un estomac plein, un cerveau un peu gris et la certitude d'une nuit paisible. Que peut-on demander de plus ? Merci, monsieur Holmes. » Nous passâmes au salon, et Mycroft nous servit trois généreux cognacs. Je regardai mon verre, pensai à mon lit et poussai un petit soupir.

« Verrez-vous un médecin, ce soir, Holmes ?

– Non, il ne faut pas que l'on sache que nous sommes ici.

– Que faites-vous du club et de la cuisinière ?

– Le club est discret, répondit Mycroft. Et j'ai dit à ma cuisinière que j'avais une faim de loup.

– Donc pas de médecin. Pas même Watson ?

– Surtout pas Watson. »

Je poussai un nouveau soupir. « Vous avez décidé de mettre à l'épreuve mes capacités de secouriste, apparemment. Très bien, apportez la gaze. »

Mycroft alla chercher le matériel requis, et Holmes commença à déboutonner sa chemise.

« Comment puis-je vous distraire, cette fois ? m'enquis-je avec sollicitude. L'histoire de Moriarty et des chutes de Reichenbach, peut-être ?

– Je n'ai pas besoin de distraction, Russell, répondit-il d'un ton sec. Je crois vous avoir déjà dit qu'un esprit incapable de maîtriser les réactions émotionnelles du corps n'est pas digne de ce nom.

– Vous en savez sûrement quelque chose, ripostai-je. Vous pourriez peut-être appliquer votre esprit à brider les réactions physiques de ces trous que vous avez dans le dos. Cette chemise est irrécupérable. »

La gaze était tachée de brun et, au-dessous, la peau n'était que meurtrissures violettes et croûtes. Néanmoins, la plupart des blessures étaient intactes et une seule, fermée par plusieurs points de suture, était enflammée.

« Il reste peut-être des saletés dans celle-ci. Pourriez-vous m'apporter de quoi faire un cataplasme ? » demandai-je à Mycroft. »

Pendant la demi-heure qui suivit, j'appliquai des cataplasmes chauds sur les blessures de Holmes, tandis que son frère et lui passaient en revue tout ce que nous savions des deux tentatives de meurtre.

« Et la bombe ? questionna finalement Mycroft.

– Dans le sac de Russell. »

Mycroft alla la chercher et, la posant devant lui sur la table, souleva les fils et étudia avec attention les connexions. « Je la ferai examiner demain par un ami, mais elle ressemble effectivement à celle que tu as trouvée dans la banque de Western Street, il y a quelques années.

– J'avais pourtant placé ce Dickson en queue de ma liste. L'inspecteur Lestrade m'a appris que, depuis sa libération, il y a cinq ans, il s'est marié, a eu deux enfants, exploite avec succès le magasin de son beau-père et adore sa famille. Pas vraiment le candidat idéal. »

Tandis que Holmes parlait, une idée fort désagréable me vint à l'esprit. Lorsqu'il se tut, je dis tout à trac :

« Holmes ? Vous ne croyez pas que nous devrions demander à Watson d'aller passer deux ou trois jours dans un hôtel, le temps que nous sachions ce qui se passe ? »

Son dos maigre se raidit sous mes doigts, il sursauta, jura et se tourna vers moi, atterré. « Mon Dieu, Russell, comment ai-je pu... Mycroft, tu as le téléphone. Vous lui parlerez, Russell. Ne lui dites pas où vous êtes, ni que je suis avec vous. Vous avez son numéro ? Bien. Si jamais il lui est arrivé quelque chose à cause de mon insondable, de mon impardonnable stupidité... »

Le téléphone à l'oreille, j'attendis la communication. Watson allait généralement se coucher tôt, et il était plus de onze heures. Holmes se rongeait le pouce, les yeux rivés sur mon visage. Finalement, une voix ensommeillée se fit entendre au bout du fil.

« Hmmmph ?

– C'est vous, oncle John ? Mary à l'appareil. Il faut... non, je vais bien. Écoutez, oncle John, je... non, Holmes va bien, ou du moins il allait bien la dernière fois que je lui ai parlé. Écoutez-moi, il faut que vous m'écoutiez. Vous m'écoutez ? Bien. Je suis désolée de vous appeler si tard, mais il faut que vous quittiez votre maison, ce soir, dès que possible. Oui, je sais qu'il est tard, mais vous connaissez sûrement un hôtel qui accepterait de vous donner une chambre, même à cette heure ? Le quoi ? Oui, très bien. Prenez quelques affaires et allez-y tout de suite. Quoi ? Non, je n'ai pas le temps de vous expliquer, mais deux bombes ont été posées, une chez Holmes et une chez moi, et... oui. Non. Non, la mienne n'a pas explosé, et Holmes n'a été que légèrement blessé, mais vous êtes peut-être en danger, oncle John, et il faut que vous partiez tout de suite. Oui, Mme Hudson est en sécurité. Non, Holmes n'est pas avec moi, je ne sais pas exactement où il se trouve. » Je tournai soigneusement le dos à Holmes de façon à ne pas mentir tout à fait. « Il m'a demandé de vous téléphoner. Non, je ne suis pas à Oxford mais chez une amie. Maintenant, partez, je vous en prie. Je vous appellerai à l'hôtel dès que j'aurai des nouvelles de Holmes. Et ne parlez de notre conversation à personne, oncle John, à personne, vous comprenez. Je sais que la dissimulation n'est pas votre fort, mais c'est très important. Vous savez ce que feraient les journaux s'ils l'apprenaient. Allez dans cet hôtel, restez-y et ne parlez à personne jusqu'à ce que je vous appelle. Promis ? Ah ! merci. J'aurai l'esprit plus tranquille. Vous partez tout de suite, n'est-ce pas ? Bien. Au revoir. »

Je raccrochai et me tournai vers Holmes. « Mme Hudson ?

– Inutile de la déranger à cette heure. Nous lui téléphonerons demain matin. »

La tension se dissipa dans la pièce, et la fatigue m'assaillit de nouveau. Je finis de panser Holmes, pris mon verre et le levai.

« Je vous souhaite une bonne nuit, messieurs. Je suppose que nous pouvons attendre demain matin pour dresser nos plans ?

– Nos cerveaux seront plus frais, dit Holmes comme s'il citait quelqu'un dont il jugeait les opinions suspectes... (Oscar Wilde, peut-être.) Bonne nuit, Russell.

– J'espère que vous vous accorderez un peu de repos, cette fois, Holmes. »

Il prit sa pipe.

« Dans certains cas, Russell, les infirmités du corps peuvent permettre une plus grande concentration mentale. Il serait assez stupide de ma part de ne pas tirer profit de ce phénomène. »

Entendre cela de la bouche d'un homme qui ne pouvait même pas s'appuyer sur le dossier d'un fauteuil me fit grincer des dents. Je lançai avec une cruauté délibérée :

« Cette merveilleuse concentration explique sans doute que vous ayez omis d'inclure Watson dans vos calculs. » Je regrettai aussitôt mes paroles, mais il était trop tard pour les reprendre. « Dormez un peu, Holmes, je vous en conjure !

– Bonne nuit, Russell. »

Il gratta une allumette, avec une violence qui dut lui faire mal au dos, et l'approcha du fourneau de sa pipe. Je regardai Mycroft, qui haussa imperceptiblement les épaules, levai les bras au ciel et allai me coucher.

Il était très tard, ou très tôt, lorsque l'odeur du tabac cessa de filtrer sous la porte de ma chambre.

Le problème de la maison vide

Le massacre des mâles...

Je fus réveillée au matin par le cri d'un marchand ambulant et, tandis que je tâchais de rassembler assez d'énergie pour regarder ma montre, un doux tintement de soucoupes et de tasses dans la pièce voisine me fit entrevoir certaines possibilités. Je pris un pantalon et une chemise froissés dans mon sac, m'habillai rapidement et gagnai le salon.

« Je vois que je n'ai pas entièrement manqué le petit déjeuner, commençai-je avant de m'arrêter net en découvrant un troisième convive. Oncle John ! Mais comment... ? »

Holmes libéra sa chaise et emporta sa tasse près de la fenêtre, dont les rideaux étaient toujours hermétiquement clos. Il marchait avec précaution et paraissait son âge, voire davantage, mais son visage était détendu, son menton rasé et ses cheveux peignés indiquaient des mouvements dorsaux qui lui auraient été pénibles la veille.

« Je crains que mon vieux chroniqueur n'ait pris quelques-unes de mes leçons à cœur, Russell. Nous avons été dépistés. »

Il y avait de l'amusement et de la contrariété dans son expression, et quelque chose de plus sombre aussi, de l'inquiétude peut-être. Il grimaça quand Watson déclara avec un petit rire :

« Élémentaire, mon cher Holmes. Si vous étiez tous les deux en danger, où pouvait être Mary, sinon avec vous, et où pouviez-vous vous réfugier, sinon chez votre frère ? Prenez un peu de thé, Mary, mais j'aimerais bien que vous vous excusiez du petit mensonge que vous m'avez fait », ajouta-t-il en me regardant par-dessus ses lunettes. Il avait l'air résigné plutôt que blessé, et il me vint à l'esprit que Holmes l'avait souvent trompé parce que, comme je l'avais dit, il était peu doué pour le mensonge et donc incapable de jouer un rôle. Pour la première fois, je me dis qu'il avait dû se le reprocher comme un défaut et souffrir de ne pouvoir être utile à son ami qu'en étant manipulé à son insu. Je m'assis sur la chaise libérée par Holmes et posai une main sur la sienne.

« Je suis désolée, oncle John. Vraiment désolée. J'avais peur pour vous, peur que si vous veniez ici, vous ne soyez suivi. Je voulais vous laisser en dehors de tout cela. »

Il poussa un grognement embarrassé et me tapota gauchement la main en rougissant jusqu'aux sourcils.

« Je comprends, ma chère, je comprends très bien. Souvenez-vous seulement que je veille sur moi-même depuis un certain temps. Je ne suis pas vraiment né de la dernière pluie.

– Je le sais, oncle John. J'aurais dû réfléchir davantage. Mais vous... comment êtes-vous venu ici ? Et quand avez-vous rasé votre moustache ? » Très récemment, à en juger d'après la couleur de la peau.

Holmes intervint, tout à fait comme un parent à la fois fier et exaspéré du tour ingénieux mais inopportun que vient de jouer un enfant.

« Montrez-nous votre alter ego, Watson », ordonna-t-il.

De bonne grâce, celui-ci posa sa cuiller et alla à la porte, où il mit un pardessus rapiécé trop grand pour lui, un melon cabossé, des gants de laine percés aux doigts en trois endroits et une écharpe manifestement tricotée maison par des mains aimantes.

« Ce sont les vêtements du portier de l'hôtel, expliqua-t-il avec fierté. C'était vraiment comme au bon vieux temps, Holmes. Je suis sorti de l'hôtel par les cuisines, ai traversé trois restaurants et la gare de Victoria, pris deux trams, un omnibus et un fiacre. J'ai mis une demi-heure pour parcourir les derniers quatre cents mètres en m'arrêtant sous chaque porche pour observer les flâneurs. Je crois que même si Holmes m'avait suivi, je m'en serais aperçu, conclut-il en m'adressant un clin d'œil.

– Mais pourquoi, oncle John ? Je vous avais dit que je vous appellerais. »

Il se redressa de toute sa taille. « Je suis médecin, et mon ami est blessé. Il était de mon devoir de venir. »

Holmes marmonna quelque chose en écartant d'un doigt maigre l'un des épais rideaux. Watson n'entendit pas, mais il me sembla bien qu'il disait : « Bonté et pitié empoisonneront tous les jours de ma vie. » Je l'avais cru quasiment ignare dans le domaine des Écritures, mais il était plein de surprises, quoiqu'il eût nettement tendance à modifier les citations au gré des circonstances.

« Pourquoi devrais-je vous laisser causer de nouveaux dommages au peu d'épiderme que m'a laissé Russell, Watson ? Mes blessures ont déjà diverti deux médecins et quantité d'infirmières à l'hôpital. Vous manquez donc à ce point de patients ?

– Vous allez me permettre d'examiner vos blessures parce que je ne partirai pas avant de l'avoir fait », déclara Watson d'un ton catégorique. Holmes lui jeta un regard furibond, qu'il tourna vers Mycroft et moi quand nous éclatâmes de rire.

« Très bien, dit-il en laissant retomber le rideau. Finissons-en au plus vite, dans ce cas. J'ai du travail. »

Watson alla se laver les mains, emportant avec lui la trousse noire de médecin qu'il avait promenée ouvertement dans les rues. Je regardai Holmes d'un air inquiet. Il ferma les yeux et hocha la tête, puis me désigna la fenêtre du geste. « Au bout de la rue », dit-il, et il alla rejoindre Watson.

Je risquai un œil prudent entre les rideaux. Assis tout au bout de la rue, un aveugle vendait des crayons. Il n'y avait quasiment aucun passant à cette heure, mais je l'observai plusieurs minutes, en écoutant d'une oreille distraite la conversation dans la pièce voisine. Au moment où j'allais me détourner, un enfant déguenillé s'arrêta devant la silhouette emmitouflée ; il laissa tomber quelque chose dans la sébille et reçut un crayon en échange. Je le regardai s'éloigner pensivement. L'aveugle tendit la main vers la sébille, comme pour prendre une pièce, mais il m'avait bien semblé voir un morceau de papier plié. Nous étions découverts.

Alors que Mycroft revenait dans la pièce pour se servir une tasse de thé, je me raidis en entendant un frôlement sur le palier, devant la porte, mais il déclara avec calme : « Le journal. » Il alla le prendre sur le paillasson, puis comme Watson l'appelait, il me le tendit et s'éloigna. Je le dépliai, et mon cœur s'arrêta de battre quand je vis la manchette :

UN POSEUR DE BOMBE TUÉ PAR SON ENGIN
WATSON ET HOLMES VISÉS ?

Une grosse bombe a explosé peu après minuit au domicile du Dr John Watson, le célèbre biographe de M. Sherlock Holmes, tuant apparemment l'homme qui était en train de la poser. Le Dr Watson n'était vraisemblablement pas chez lui et l'on ignore où il se trouve. La maison a subi d'importants dégâts. L'incendie qui s'est déclaré a été rapidement maîtrisé et aucune autre victime n'est à déplorer. Un porte-parole de Scotland Yard nous a déclaré que la victime était M. John Dickson, demeurant à Reading et condamné en 1908 pour avoir tenté de faire sauter l'Empire Bank de Southampton. M. Holmes avait déposé contre lui lors du procès, et son témoignage avait été décisif.

Une autre bombe aurait explosé il y a quelques jours dans la ferme isolée du Sussex où demeure M. Holmes et, selon une source digne de confiance, le détective aurait été gravement blessé. D'autres informations paraîtront dans notre prochaine édition.

Je relus ce court article avec un sentiment d'irréalité. Je ne parvenais pas à comprendre les mots que j'avais sous les yeux, en partie à cause du choc, mais surtout parce que cela n'avait aucun sens. J'avais l'impression que mon cerveau était englué dans du goudron. Mes mains posèrent le journal sur les tasses vides et les coquilles d'œufs et se croisèrent sur mes genoux. J'ignore combien de temps s'était écoulé quand la voix de Mycroft me fit sursauter.

« Qu'avez-vous, mademoiselle ? Dois-je envoyer chercher du thé ? »

Je désignai l'article. Après l'avoir lu, il se laissa tomber dans un fauteuil. Je vis étinceler les yeux de Holmes dans son visage charnu et pâle, et sus qu'il réfléchissait aussi furieusement et aussi vainement que moi.

« Voilà qui est extrêmement irritant, dit-il enfin. Nous avons agi juste à temps, n'est-ce pas ?

– À temps pour quoi ? » demanda Holmes, qui entrait dans la pièce en boutonnant ses manchettes. Mycroft lui tendit le journal, et il siffla entre ses dents en le lisant. Lorsque Watson apparut à son tour, il se tourna vers lui.

« Il semble que nous devions une fière chandelle à Russell, mon vieil ami. »

En apprenant à quoi il avait échappé de si peu, Watson s'effondra dans le fauteuil que Holmes lui avançait.

« Un whisky, Mycroft ». Mais celui-ci tendait déjà un verre à Watson, qui le prit sans le voir. Puis, brusquement, il se leva et chercha sa trousse.

« Il faut que je rentre.

– Il n'en est pas question, répliqua Holmes.

– Mais la logeuse, mes papiers...

– L'article indique que personne n'a été blessé. Vos papiers peuvent attendre, et vous prendrez contact plus tard avec les voisins et la police. Pour le moment, allez vous coucher. Vous n'avez pas dormi de la nuit, et vous venez de subir un choc. Finissez votre whisky. » Habitué depuis des années à obéir à la voix de son ami, Watson vida son verre et se leva, l'air hébété. Mycroft le conduisit dans la chambre que son frère avait occupée si peu de temps, la nuit précédente.

Holmes alluma sa pipe, et nous gardâmes le silence, bien que j'eusse l'impression d'entendre ronfler nos cerveaux. Holmes fixait le mur, les sourcils froncés ; je jouais avec un bout de ficelle déniché dans ma poche en fronçant les sourcils et, lorsque Mycroft revint, il s'assit entre nous et fronça les sourcils.

Mes doigts firent et défirent des figures compliquées, jusqu'à ce que je m'embrouille et me retrouve avec un morceau de ficelle inextricablement emmêlé. Je rompis le silence.

« Très bien, messieurs, je reconnais que je suis déroutée. L'un de vous peut-il me dire pourquoi, si l'on a suivi Watson jusqu'ici, Dickson a quand même posé sa bombe ? Il n'en avait sûrement pas après la maison et les papiers de Watson ?

– C'est en effet un joli petit problème, n'est-ce pas, Mycroft ?

– Cela change considérablement les choses, n'est-ce pas, Sherlock ?

– Dickson n'agissait pas seul...

– Et ce n'est pas lui qui avait la direction des opérations...

– Ou alors, il faut supposer que ses subordonnés se sont montrés d'une extrême incompétence, ajouta Holmes.

– Parce qu'ils ne l'ont pas informé du départ de sa victime.

– Mais s'agit-il d'une négligence ou d'un acte délibéré ?

– Un groupe de criminels peut négliger des détails essentiels d'organisation, je présume...

– Par pitié, Mycroft, ce n'est pas le gouvernement.

– Il est vrai que, pour survivre, un criminel doit avoir une certaine compétence.

– Bizarre, tout de même. Je n'aurais pas cru Dickson maladroit.

– Oh ! pas un suicide, tout de même ? Après plusieurs meurtres commis par vengeance ?

– Aucun d'entre nous n'est mort, lui rappela Holmes.

– Pourtant... » marmonnai-je. Mais ils m'ignorèrent.

« Oui, c'est irritant, n'est-ce pas ? Il faut en tenir compte.

– S'il avait un employeur..., commença Holmes.

– Je suppose que Lestrade va s'intéresser à ses comptes bancaires ? demanda Mycroft d'un ton dubitatif.

– ... et que ce ne fût pas seulement un caprice de certaines de mes vieilles connaissances...

– Peu probable.

– ... ayant décidé de s'associer pour m'éliminer, moi et tous mes proches...

– J'étais sans doute le suivant sur la liste.

– ... ce serait plutôt la mort de Dickson qui m'intriguerait.

– Accident et suicide sont peu vraisemblables. Le patron d'un plastiqueur peut-il plastiquer un plastiqueur ?

– Reprends-toi, Mycroft, ordonna Holmes d'un ton sévère.

– La question est valable, protesta son frère.

– C'est vrai, reconnut Holmes. Certains de tes collègues pourraient-ils vérifier cette hypothèse avant Scotland Yard ?

– Avant peut-être pas, mais simultanément, certainement.

– Mais, dans ce cas, il ne restera guère d'indices.

– Et le motif ? Mécontentement provoqué par l'incompétence de notre homme ?

– Ou désir d'économiser le versement final ?

– Cela ne facilite pas de futures embauches, nota Mycroft avec pragmatisme.

– Et l'argent ne me semble pas un problème dans cette affaire.

– La bombe de Mlle Russell est d'excellente qualité, approuva Mycroft.

– Il est très irritant de ne plus avoir Dickson sous la main, grommela Holmes.

– Ce qui explique peut-être son élimination.

– Mais il n'a pas réussi à nous tuer, protesta Holmes.

– Colère devant son échec et décision d'utiliser d'autres méthodes ?

– C'est encourageant, risquai-je. Plus de bombes. » Mais Holmes poursuivit.

« Tu as sans doute raison. Il n'empêche, j'aurais aimé lui parler.

– C'est ma faute. J'aurais dû le faire surveiller immédiatement, mais...

– Tu n'avais aucune raison de supposer qu'il arriverait aussi vite.

– Non, pas après cet intervalle de...

– ... d'une journée entière, compléta Holmes d'un air innocent.

– ... d'une journée entière, dit Mycroft sans me regarder.

– Si seulement j'avais pu arriver plus tôt chez Russell... »

Lasse de cette partie de tennis verbale, je descendis sur le court et coupai le filet.

« Vous n'êtes pas "arrivé plus tôt chez Russell" parce qu'après que le poseur de bombe eut tenté de vous réduire en petits morceaux, dimanche, vous êtes resté sans connaissance jusqu'au lendemain soir. » Holmes me regarda, Mycroft regarda son frère, et je regardai mon bout de ficelle d'un air satisfait, comme Mme Defarge, son tricot.

« Je n'ai jamais dit que j'avais perdu connaissance, fit Holmes d'un ton accusateur.

– Non, et vous avez essayé de me faire croire que la bombe avait explosé lundi soir. Vous oubliez toutefois que j'ai une certaine expérience des blessures et des bleus, et ceux qui décorent votre dos avaient bien quarante-huit heures lorsque je les ai vus pour la première fois. Lundi, j'ai travaillé chez moi jusqu'à trois heures, et vous ne m'avez pas appelée. Comme Mme Thomas a allumé un feu dans ma chambre, probablement à l'heure habituelle, vous avez dû rester sans connaissance au moins jusqu'à cinq heures. À huit heures, en revanche, lorsque je suis rentrée, M. Thomas réparait tout à fait inutilement une ampoule dans mon couloir et, puisque je sais maintenant qu'il est à votre service, il me semble évident qu'entre cinq et huit heures vous lui avez téléphoné pour lui demander de surveiller mon appartement jusqu'à mon retour. Et sans doute aussi après, vous connaissant.

« Le mardi, vous vous seriez sans doute arrangé pour qu'il m'éloignât de mon appartement, si vous n'aviez pas eu l'intention de venir en personne, en dépit d'un cerveau commotionné et d'un dos à vif. Vous comptiez certainement arriver plus tôt que vous ne l'avez fait, et M. Thomas a relâché sa surveillance, certain que ses services n'étaient plus requis. Qu'est-ce qui vous a retenu jusqu'à six heures trente ?

– Six heures vingt-deux. Une série diabolique de contretemps. Lestrade est arrivé en retard à notre rendez-vous, la surveillante générale de l'hôpital avait caché mes vêtements, on a amené le vagabond et j'ai dû profiter de l'occasion pour arranger la substitution avec le personnel. Puis, quand je suis parvenu chez moi, la maison était pleine de policiers, et j'ai dû attendre leur départ à l'heure du thé pour prendre ce dont j'avais besoin et aller voir ce qu'ils avaient laissé d'intéressant près de la ruche... heureusement que Will était là, je n'aurais jamais réussi sans lui. Ensuite, j'ai manqué un train, il n'y avait pas de taxi à la gare d'Oxford... positivement diabolique, je vous le disais.

– Pourquoi ne vous êtes-vous pas contenté de téléphoner de l'hôpital ? Ou d'envoyer un télégramme ?

– J'en ai envoyé un, à Thomas, d'une gare si petite que je doute qu'il s'y arrête plus de six trains par an. Et, lorsque je suis finalement arrivé à Oxford, je lui ai téléphoné en lui disant que le problème était réglé et qu'il ne devait vous parler de rien.

– Mais qu'est-ce qui vous a poussé à venir, Holmes ? Saviez-vous que j'étais en danger ? Où est-ce simplement votre tempérament naturellement soupçonneux ? » Il avait l'air très mal à l'aise, et son dos n'y était pour rien. « Aviez-vous une raison...

– Non ! » Mes derniers mots le firent crier, nous firent tous prendre conscience de l'inconséquence manifeste de sa conduite. « Non, c'était une obsession. La raison me dictait de rester sur les lieux et de vous téléphoner pour vous mettre sur vos gardes, mais je... pour ne rien vous cacher, il m'était impossible de raisonner logiquement. C'est un effet secondaire très étrange de la commotion cérébrale. Mardi matin, je n'avais qu'une idée en tête, et c'était d'être chez vous avant la nuit, et quand j'ai vu que je pouvais marcher... j'ai marché.

– Comme c'est bizarre », dis-je. Et je le pensais. Je n'aurais pas imaginé que son affection pour moi pût influer sur la conduite d'une enquête, qu'il eût le cerveau ébranlé ou non. Quant au fait qu'il ne s'était manifestement pas fié à moi pour prendre les mesures nécessaires – préparer une embuscade et me servir de mon revolver si nécessaire –, j'en étais blessée. D'autant que lui-même n'avait pas entièrement réussi. J'ouvris la bouche pour le lui dire, mais me retins à temps. Du reste, il me fallait bien admettre qu'il avait raison.

« Très bizarre, répétai-je. Mais je m'en félicite. Si vous n'étiez pas intervenu, j'aurais presque certainement ouvert cette porte, car je n'aurais probablement pas remarqué deux minuscules égratignures sur la serrure, une petite feuille et une tache de boue sur l'appui de la fenêtre. »

Il laissa échapper un petit soupir de soulagement avant de répondre d'un ton impassible :

« Vous les auriez vues.

– Peut-être. Mais cela aurait-il été suffisant pour me pousser à escalader le lierre par un temps pareil ? J'en doute. Quoi qu'il en soit, vous êtes venu, vous avez vu et vous avez désamorcé. À propos, êtes-vous passé par le lierre, vous aussi, blessé comme vous l'étiez, ou avez-vous pu la désamorcer de l'extérieur ? »

Holmes regarda son frère et secoua la tête avec commisération. « Son grand savoir lui fait perdre la tête, déclara-t-il. Il vous faut penser aux solutions de rechange, Russell. Les autres solutions, Russell. »

Je réfléchis une minute, puis m'avouai vaincue.

« L'échelle, Russell. Il y avait une échelle de l'autre côté de la cour. Vous avez dû la voir tous les jours pendant des semaines. »

Son frère et lui éclatèrent de rire devant mon expression consternée.

« D'accord, autant pour moi. Vous êtes donc passé par l'échelle. Mais vous avez dû manquer Dickson de peu, n'est-ce pas ?

– J'imagine que nous nous sommes croisés dans la rue,

mais les seuls passants que j'ai vus se protégeaient contre la pluie.

– En tout cas, cela montre que Dickson, ou son chef, connaissait bien mes habitudes. Il savait où se trouvait mon appartement. Il savait que Mme Thomas viendrait allumer un feu et il a attendu son départ, qu'il a sans doute guetté d'en bas. Il a escaladé le lierre dans le noir en portant la bombe, crocheté ma serrure, installé son engin... » Je me tournai vers Mycroft. « Pouvait-il sortir par la porte, une fois la bombe posée ?

– Bien sûr. Elle était munie d'un interrupteur basculant. Il l'a placée sur la porte ouverte et l'a armée en la fermant derrière lui.

– Puis il a franchi la fenêtre du palier et s'est enfui, le tout en un peu moins d'une heure. Un homme redoutable, ce M. Dickson.

– Qui commet pourtant une erreur fatale, trente heures plus tard, et meurt en faisant sauter une maison vide, remarqua Holmes d'un ton songeur.

– Notre jeune amie a soulevé un point digne d'attention, dit Mycroft. À savoir la connaissance qu'avait Dickson de ses habitudes. Cela vaut assurément aussi pour toi.

– Tu veux parler du fait que je fasse le tour de mes ruches avant d'aller me coucher ? C'est le cas de la plupart des apiculteurs, non ?

– Mais tu indiques toi-même cette habitude dans ton livre, n'est-ce pas ?

– C'est exact, mais si elle n'avait pas explosé à ce moment-là, elle l'aurait fait le lendemain matin.

– Cela n'aurait pas changé grand-chose, en effet, reconnut Mycroft.

– Je devrais acheter un chien, je suppose, soupira Holmes d'un air malheureux.

– À ma connaissance, toutefois, aucun ouvrage publié ne mentionne Mlle Russell.

– Tout le monde dans le village est certainement au courant de notre collaboration.

– Donc, notre adversaire a lu ton livre, connaît le village, connaît Oxford.

– Il faut informer Lestrade de tout cela, dit Holmes.

– Il y a aussi les enfants employés comme messagers.

– Cela te fait penser à mes Francs-Tireurs ?

– Oui. Tu as dit, bien que Watson l'ait oublié aujourd'hui, qu'ils sont invisibles.

– L'idée qu'un meurtrier emploie des enfants m'est désagréable, fit Holmes d'un air sombre.

– C'est mauvais pour leur sens moral, j'en conviens, et cela empiète sur leur sommeil.

– Et leurs études, ajouta Holmes d'un ton sentencieux.

– Mais qui ? intervins-je, exaspérée. Qui est-ce ? Vous ne devez tout de même pas avoir tant d'ennemis que cela qui vous haïssent au point de vouloir aussi tuer vos amis, qui ont assez d'argent pour engager des poseurs de bombes et des guetteurs, et assez d'intelligence pour monter une machination de cette ampleur ?

– J'ai passé une grande partie de la nuit à réfléchir à cette question, Russell. Sans parvenir au moindre résultat. Oh ! il y a quantité de gens qui entrent dans la première catégorie, et un bon nombre d'entre eux disposent des moyens financiers nécessaires, mais la troisième caractéristique me laisse perplexe. J'ai beau chercher, aucune de mes connaissances ne me semble correspondre avec ce que nous savons du cerveau qui a organisé ces agressions.

– Il y a donc bien un cerveau derrière tout cela, d'après vous ?

– Quelqu'un d'intelligent, certainement. Méticuleux, modérément fortuné pour le moins, et absolument impitoyable.

– On croirait la description de Moriarty, plaisantai-je.

– Oui, cela lui ressemble étonnamment, répondit-il avec le plus grand sérieux.

– Oh ! Holmes, vous ne voulez pas dire...

– Non, non, le récit de Watson était exact ; il est bien mort. Mais j'ai le sentiment que nous avons affaire à un second Moriarty. Il est temps que je reprenne contact avec le milieu criminel de cette belle ville, je crois. » Ses yeux brillaient à cette perspective, et mon cœur se serra.

« Aujourd'hui ? Est-ce que votre frère ne pourrait pas...

– Mycroft fréquente des milieux un peu plus élevés que ceux que j'ai en vue. Son domaine est celui de l'espionnage et des règlements de compte politiques. Les poseurs de bombes à la retraite et les gamins affamés des rues ne l'intéressent que modérément. Non, il faut que j'aille interroger certains amis.

– Je viens avec vous.

– Il n'en est pas question. Ne me regardez pas comme cela, Russell. Je ne cherche pas à protéger votre vertu, bien que les bas-fonds de Londres offrent certains spectacles qui pourraient offusquer même vos yeux. Ce travail doit être fait par un vieillard bien particulier, déjà connu pour fréquenter occasionnellement la lie de la société. Un compagnon susciterait des commentaires, et les langues se délieraient moins facilement.

– Mais votre dos ?

– Va très bien, merci.

– Qu'a dit Watson ? insistai-je.

– Qu'il cicatrisait plus vite que je le méritais », répondit-il d'un ton indiquant clairement que le sujet était clos. J'abandonnai.

« Vous souhaitez que je reste ici, aujourd'hui ?

– Ce ne sera pas nécessaire, pourvu que l'on ne vous suive pas. En fait, il vaut probablement mieux que vous ne soyez pas ici et qu'ils le sachent. Comment allons-nous... ah ! oui, fit-il d'un air satisfait. Oui, ce sera parfait. Où avons-nous caché cette boîte de maquillage la dernière fois, Mycroft ? »

Son frère soulagea le fauteuil de son poids et s'éloigna à pas feutrés, tandis que Holmes déclarait :

« Si je n'ai rien appris d'ici sept heures, il ne servira pas à grand-chose d'insister, et l'on donne un opéra italien à Covent Garden, ce soir. Si nous convenions de nous y retrouver à huit heures moins le quart ? Ensuite, selon la moisson du jour, nous pourrons décider de revenir ici ou de rentrer chez nous préparer Noël. » Je vis dans cette dernière déclaration une affectation d'insouciance plutôt qu'une possibilité véritable. L'année précédente, nous avions passé le jour de Noël à disséquer un bélier empoisonné. « Je peux compter sur vous pour prendre toutes les précautions nécessaires, je suppose : rester dans la foule, revenir sur vos pas de temps à autre, ce genre de choses ? Et vous aurez votre revolver à portée de la main ? » Je lui assurai que je ferais de mon mieux pour ne pas manquer notre rendez-vous, et il me donna des indications précises sur la façon de me débarrasser du déguisement que j'allais revêtir et de me rendre à Covent Garden.

Mycroft revint avec un gros sac de voyage, qu'il posa devant Holmes, l'air vaguement inquiet.

« Vous allez déjeuner avant de partir, n'est-ce pas, Sherlock ? Tu ne vas pas traîner Mlle Russell dans le froid sans lui permettre d'abord de manger. »

Quoiqu'il y eût à peine deux heures que l'on avait débarrassé le petit déjeuner, Holmes répondit à son frère d'un ton apaisant.

« Mais naturellement. Les préparatifs vont nous prendre une bonne heure. Commande à manger pendant que je me mets au travail.

– Mais avant, intervins-je. Le téléphone. » Je laissai Holmes parler à Mme Hudson. Ce fut une longue conversation, coupée une fois par le central et menacée en deux autres occasions, mais finalement elle accepta de rester quelques jours là où elle était, loin de la fermette et de l'hôpital. Ma propre conversation avec Veronica Beaconsfield fut courte et peu amicale. Il est en général plus difficile de mentir à des amis qu'à des inconnus ou des scélérats, et je ne pense pas qu'elle crût à mes excuses. Attristée, je revins dans le salon, où je trouvai la table mise et Holmes en train de se déguiser.

Il avait inventé sa profession, et elle lui allait comme un gant. Nous le regardâmes avec une admiration teintée d'effroi, tandis qu'avec un art mettant en jeu son amour du défi, son goût du théâtre, son attention aux détails et son intelligence vulpine, il transformait son visage maigre en celui de son frère. La ressemblance n'aurait pas soutenu un examen attentif mais, à quelques mètres, elle était remarquable. Il enleva ses fausses joues en mastic pour parler, et je me hâtai de finir mon déjeuner.

« Par chance, quoique inutilement, Watson a sacrifié sa moustache pour son propre déguisement, sinon il nous aurait fallu vous coller des cheveux sous le nez, Russell. Pourrais-tu aller chercher le pantalon et le manteau de notre ami, Mycroft ? Il nous faudrait aussi de quoi épaissir sa silhouette et beaucoup de sparadrap. » Il me gonfla les joues de mastic, ajouta des poils à mes sourcils, me rida le visage, puis m'observa d'un œil critique. « Évitez de trop grimacer. Maintenant, je vais déchirer quelques-unes de ces couvertures pendant que vous vous rapetissez avec ce sparadrap. Enlevez votre chemise, ajouta-t-il distraitement et d'un ton si neutre que j'avais commencé à lui obéir quand Mycroft se racla doucement la gorge derrière nous.

« Est-ce vraiment nécessaire, Holmes ? Elle pourrait peut-être mettre le sparadrap sur ses vêtements ?

– Quoi ? Ah... oui, sans doute, fit-il, l'air légèrement troublé. Venez ici, alors. »

Les bandelettes de couverture me donnèrent la silhouette de Watson ; son chapeau, son écharpe et ses gants ne laissèrent visible que mon visage maquillé ; et mes lunettes ressemblaient assez aux siennes pour être gardées : une grande chance.

Holmes se rembourra de la même manière, et nous ressemblâmes bientôt à deux momies égyptiennes obèses sorties de leur sommeil. Il enfila avec précaution les habits de son frère et mit la dernière main à son maquillage.

« Maintenant, revoyons notre plan... Ah ! Watson, vous arrivez juste à temps.

– Holmes ? C'est vous ? Où est mon pantalon ? Que faites-vous ? » Devant son air ensommeillé et perplexe, l'absurdité de la situation m'apparut soudain, et je me mis à rire. Holmes/Mycroft me jeta un regard désapprobateur, mais son frère m'imita, et bientôt même Holmes sourit.

« Nous préparons notre fuite, mon cher Watson. L'ennemi vous a suivi jusqu'ici, je le crains, ou surveillait déjà la maison. S'ils vous ont suivi, ils ne savent peut-être pas encore que j'ai quitté l'hôpital et supposent peut-être que seule Russell se trouve ici. Il y a trop de " si " et de " peut-être " dans cette histoire, mais nous n'y pouvons rien. Je vais partir immédiatement déguisé en Mycroft. Russell sortira dans vingt minutes en se faisant passer pour vous, Watson. Je tournerai à droite, car mon travestissement est le plus réaliste. Russell tournera à gauche, pour qu'ils ne la voient que de loin. Vingt minutes après son départ, vous sortirez tous les deux, ensemble, sans chapeau, et descendrez lentement la rue sur la droite. Vous serez armés, mais je pense qu'ils verront plus d'intérêt à nous rattraper qu'à commettre un double assassinat en plein jour. Restez avec Mycroft, Watson, et vous ne risquerez rien. Nous nous reverrons dès que possible. »

Il mit le chapeau de Mycroft, qui lui tomba sur les yeux. Ignorant superbement nos sourires, il en épaissit la doublure de plusieurs couches de sparadrap. « Huit heures moins le quart au théâtre, Russell. Vous savez ce que vous devez faire. Et soyez prudente, pour l'amour du ciel !

– Holmes ? dit Watson d'un ton très, très hésitant. Vous croyez que vous allez tenir le coup, mon vieux ? La douleur... Vous voulez quelque chose ? J'ai une bouteille de morphine dans ma trousse... » Il se tut, embarrassé. Holmes le regarda avec stupéfaction, puis éclata d'un rire irrépressible, qui menaça de faire craquer son maquillage.

« Après toutes ces années où... c'est vous qui me proposez de la morphine, à présent ! Vous avez le don de redonner leurs justes proportions aux choses, mon cher Watson. Jamais quand je suis sur une affaire, vous savez bien », ajouta-t-il en haussant un sourcil moqueur. Puis il glissa les bouts de mastic dans ses joues et s'en fut.

Quand il apparut dans la rue, un petit garçon dépenaillé quitta le mendiant aveugle et disparut. Ce fut bientôt à moi. Je remerciai Mycroft, lui serrai la main, puis, sur une impulsion, posai un baiser sur sa joue. Il devint écarlate. Watson m'étreignit avec une affection avunculaire, et je partis, la trousse noire à la main, contente de sentir le poids du revolver dans ma poche.

Dès que la porte d'entrée se referma derrière moi, je me sentis observée, et pas seulement par Watson et Mycroft Holmes, par des yeux hostiles aussi. Il me fallut faire un grand effort sur moi-même pour adopter la démarche lourde et claudicante de Watson au lieu de prendre mes jambes à mon coup, mais je cheminai lentement dans la neige fondue, comme un vieux médecin à la retraite rentrant chez lui. Suivant les instructions précises de Holmes, je hélai un fiacre, puis changeai d'avis. Me dirigeant vers Green Park, j'en hélai un second, que je renvoyai lui aussi, pour finalement monter dans un troisième, une rue plus loin. D'une voix bourrue, je donnai au cocher l'adresse de Watson mais, quand nous eûmes tourné le coin de Park Lane, je lui en indiquai une autre. Parvenue au bâtiment convenu, je payai généreusement le cocher, entrai, laissai ma trousse (vide) au vestiaire, montai au troisième étage – en vérifiant que personne ne me suivait –, traversai le salon de thé occupant cet étage et, après un couloir et une autre volée de marches, m'arrêtai enfin devant une porte marquée *Réserve.* J'ouvris avec la clé que m'avait donnée Holmes, allumai, crachai l'abominable mastic qui remplissait mes joues, m'appuyai contre la porte et me laissai aller à une petite crise de nerfs.

Elle finit par s'apaiser, et ma curiosité prit alors le dessus. La Réserve était un des refuges de Holmes, une de ces cachettes presque inaccessibles qu'il avait dans les lieux les plus improbables de Londres, de Whitechapel à Whitehall. Watson les avait mentionnées dans plusieurs de ses récits, et Holmes m'en avait parlé de temps à autre, mais je n'en avais encore jamais vu aucune.

C'était une pièce sans fenêtre, mal aérée, d'une forme bizarre, contenant le minimum vital mais tout ce qu'il fallait pour changer d'identité. Trois portemanteaux de métal bourrés de vêtements occupaient un quart de l'espace ; une énorme coiffeuse, couverte de pots, de tubes, de crayons et surmontée d'une immense glace éclairée par de petites ampoules électriques, en occupait un autre quart. La cuisine consistait en un lavabo taché, un chauffe-eau minuscule, une plaque chauffante au gaz et deux casseroles. Il y avait aussi un fauteuil chippendale taché de peinture, un grand sofa qui semblait avoir été ramassé sous un pont et prenait plus que son quart de la pièce et, dans la « cuisine », un paravent chinois criard. Derrière, comme on pouvait s'y attendre, se trouvait un W.-C., neuf, étincelant et remarquablement silencieux.

Tout en fouinant, je commençai à me débarrasser de mon déguisement. Le ruban adhésif collé sur ma chemise par Holmes pour modifier ma carrure l'avait rendue irrécupérable, mais après avoir fouillé dans les portemanteaux (où je trouvai un habit, une culotte de golf de tweed, une chasuble de lin, la tunique et le pantalon de brocart d'un maharaja ainsi qu'une éblouissante robe du soir écarlate), je dénichai une robe de chambre confortable et jetai ma chemise à la poubelle.

Dans la cuisine, il y avait du thé, une théière et du lait. Je me préparai donc du thé, remplis une tasse (porcelaine superbe, pas de soucoupe) et tandis que je le sirotais, assise devant la coiffeuse, je fus soudain frappée par le côté extraordinaire de la pièce. Quelle sorte d'homme, en effet, remplirait un tiroir de moustaches et de barbes ? Ou collectionnerait les perruques - une tignasse rousse, un postiche noir brillantiné, des boucles blondes, disposés sur des supports comme une rangée de têtes au bout de piques ? Holmes pouvait-il vraiment envisager de porter cette robe du soir, même si elle était à col haut ? Ou ce... était-ce un sari ? Combien d'hommes normaux avaient des rubans à cheveux dans leur commode, des sous-vêtements féminins rembourrés, trois paires de faux cils, deux dizaines de cravates aux couleurs de clubs et d'anciennes écoles, une boîte à cigares macabre remplie de fausses dents ? Et comment s'y prenait-il ? Comment avait-il monté ce sofa jusqu'ici sans susciter de commentaires... et la glace ? Le bâtiment était important, certes, et il y avait du mouvement, mais était-il possible que l'on ne remarquât jamais des bruits suspects dans cette pièce prétendument inoccupée, ni les allées et venues de personnages étranges - plus qu'étranges, parfois ? Que faisait Holmes si, alors qu'il était déguisé en un personnage peu recommandable, on l'accostait en lui demandant d'expliquer sa présence ? Des scènes burlesques et des sketches dignes de théâtres de dernière catégorie me passèrent par l'esprit. Et qui avait installé le lavabo et les W.-C. ? me demandai-je encore. Qui payait le gaz et l'électricité ?

Plus j'y réfléchissais, plus ma curiosité grandissait.

Quelle sorte d'être humain avait besoin d'un refuge où il pût soutenir un siège ? Car les boîtes de conserve, les deux couvertures de voyage jetées sur le sofa, trois boîtes de tabac pour pipe, une livre de café et le stock de lecture – revues médicales, livres philosophiques, romans à la couverture criarde et journaux fragiles assez vieux pour mériter le nom d'antiquités... tout indiquait que la pièce pouvait servir à des séjours prolongés.

Non, il n'y avait pas de doute : soit mon ami et mentor était fou à lier, prêt à toutes les difficultés et les dépenses pour satisfaire un fantasme paranoïaque bizarre et romantique ; soit la vie de mon voisin apiculteur était extraordinairement plus exigeante, voire dangereuse, que je m'en étais rendu compte jusque-là.

Je ne sais pourquoi, je ne pouvais le croire fou.

La chambre avait manifestement été occupée peu de temps auparavant : les feuilles de thé étaient relativement fraîches ; la poussière n'avait pas eu le temps de se déposer sur le bureau ou la théière, et l'air sentait légèrement le tabac. Je secouai la tête. Même moi n'avais pas soupçonné à quel point Holmes restait encore actif.

Je me demandai – et ce n'était ni la première, ni la dernière fois de la journée – où il était et ce qu'il faisait en cet instant.

Ce qui m'amena à me demander ce que, moi, j'allais faire. Je pouvais certes rester là jusqu'à l'heure du rendez-vous et, face à des engins explosifs et à des meurtriers aussi souples qu'imaginatifs, le thé, les boîtes de haricots et les romans à sensation du refuge (sans parler du revolver que j'avais apporté et de celui que j'avais trouvé dans la bouilloire) paraissaient aussi tentants que raisonnables.

Mais Holmes rôdait dans les rues, Watson et Mycroft cherchaient un abri sûr, et demeurer bien au chaud dans ce terrier me semblait déloyal, lâche même. Illogique mais c'était ainsi. Je ne pouvais peut-être rien faire d'utile, mais ma dignité exigeait de ne pas me laisser entièrement intimider par cet ennemi inconnu. Naturellement, si j'avais su à quel point il était souple et imaginatif, je serais probablement restée cachée, mais les choses étant ce qu'elles étaient, je décidai bravement d'aller voir si je pouvais diminuer le nombre de gros billets de banque qui se trouvaient dans mon sac à main, au-dessus du revolver, et j'entrepris de rassembler la tenue appropriée.

Au bout de quatre ans de guerre, les critères d'élégance s'étaient nettement relâchés et même les couches supérieures de la société portaient parfois des vêtements qui, avant 1914, auraient été donnés à la femme de chambre ou à la vente de charité de l'église voisine. Il me fallut néanmoins un certain temps pour dénicher de quoi m'habiller dans la garde-robe de Holmes. Je finis par découvrir une jupe en tweed à peu près de la longueur en vogue et un chemisier n'ayant pas l'air d'avoir appartenu à la femme du boucher. Les bas et les jarretelles ne posèrent pas de difficulté, mais je faillis renoncer aux chaussures. Holmes avait des pieds plus grands que les miens, et son choix de chaussures féminines était assez limité. Je contemplai une paire de sandales de satin écarlate en tâchant d'imaginer Holmes perché sur ses talons de dix centimètres. Je n'y parvins pas. (Mais si elles n'étaient pas à Holmes, à qui d'autre ? Je les reposai avec brusquerie, choquée de mes pensées. Concentre-toi sur ce que tu fais, Russell, tu veux !) J'essayai des chaussures noires démodées à talons moyens, et constatai que je pouvais au moins marcher avec.

J'allumai la rangée d'ampoules et m'assis devant la coiffeuse (combien de jeunes femmes avaient appris les subtilités du maquillage d'un homme ? songeai-je fugitivement). Puis je complétai ma tenue par un rang de perles (vraies), de petites boucles d'oreilles (fausses), m'enveloppai la tête d'un morceau d'étoffe (qui, à en juger par sa forme, avait un jour servi de doublure à un manteau) et examinai l'ensemble dans la glace.

Étonnant. Rien ne m'allait, rien n'était assorti, mes pieds me faisaient déjà mal, et pourtant on me prendrait aisément pour une jeune personne de sortie en ville. J'assombris la monture de mes lunettes avec un étrange vernis à ongles laqué et décidai à regret qu'il me faudrait m'en passer la majeure partie de la journée, comme n'importe quelle autre jeune myope coquette. Je ramassai les vêtements de Watson, éteignis les lumières, pris une profonde inspiration et, la main dans mon sac, ouvris la porte.

Aucune bombe n'explosa, aucune balle ne siffla, personne ne m'empoigna. Je fermai la porte et allai dépenser l'argent que j'avais emprunté si éhontément aux frères Holmes.

Un autre problème : le fiacre endommagé

...un fait est toujours prêt à surgir du sein d'une vague subitement plus transparente, qui détruit en un instant tout ce que l'on croyait savoir...

Ma première tâche consistait à tenter de réunir Watson et son pantalon, mais en retraversant le salon de thé, puis les différents niveaux du magasin, il m'apparut que le refuge de Holmes était idéalement situé et que je pouvais facilement attendre l'heure du rendez-vous sans mettre un pied dans la rue. J'étais en effet dans l'un des deux magasins de Londres (je ne dirai pas lequel, car la Réserve sert peut-être encore) se vantant de pourvoir à tous les besoins, depuis le berceau jusqu'à la tombe, et il pourrait certainement m'offrir protection, nourriture et distractions pour la journée.

Ragaillardie par cette pensée, j'allai au vestiaire, déposai les vêtements de Watson dans sa trousse, postai le reçu à Mycroft et m'attelai à la tâche peu familière mais étonnamment agréable de dépenser de l'argent. En fin d'après-midi, ayant depuis longtemps abandonné ma tenue d'emprunt dans une poubelle, les cheveux sculptés, les ongles polis et vernis, les jambes gainées de bas de soie à ma taille, et les pieds chaussés de chaussures à talons qui ne pinçaient pas, je décidai que, tout bien considéré, se dorloter de temps à autre avait ses bons côtés.

Je pris un thé léger sans me presser, rassemblai mes multiples paquets (que j'avais refusé de faire livrer, bien qu'on me l'eût proposé) et fus escortée jusqu'à la porte. Là, un problème se présenta. Holmes avait insisté pour que je suive la même procédure qu'au matin, mais en ne prenant cette fois que le quatrième fiacre. Or, j'avais devant moi le portier en uniforme et le premier fiacre. Je mis mes lunettes, donnai au portier un énorme pourboire et secouai la tête.

Quinze minutes plus tard, le troisième fiacre arriva. Il commençait à faire très sombre et, à cette heure-là, les voitures libres étaient rares. Celle-là avait l'air confortable et chaude, ce qui n'était pas le cas de ma toilette de soirée. C'était tentant ! Je jetai un coup d'œil au cocher blasé, reculai et lui fis signe de passer son chemin. Il eut l'air extrêmement irrité, ce qui était aussi mon cas. Je regardais le bout de la rue sans grand espoir, en ignorant soigneusement le portier, quand s'arrêta devant moi un véhicule très vieux et très fatigué tiré par un cheval très vieux et très fatigué.

« Un fiacre, mademoiselle ? »

Je maudis Holmes à voix basse. Comparé aux autres, il avait l'air glacial, mais c'était un fiacre, ou du moins c'en avait été un trente ans plus tôt. J'indiquai ma destination au cocher, fis empiler mes achats à l'intérieur et montai. Le portier me regarda comme si j'étais folle. Et je l'étais... de rage.

Je connaissais peu Londres à cette époque, bien que j'eusse étudié quelques cartes ; il me fallut donc un certain temps pour me rendre compte que nous allions dans la mauvaise direction. Ou, plus exactement, que nous faisions un grand détour. Ma première idée fut que le cocher cherchait à m'escroquer. J'avais ouvert la bouche pour l'interpeller lorsque je me figeai, terrifiée. Et si l'on m'avait suivie ? Si ce cocher était un allié du vendeur de crayons aveugle ? Ma peur céda bientôt pour faire place à la fureur. Je baissai ce qui restait de la fenêtre et me tordis le cou pour le voir.

« Holà ! cocher. Où m'emmenez-vous ? Ce n'est pas le chemin de Covent Garden.

– Si, mademoiselle, on évite les encombrements, mademoiselle, c'est plus rapide, dit-il d'un ton obséquieux.

– Écoutez ! J'ai un revolver, et je vais m'en servir si vous ne vous arrêtez pas immédiatement.

– Voyons, mademoiselle, vous pouvez pas faire une chose pareille, pleurnicha-t-il.

– L'envie m'en démange de plus en plus. Arrêtez ce fiacre tout de suite !

– Mais je ne peux pas, mademoiselle, vraiment pas.

– Pourquoi ? »

Il pencha sa tête hirsute vers moi, et je le regardai fixement. « Parce que, si je le fais, nous manquerons le lever de rideau, dit Holmes.

– Vous ! grognai-je. Espèce d'infâme... ! » Le revolver tremblait dans ma main et, s'en apercevant, Holmes retira vivement sa tête. « C'est la deuxième fois en trois jours que vous me jouez un de vos tours à la noix ! » Je surpris le regard stupéfait d'un passant et baissai la voix. « Si vous recommencez et que j'aie un revolver à la main, je ne réponds pas de moi, vous m'entendez ? Aussi vrai que ma mère s'appelle Mary McCarthy, je ne réponds pas de moi ! »

Je me rejetai en arrière et repris mon souffle. Quelques minutes plus tard, j'entendis une voix fluette déclarer :

« Oui, mademoiselle. »

À quelque distance du théâtre, il arrêta l'antique fiacre dans un endroit sombre, en lisière d'un des innombrables petits parcs de Londres. La voiture pencha de côté quand il descendit, puis la porte s'ouvrit.

« Votre mère ne s'appelait pas Mary McCarty, dit-il d'un ton accusateur.

– Non, elle s'appelait Judith Klein. Mais ne me faites plus peur, s'il vous plaît. Je me promène, effrayée et à demi aveugle, depuis que j'ai quitté l'appartement de votre frère, et je suis fatiguée.

– Mes excuses, Russell. Mon sens tordu de l'humour m'a déjà causé des ennuis. La paix ?

– La paix. » Nous nous serrâmes la main, et il monta dans le fiacre. « Cette fois, c'est à vous de vous retourner, Russell. Je ne peux décemment pas entrer à Covent Garden habillé en cocher. » Je descendis précipitamment par l'autre porte.

Il me rejoignit bientôt avec chapeau et manteau, en habit, les cheveux peignés et la moustache fausse. Un homme de petite taille s'avança vers nous en sifflotant doucement.

« Bonsoir, Billy.

– Bonsieur, monsieur... euh, bonsoir.

– Ne vous rompez pas le cou sur les paquets qui encombrent la voiture, Billy. Et il y a un plaid sous le siège, si vous en avez besoin. Ouvrez l'œil, surtout.

– Comptez sur moi, monsieur. Passez une bonne soirée. »

J'étais si préoccupée que je ne remarquai pas aussitôt que Holmes me prenait le bras.

« Comment diable avez-vous fait pour me trouver, Holmes ?

– Ce n'était pas tout à fait une coïncidence, je l'avoue. J'ai pensé qu'il n'était pas exclu de vous voir céder aux charmes de l'endroit et y passer la journée. Et, lorsque j'ai interrogé le portier et l'employé à qui vous avez laissé la trousse de Watson, il y a une heure, ils m'ont juré que vous n'étiez pas sortie. Par parenthèse, c'était une erreur, Russell. Vous auriez dû abandonner le pantalon.

– C'est ce que je vois. Navrée. Avez-vous trouvé quelque chose ?

– Absolument rien. Pas le début du commencement d'une rumeur concernant quelqu'un qui en voudrait à cette vieille fripouille de Sherlock Holmes. Je dois perdre la main.

– Il n'y avait peut-être rien ?

– Peut-être. C'est un problème très piquant, je dois le reconnaître. Je suis intrigué.

– Et moi, j'ai froid. Qu'allons-nous faire, à présent ?

– Écouter les voix des hommes et des anges, mon enfant, mises en musique par Verdi et Puccini.

– Et après ?

– Après, nous dînerons.

– Et ensuite ?

– Je crains qu'il ne nous faille retourner en catimini chez mon frère et nous cacher derrière ses rideaux.

– Ah ! Et comment va votre dos ?

– Oubliez mon maudit dos, vous voulez bien ? S'il vous faut tout savoir, je l'ai encore donné à réviser cet après-midi à un chirurgien à la retraite reconverti dans les opérations illégales et le raccommodage des blesssures par balles. Il n'a quasiment rien trouvé à faire, m'a renvoyé, et je juge le sujet assommant. »

Je fus ravie de voir que son humeur s'était améliorée.

La soirée fut un intermède charmant, scintillant, enchâssé dans les événements qui précédèrent et ceux qui suivirent comme un bijou dans la boue. Je m'endormis à deux reprises en allant appuyer mon chapeau contre l'oreille de Holmes, mais il ne sembla pas le remarquer. À vrai dire, il était si captivé par la musique que je pense qu'il en oubliait ma présence, l'endroit et même, parfois, de respirer. Je n'ai jamais été une grande admiratrice des voix d'opéra mais, ce soir-là – je ne peux vous dire ce que nous vîmes, malheureusement – même moi commençai à en percevoir l'intérêt. (Entre parenthèses, j'estime que je dois ici contredire le biographe de Holmes et affirmer avec force que je n'ai jamais, au grand jamais, vu Holmes « battre doucement la mesure de la main », comme l'a écrit Watson. Ce bon docteur, en revanche, avait coutume de se livrer énergiquement à cette activité des ignares musicaux, particulièrement quand il était gris.)

Nous bûmes du champagne à l'entracte et nous installâmes dans un coin tranquille pour ne pas être reconnus. Holmes pouvait être charmant quand il le voulait mais, ce soir-là, il fut positivement étincelant et, pendant le dîner, après m'avoir régalée d'anecdotes sur les principaux chanteurs, il me raconta ses conversations avec les lamas du Tibet, me parla de ses récentes monographies sur les différentes variétés de rouges à lèvres et les particularités des marques de pneus modernes, des changements occasionnés dans le monde de la musique par la disparition des castrats, et analysa certaines modifications de rythme dans une des arias que nous venions d'entendre. J'étais éblouie par ce Holmes que je voyais rarement, un bon vivant distingué, raffiné et insouciant (qui pouvait également passer des heures à broyer du noir, écrire des ouvrages précis sur l'art du détective et marquer de peinture le dos des abeilles pour les suivre à travers les Downs.)

« Holmes, dis-je lorsque nous sortîmes, je sais que la question peut paraître un peu bizarre, mais avez-vous l'impression d'être plus à l'aise avec certaines parties de vous-même ? Je ne vous le demande que par curiosité ; vous n'êtes pas obligé de répondre.

« "Qui suis-je", hein ? » Il sourit et me fit une réponse très indirecte à première vue. « Savez-vous ce qu'est une fugue ?

– Vous changez de sujet ?

– Non. »

Il me fallut réfléchir un certain temps avant de comprendre ce qu'il voulait dire. « Je vois. Deux parties d'une fugue peuvent sembler n'avoir aucun rapport entre elles ; ce n'est que lorsque l'auditeur l'a écoutée jusqu'au bout que la logique interne de la musique le fait apparaître.

– Parler avec vous est très stimulant, Russell. Cette discussion aurait pu prendre vingt longues minutes avec Watson. Tiens, que se passe-t-il ? » Il me tira dans l'ombre du bâtiment dont nous venions de tourner le coin. À l'endroit où nous avions laissé le fiacre et Billy, éclairés par la lueur vacillante de lampes à pétrole, de nombreuses silhouettes portant casques et pèlerines s'affairaient. Des voix sonores s'interpellaient, et nous vîmes une ambulance s'éloigner à vive allure. Holmes s'appuya contre le mur, assommé. « Billy ? murmura-t-il d'une voix rauque. Comment ont-ils pu retrouver notre piste ? Est-ce que je baisse, Russell ? Je n'ai encore jamais rencontré de cerveau capable de cela. Pas même Moriarty. » Il secoua la tête comme pour s'éclaircir les idées. « Il faut que j'examine les lieux avant que ces balourds n'effacent tout indice.

– Attendez, Holmes, cela pourrait être un piège. Quelqu'un nous guette peut-être, armé d'un fusil.

– Nous avons fait d'excellentes cibles à plusieurs reprises, ce soir. Avec tous ces policiers, notre homme prendrait vraiment un grand risque. Non, allons-y. Espérons seulement que l'officier de service aura un peu de bon sens. »

Je le suivis de mon mieux sur mes hauts talons et, en le rejoignant, vis un petit homme nerveux d'environ trente-cinq ans lui tendre la main.

« Monsieur Holmes ! Content de vous voir. Je pensais bien que vous aviez un rapport avec tout cela.

– Qu'est-ce que vous entendez exactement par “tout cela”, inspecteur ?

– Eh bien, comme vous voyez, le fiacre... Vous désirez, mademoiselle ?

– Ah ! Russell. Permettez-moi de vous présenter un

vieil ami à moi, l'inspecteur Lestrade de Scotland Yard. J'ai travaillé avec son père dans un certain nombre d'affaires. Lestrade, Mlle Mary Russell est mon... » Un sourire fugitif passa sur les lèvres. « Mon associée. »

Lestrade nous dévisagea un instant, puis, à ma consternation, éclata d'un rire rauque.

« Oh ! monsieur Holmes, toujours farceur ! J'avais oublié vos petites plaisanteries. »

Holmes se redressa de toute sa taille et écrasa l'inspecteur d'un regard glacial.

« M'avez-vous jamais entendu plaisanter sur le sujet de ma profession, Lestrade ? » Ses paroles claquèrent comme un coup de feu, et Lestrade perdit instantanément son sourire. Il me jeta un rapide regard et se racla la gorge.

« Ah ! bien... je suppose que vous souhaitez voir ce qui reste de votre fiacre, monsieur Holmes. Un de mes agents a reconnu Billy et pensé à me téléphoner. Cela lui vaudra de l'avancement, à n'en pas douter. Et ne vous faites pas de souci pour votre homme... il sera sur pied d'ici un jour ou deux, je crois. Un gros coup sur la tête, apparemment, suivi d'un peu de chloroforme. Il reprenait déjà connaissance quand on l'a emmené.

– Merci, inspecteur. Vous avez déjà examiné le fiacre ? demanda-t-il sans grand espoir.

– Non, non, nous n'y avons pas touché. On a regardé à l'intérieur, c'est tout. Je vous ai dit que mon homme aurait de l'avancement. Il a l'esprit vif. » Je remarquai un agent en uniforme, qui tripotait inutilement les rênes du cheval, la tête légèrement penchée de notre côté. Je poussai Holmes du coude et m'adressai à Lestrade.

« Voilà sans doute la personne dont vous parlez, inspecteur ? » L'homme sursauta et s'éloigna d'un air coupable. Lestrade et Holmes suivirent la direction de mon regard.

« En effet, comment l'avez-vous deviné ?

– Vous vous apercevrez vite que Mlle Russell ne devine

jamais, Lestrade, intervint Holmes. Il peut lui arriver d'émettre des hypothèses provisoires, mais elle ne devine pas.

– Je suis heureuse que cet agent cherche à retrouver ses anciennes responsabilités, ajoutai-je. Un homme de son expérience est un modèle précieux pour les jeunes membres de la police. » J'avais l'entière attention de Lestrade, à présent.

« Vous le connaissez donc, mademoiselle ?

– Je ne l'ai jamais vu avant ce soir. » Holmes regardait le fiacre, le visage impénétrable.

« Alors, comment... ?

– C'est assez évident. Lorsqu'un homme d'un certain âge est encore au bas de la hiérarchie, c'est soit parce que ses capacités mentales sont, disons, limitées – ce qui, selon vous, n'est pas le cas –, soit parce qu'il a été rétrogradé. Il ne peut avoir redescendu l'échelle à cause d'un acte criminel, sinon il ne porterait plus l'uniforme. La faiblesse qui lui a été reprochée peut être aisément déduite des vaisseaux éclatés de son visage, et les lignes profondes autour de sa bouche indiquent une souffrance ou un chagrin récent. Étant donné qu'il ne semble pas physiquement diminué, je pencherai pour la seconde hypothèse, qui expliquerait l'abus de boisson, celui-ci expliquant à son tour la rétrogradation. Néanmoins, sa compétence et le fait que vous ayez mentionné la possibilité d'une promotion m'indiquent qu'il a surmonté cette crise et servira désormais d'exemple aux hommes qui l'entourent. » J'adressai mon sourire le plus innocent à Lestrade qui me regardait, bouche bée. « Tout ce qu'il y a de plus élémentaire, inspecteur. »

Le petit homme éclata de nouveau de rire. « Oui, je vois ce que vous voulez dire, monsieur Holmes. Je ne sais pas comment vous vous y êtes pris, mais on aurait cru vous entendre. Vous avez parfaitement raison, mademoiselle.

Sa femme et sa fille ont été tuées il y a quatre ans, et il s'est mis à boire, même pendant le service. Nous l'avons mis dans les bureaux pour qu'il ne nuise à personne et, il y a un an, il s'est ressaisi. Je pense qu'il retrouvera vite son ancien grade. Venez, je vais vous chercher une lampe pour que vous puissiez examiner la voiture.

– Un peu trop théâtral sur la fin, vous ne croyez pas, Russell ? murmura Holmes.

– Un bon apprenti apprend tout de son maître, monsieur, répondis-je avec modestie.

– Eh bien, allons voir ce que l'on peut apprendre de ce vieux fiacre. J'aimerais beaucoup en savoir plus sur la personne qui nous harcèle et s'en prend continuellement à mes amis. Espérons que nous découvrirons enfin une piste.

– Voici l'endroit où nous avons trouvé Billy, dit Lestrade. Nous avons essayé de ne pas trop piétiner le sol, mais il nous fallait l'emmener. Il était couché sur le côté sur ce vieux costume et enveloppé dans une couverture.

– Quoi ? » Le costume était la tenue de cocher de Holmes ; la couverture, celle du fiacre.

« Oui, bien bordé qu'il était, et il dormait comme un bébé. »

Tendant son chapeau, son manteau et sa canne à Lestrade, Holmes prit une petite loupe puissante dans sa poche. Puis il se mit à quatre pattes, comme un grand lévrier efflanqué cherchant une piste. Finalement, il poussa une exclamation étouffée et sortit une enveloppe d'une autre poche. Grattant délicatement diverses taches minuscules sur les pavés, il s'assit sur ses talons, l'air triomphant.

« Qu'en pensez-vous, Russell ? » demanda-t-il.

Je me penchai sur les empreintes qu'il me désignait. « Deux paires de chaussures ? L'une a marché dans la boue, aujourd'hui, et l'autre... est-ce de l'huile ?

– Oui, Russell, mais il doit y en avoir une troisième quelque part. Près de la porte du fiacre ? Non ? Peut-être à l'intérieur, alors. Je suppose que vos hommes vont relever les empreintes digitales dans cette voiture ? ajouta-t-il à l'intention de Lestrade.

– Oui, monsieur. J'ai envoyé chercher un expert ; il devrait arriver bientôt. Un nouveau, mais il a l'air capable. Il s'appelle MacReedy.

– Oui, Ronald MacReedy. Intéressant son article comparant les volutes aux traits de caractère des récidivistes, non ?

– Je... euh... je ne l'ai pas lu, monsieur Holmes.

– Dommage. Mais il n'est jamais trop tard. Russell ? Ce sont vos affaires, je suppose ? »

Je regardai par-dessus son épaule. Il ne restait de mes habits ravissants et excessivement coûteux que la robe et le manteau que j'avais sur le dos et d'innombrables lambeaux d'étoffes colorées. Des petits bouts de laine bleue, de soie verte et de lin blanc jonchaient l'intérieur du fiacre, mêlés à des morceaux de carton, de ficelle et de papier. Le cuir de la banquette avait été méthodiquement lacéré, exception faite d'un espace d'environ trente centimètres à une extrémité, et le crin du rembourrage s'en était échappé.

Holmes se mit au travail, éclairé par Lestrade. Il remplit des enveloppes, prit des notes, posa des questions. Puis le spécialiste des empreintes le rejoignit. Un brasero avait fait son apparition, et les agents en uniforme s'y réchauffaient les mains. Il était très tard et, sans être glacial, le froid était pénétrant. Des grognements commençaient à se faire entendre, et l'on jetait des regards impatients dans notre direction. Comme il n'y avait pas de place pour moi dans le fiacre, j'allai rejoindre les policiers près du feu.

Je souris à mon imposant voisin. « Je voulais vous dire

combien j'étais heureuse de votre présence. Quelqu'un semble en vouloir énormément à M. Holmes, et il est... euh... moins rapide physiquement qu'autrefois. C'est rassurant de savoir que certains des meilleurs éléments de la police sont ici. Particulièrement vous, monsieur... ? » Je me penchai vers le vieil agent, l'air interrogateur.

« Fowler, mademoiselle. Tom Fowler.

– Particulièrement vous, monsieur Fowler. La rapidité avec laquelle vous avez agi a impressionné M. Holmes. » Je souris à la ronde. « Merci à vous tous pour votre vigilance et votre sens du devoir. »

Je retournai près du fiacre et, si les regards furent nombreux, ils scrutèrent désormais l'obscurité, et il n'y eut plus de grognements. Lorsque Lestrade dut s'absenter un moment, j'éclairai Holmes à sa place.

« Alors, comme cela, vous trouvez que je deviens lent, dit-il d'un air amusé.

– Pas intellectuellement. J'ai dit cela pour encourager les troupes, dont l'attention se relâchait à force d'inaction. J'ai exagéré, peut-être, mais maintenant ils seront sur leurs gardes.

– Je ne pense pas que l'on nous attaquera, je vous l'ai dit.

– Et je commence à soupçonner que votre adversaire vous connaît assez bien pour tenir compte de votre façon de raisonner.

– En dépit de ma lenteur, Russell, c'était une idée qui m'était venue à l'esprit. À votre tour, à présent. Je voudrais que vous examiniez le fiacre et me disiez s'il s'y trouve quoi que ce soit qui ne vous appartienne pas. Comme cela va prendre un certain temps, je vais charger ce jeune agent de vous aider et en envoyer un autre nous chercher quelque chose de chaud à boire. Puis j'explorerai les alentours.

– Faites-vous accompagner, Holmes, je vous en prie.

– Après votre numéro, ils vont se bousculer pour protéger ma vieille carcasse sénile. »

Quand j'eus fini de passer au crible le contenu du fiacre, assistée de l'agent Mitchell, papiers et bouts d'étoffe s'entassaient à l'extérieur, et j'avais à la main trois minces enveloppes. Nous étirâmes notre dos courbatu et bûmes des gobelets de thé délicieusement chaud jusqu'au retour de Holmes et de ses gardes du corps empressés.

« Merci, messieurs, vous avez été très consciencieux. Vous pouvez aller boire votre thé. Allez, mon brave, dit-il en administrant à l'agent le plus persévérant une tape dans le dos qui le propulsa vers la table à thé. Qu'avez-vous trouvé, Russell ?

– Un bouton cousu sur un bout de tweed marron, détaché récemment de son vêtement par un instrument tranchant. Une autre tache d'argile brun clair. Et un cheveu blond beaucoup plus court que les miens. Sans parler d'une grande quantité de poussière et de saletés prouvant que ce fiacre n'a pas été nettoyé depuis longtemps.

– Il n'a pas non plus été utilisé depuis longtemps, Russell, de sorte que vos trois découvertes sont indéniablement dignes d'attention.

– Et vous, Holmes ?

– Quelques pistes intéressantes, mais je ne peux rien en dire avant d'avoir fumé une pipe, ou même deux.

– Allons-nous rester ici encore longtemps ?

– Une heure, peut-être. Pourquoi ?

– J'ai bu du champagne, du café, puis du thé. Je ne tiendrai pas une heure sans prendre les mesures qui s'imposent. » J'étais résolue à affronter le problème sans embarras.

« Bien sûr. » Il regarda autour de lui et remarqua l'absence manifeste d'éléments féminins. « Demandez à cet agent – Fowler – de vous montrer... les commodités... du parc. Prenez une lampe. »

Avec dignité, j'appelai l'agent en question, lui expliquai sa mission, et il me précéda sur les allées de gravier du parc. Nous parlâmes illogiquement d'enfants et d'espaces verts, et il m'attendit à la porte du petit bâtiment. Peu après, je posai la lampe au-dessus du lavabo pour me laver les mains. J'allai ouvrir le robinet, quand je vis qu'il était taché d'argile brun clair. Incapable d'en croire mes yeux, j'approchai la lampe.

« Monsieur Fowler ! appelai-je.

– Mademoiselle ?

– Allez chercher Sherlock Holmes.

– Quelque chose ne va pas, mademoiselle ?

– Non, tout va bien pour changer. Allez juste le chercher.

– Mais je ne devrais pas...

– Je ne cours aucun risque. Allez-y ! »

Après un instant d'hésitation, il s'éloigna rapidement dans l'obscurité. Je l'entendis appeler Holmes d'une voix forte, des cris lui répondirent, puis plusieurs hommes revinrent en courant. Holmes passa une tête hésitante par la porte des toilettes pour dames.

« Russell ?

– Se pourrait-il que l'homme que nous cherchons fût une femme ? »

Fuite

Elle nous échappe de toutes parts,
elle méconnaît la plupart de nos règles,
et brise toutes nos mesures.

« C'est précisément la question sur laquelle je me proposais de réfléchir en fumant ma pipe, Russell. Vous me sauvez également du pire crime qu'un détective puisse commettre : ne pas voir l'évidence. Montrez-moi ce que vous avez trouvé. » Ses yeux étincelaient à la lueur de la lampe. On alla en chercher d'autres, et le petit bâtiment de pierre fut bientôt illuminé. Consulté, Fowler confirma qu'il avait été nettoyé vers huit heures du soir. Debout près de Lestrade, je regardai Holmes travailler, examiner chaque indice avec attention en marmonnant continuellement et en jetant de temps à autre un ordre bref.

« Des bottes encore, les petites, talons carrés, usées. Une cycliste, apparemment. Avez-vous fait isoler les toilettes pour hommes et la rue de l'autre côté, Lestrade ? Bien. Elle est allée là, s'est arrêtée. Ah ! un autre cheveu blond ; oui, trop long pour un homme de notre époque, je pense, et très raide. Marquez ces enveloppes, voulez-vous, Russell ? De la boue sur ses mains, des traces dans l'évier, oui, et sur le robinet. Mais pas d'empreintes digitales sur la boue. Des gants ? » Holmes se regarda distraitement dans la glace en sifflant doucement entre ses dents. « Pourquoi avait-elle de la boue sur ses gants et les a-t-elle lavés ? Question embarrassante. Une autre lampe par ici,

Lestrade, et demandez au photographe de prendre une nouvelle série de photos du fiacre lorsque MacReedy en aura terminé, voulez-vous ? Oui, droitière, comme je le pensais. S'est lavé les mains ou plutôt les gants, et est ressortie. Bon Dieu, ne marchez pas sur les empreintes, mon vieux ! Vers la rue, ensuite ?... non ? Elle est revenue sur le sentier, ici, et ici. » Il se redressa, grimaça, fronça les sourcils, le regard dans le vide. « Mais ça n'a pas de sens, à moins que... Lestrade, je vais avoir besoin de votre laboratoire, cette nuit, et je veux que vous interdisiez l'accès du parc entier. Personne, personne vous m'entendez, ne doit y mettre les pieds avant que je l'aie vu de jour. Pleuvra-t-il cette nuit, Russell ?

– Je ne connais pas Londres, mais je n'en ai pas l'impression. Il fait en tout cas trop chaud pour qu'il neige.

– Oui, je pense que nous avons une chance. Venez, Russell, nous avons beaucoup à faire avant le matin. »

En vérité, ce fut Holmes qui eut beaucoup à faire, car il n'y avait qu'un microscope et il refusait de dire ce qu'il cherchait. J'étiquetai quelques porte-objets, les paupières lourdes en dépit d'un café fort, puis, sans transition, ce fut le matin, Holmes tapotait le tuyau de sa pipe contre ses dents, et j'étais quasiment paralysée pour avoir dormi quelques heures la tête sur le bureau. Mon dos craqua bruyamment lorsque je me redressai, et Holmes se retourna.

« Ah ! Russell, dit-il d'un ton léger. Vous devriez perdre l'habitude de vous endormir dans les fauteuils. Je doute que votre tante approuverait, et Mme Hudson encore moins. »

Je me frottai les yeux et regardai avec amertume sa personne toujours soignée. « À en juger par votre écœurante bonne humeur, notre petite récréation d'hier soir vous a apporté quelques satisfactions ?

– Au contraire, Russell, au contraire. Des soupçons

vagues me traversent l'esprit, et pas un seul d'entre eux ne me plaît. » Son attitude était devenue distante, et il contemplait sans les voir les lamelles qui jonchaient la table. Puis ses yeux gris acier se posèrent sur moi, et un sourire détendit son visage. « Je vous raconterai tout sur le chemin du parc.

– Oh ! Holmes, soyez raisonnable. Vous êtes peut-être présentable, quoique un peu excentrique, en habit et haut de forme, mais je ne peux pas sortir comme cela ! » Il regarda ma robe froissée, mes bas de ville et mes chaussures inconfortables et hocha la tête. « Je vais voir si l'on peut arranger cela. » Avant qu'il eût fait un pas, on frappa à la porte.

« Entrez. »

Un jeune agent au front barré d'une mèche rebelle et à l'air tendu se tenait sur le seuil.

« L'inspecteur Lestrade me charge de vous dire qu'il y a un paquet à la réception pour la demoiselle, mais... »

Holmes se rua hors de la pièce, donnant un démenti à toutes les rumeurs de lenteur, de douleur ou de rhumatismes. Je l'entendis hurler : « Ne touchez pas à ce paquet, faites venir un artificier, n'y touchez pas, avez-vous attrapé la personne qui l'a apporté, Lestrade... »

Sa voix s'éteignit, alors que je me dirigeais à mon tour vers l'escalier, accompagnée du jeune policier qui expliquait :

« Il est parti avant que j'aie pu finir. Les artificiers sont déjà là, et l'inspecteur Lestrade souhaitait que M. Holmes assistât à l'interrogatoire du jeune homme qui a apporté le paquet. Il ne m'a pas laissé le temps de parler, monsieur l'inspecteur », ajouta-t-il à l'adresse de Lestrade, qui avait intercepté Holmes dans sa course. En bas, deux hommes s'activaient autour du paquet, dont l'un avec un stéthoscope. Nous les regardâmes faire avec appréhension, et je me rendis compte qu'un silence inhabituel régnait dans la rue. La circulation avait été déviée. Holmes se tourna vers l'inspecteur.

« Vous avez le livreur ?

– Oui, il est ici. Un homme l'a arrêté dans la rue, il y a environ une heure, et lui a proposé deux souverains pour livrer le paquet. Un homme de petite taille, blond, vêtu d'un lourd manteau. Il lui a raconté que c'était pour un ami qui en avait besoin, ce matin, mais qu'il ne pouvait pas le lui apporter lui-même. Il lui a donné un souverain et a noté son adresse pour lui envoyer le deuxième après qu'il aurait effectué la livraison.

– Il n'en verra jamais la couleur.

– Le gamin y compte dur comme fer. Pas très futé, le bonhomme. Il ne sait même pas très bien ce que vaut un souverain, c'est l'éclat qui lui a plu. »

Pendant ce temps, avec une tension palpable, les deux hommes coupaient délicatement la ficelle, écartaient le papier et découvraient le contenu, qui semblait se composer de vêtements. Doucement, lentement, ils les déplièrent et posèrent un à un sur le bureau un chemisier en soie, une veste en laine, un pantalon assorti, des bas en laine angora et une paire de chaussures. Un morceau de papier tomba de ces dernières et voleta jusqu'au sol.

« Ramassez-le avec des gants », ordonna Holmes.

Perplexe mais soulagé, l'artificier prit le billet avec une pince de chirurgien et l'apporta à Lestrade, qui le parcourut et le tendit à Holmes. Celui-ci le lut tout haut d'un ton incrédule :

Chère Mlle Russell,

Connaissant ses limites, je suppose que votre compagnon négligera de vous fournir des vêtements appropriés ce matin. Veuillez accepter ceux-ci avec mes compliments. Vous les trouverez fort confortables.

Un admirateur.

Holmes cligna les yeux plusieurs fois, puis jeta le billet à Lestrade. « Donnez-le à votre spécialiste des empreintes, gronda-t-il. Faites examiner les vêtements par le laboratoire et trouvez d'où ils viennent. Et, pour l'amour du ciel, que quelqu'un fournisse des "vêtements appropriés" à Mlle Russell afin que cette affaire ne tombe pas complètement en panne. » Alors qu'il s'éloignait, plein d'une rage froide, je l'entendis murmurer : « Cela devient insupportable. »

Divers vêtements apparurent, certains policiers, d'autres civils, tous inconfortables. Nous partîmes en voiture pour le parc, accompagnés de Lestrade. Silencieux et distant, Holmes regardait par la fenêtre en tapotant ses genoux de ses longs doigts maigres. Il ne divulgua pas le résultat de ses recherches de laboratoire. Dans le parc, il arpenta les allées quelques minutes en hochant la tête, puis nous invita avec brusquerie à remonter en voiture. Il fit la sourde oreille aux questions de Lestrade, et nous regagnâmes en silence Scotland Yard et le bureau de l'inspecteur, où l'on nous laissa seuls.

Holmes alla prendre un paquet de cigarettes dans le tiroir de Lestrade, en alluma une et, me tournant le dos, contempla l'Embankment animé et la circulation sur le fleuve. Il fuma sa cigarette jusqu'au bout sans dire un mot, puis revint vers le bureau et l'écrasa très posément dans le cendrier.

« Il faut que je sorte, dit-il d'un ton cassant. Pas question que vos lourdauds d'amis m'accompagnent. Ils feraient détaler le gibier. Profitez de mon absence pour établir une liste de ce qui vous est nécessaire et donnez-la à un agent. Des vêtements pour deux ou trois jours, rien d'habillé. Masculins ou féminins, à votre guise. Vous feriez bien d'y ajouter quelques affaires pour moi... vous connaissez mes tailles. Cela me fera gagner un peu de temps. Je serai de retour dans une ou deux heures. »

Je me levai, furieuse. « Vous ne pouvez pas me faire ça, Holmes. Vous ne m'avez rien dit, ne m'avez consultée à aucun moment et vous êtes contenté de me trimballer de droite et de gauche sans me donner le moindre renseignement, comme si j'étais Watson. Et maintenant, vous vous proposez de partir en me laissant la liste des commissions. » Il se dirigeait déjà vers la porte, et je le suivis en continuant à protester :

« Après m'avoir appelée votre associée, vous me traitez comme si j'étais une servante. Même une apprentie mérite mieux que cela. J'aimerais savoir... »

Il y eut un bruit, évoquant celui d'une paume charnue frappant une table, suivi une fraction de seconde plus tard par une détonation plus familière. Holmes réagit immédiatement et se rua vers moi à l'instant où la fenêtre volait en éclats, tranchants comme des rasoirs, et où une seconde paume frappait le mur. Nous nous rapprochâmes l'un de l'autre à quatre pattes, et Holmes me saisit l'épaule.

« Vous êtes blessée ?

– Mon Dieu, c'était...

– Êtes-vous blessée, Russell ? demanda-t-il d'un ton furieux.

– Non, je ne crois pas. Et vous... » mais il courait déjà vers la porte. Celle-ci s'ouvrit au même instant, et un inspecteur en civil regarda la pièce, bouche bée. Holmes l'entraîna, et tous deux dévalèrent l'escalier. Rassemblant mon courage, je m'approchai de la fenêtre et risquai un œil par-dessus le rebord. Une chaloupe à vapeur descendait rapidement la Tamise, mais il y avait aussi, sur le pont, une mère qui s'était arrêtée de pousser son landau et regardait, tout étonnée, s'éloigner un taxi. Moins d'une minute plus tard, Holmes et les autres la rejoignaient, et elle fut bientôt entourée d'hommes gesticulants qui désignaient de la main le fleuve et l'autre côté du pont. Je vis

Holmes lever les yeux vers la fenêtre derrière laquelle je me trouvais, dire quelque chose à l'inspecteur en tweed, puis revenir d'un pas résolu, sans chapeau et tête baissée, vers Scotland Yard.

Avec une efficacité et un sens des priorités typiquement policiers, des agents envahirent le bureau de Lestrade pour mesurer les angles et extraire les balles des briques, sans se préoccuper de ramasser le verre, ni d'arrêter l'air glacial qui s'engouffrait par la fenêtre. Je me réfugiai dans un bureau voisin, qui n'avait pas de fenêtre. Dès que Holmes apparut, je sus qu'il ne servirait à rien de discuter avec lui, bien que j'eusse néanmoins l'intention d'essayer.

« Je crois que vous feriez mieux de prévoir des vêtements pour plusieurs jours, Russell. Évitez les fenêtres, ne mangez ni ne buvez rien dont vous ne soyez absolument sûre, et gardez votre revolver sur vous.

– Il faut aussi que je me méfie des inconnus qui m'offriraient des bonbons, je suppose ? » dis-je d'un ton sarcastique. Mais il refusa de s'emporter.

« Exact. Je serai de retour dans deux ou trois heures. Soyez prête à partir à ce moment-là.

– Holmes, il faut au moins que...

– Écoutez-moi, coupa-t-il en me prenant par les épaules. Je suis navré, mais le temps est précieux. Vous alliez dire que je devrais au moins vous apprendre ce qui se passe, et je le ferai. Vous souhaitez être consultée ; j'en ai l'intention. En fait, je compte même remettre une bonne partie des décisions à prendre entre vos mains compétentes. Mais pas maintenant, Russell. Contentez-vous de cela, je vous en prie. » Et, se penchant en avant, il effleura mon front de ses lèvres. Je me laissai tomber sur une chaise, comme frappée par la foudre. Lorsque je me ressaisis, il était loin... et je me rendis compte un peu tard qu'il n'avait pas eu d'autre intention.

À l'air excité de Holmes, je savais qu'il était extrêmement improbable qu'il revînt au bout de deux ou trois heures. Irritée, je gribouillai une liste, la donnai à la jeune représentante de l'ordre avec ce qui me restait d'argent, et quittai mon bureau sans fenêtre. Je tenais à examiner de plus près les vêtements qui m'avaient été adressés et que je n'avais vus que de loin. Je me dirigeai vers les laboratoires, où je dérangeai un homme vêtu très inutilement d'une blouse blanche. Il se retourna à mon entrée et, lorsque je vis ce qu'il avait à la main, j'en restai muette de stupeur. C'était ma chaussure.

La paire de chaussures qui se trouvait sur la table du laboratoire avait en effet disparu de mon appartement pendant l'automne, un de ces incidents domestiques déroutants que l'on finit par chasser de son esprit avec un haussement d'épaules. Je les avais portées la seconde semaine d'octobre et, lorsque je les avais cherchées, deux semaines plus tard, elles étaient restées introuvables. Cela m'avait contrariée, mais surtout parce que j'y avais vu un signe de distraction préoccupant. Je les avais manifestement laissées quelque part. Et je les découvrais ici !

Je constatai avec soulagement que les vêtements ne m'appartenaient pas, encore qu'ils fussent tout à fait à mon goût. Ils étaient neufs, ordinaires quoique relativement coûteux et venaient d'un grand magasin de Liverpool. Jusque-là, les spécialistes n'avaient rien trouvé d'autre que du tissu... pas même une épingle égarée.

Le message accompagnant le paquet était posé sur un plateau d'acier, et j'y jetai un coup d'œil. Il était couvert d'une poudre grise, mais même si l'expéditeur avait fait preuve de négligence, le papier était trop rugueux pour recevoir des empreintes. Je le pris, le lus avec un amusement réticent, notai en passant les caractéristiques de l'écriture et m'apprêtai à le reposer quand je me figeai, remplie d'incrédulité. Oui, cela fait un choc de trop, ces derniers jours, commenta analytiquement mon cerveau.

Je cherchai un tabouret à tâtons. Un certain temps s'écoula. Enfin je remarque l'air inquiet du spécialiste. Je lui dis ce que j'avais vu. Je le répétai à Lestrade lorsqu'il apparut. Un peu plus tard, je me retrouvai dans le bureau sans fenêtre en compagnie de la femme policier, qui m'expliqua qu'elle avait veillé à ce que chaque article fût décroché et emballé sous ses yeux. J'émis des bruits polis (de remerciement, je suppose), puis restai longtemps immobile, le cerveau en ébullition.

Quand Holmes entra en coup de vent, les cheveux en bataille et une lueur farouche dans le regard, je m'étais suffisamment ressaisie pour examiner les emplettes de l'agent.

« Seigneur ! m'exclamai-je en me bouchant le nez. Où avez-vous été pour puer de la sorte, Holmes ? Sur les docks manifestement et, à voir vos chaussures, je dirais que vous avez fait un petit détour par les égouts. Mais qu'est-ce que cette horrible odeur douceâtre ?

– Celle de l'opium, ma chère enfant protégée. Elle reste incrustée dans mes cheveux et mes vêtements, bien que je n'en aie pas consommé. Je devais être certain de ne pas être suivi.

– Il faut que nous parlions, Holmes, mais je ne peux pas respirer en votre présence. Il y a chez les détenus une salle de douches très bien, quoiqu'un peu austère. Prenez ces vêtements mais évitez qu'ils ne touchent ceux que vous portez.

– Pas le temps, Russell. Nous devons partir immédiatement.

– Hors de question. » Ce que j'avais à lui apprendre était capital, mais cela pouvait attendre. La douche, non.

« Qu'avez-vous dit ? » gronda-t-il. Sherlock Holmes n'était pas habitué à des refus catégoriques, même de ma part.

« Je vous connais assez bien pour supposer que nous

allons nous embarquer dans un voyage long et pénible, Holmes. Si je dois choisir entre mourir suffoquée par ces émanations pestilentielles et être déchiquetée par une bombe, je préfère la seconde solution. De loin. »

Holmes me foudroya du regard quelques secondes, vit que j'étais inflexible sur ce point et, avec un juron digne des docks, empoigna les vêtements que je lui tendais, se rua hors de la pièce et demanda d'un ton furieux son chemin au pauvre agent posté devant la porte.

Lorsqu'il revint, j'étais prête pour le voyage, habillée de pied en cap en jeune garçon.

« Très bien, Russell, je suis propre. Allons-y.

– Prenez cette tasse de thé et ce sandwich pendant que je jette un coup d'œil à votre dos.

– Pour l'amour du ciel, femme, il faut que nous soyons sur les docks dans vingt-cinq minutes. Nous n'avons pas le temps de prendre le thé. »

Je restai paisiblement assise, les mains sur les genoux. Je remarquai avec intérêt que ses joues devenaient légèrement violettes lorsqu'il était très agité, et que ses yeux saillaient un peu. Il tremblait littéralement lorsqu'il arracha son manteau, et un bouton de sa chemise maltraitée roula sur le sol. Je le mis dans une poche et pris la gaze pendant qu'il engloutissait son thé. Ses blessures étaient quasiment cicatrisées et, cinq minutes plus tard, nous étions dans la rue.

Nous nous engouffrâmes à l'arrière d'une automobile aérodynamique qui nous attendait, moteur tournant, et démarra dans un crissement de pneus. Le chauffeur avait davantage l'air d'un voyou que du propriétaire d'un pareil véhicule, mais je n'avais pas mon mot à dire. J'attendis que Holmes cessât de rager en silence, ce qu'il ne fit que bien après Tower Bridge.

« Écoutez, Russell, il n'est pas question..., commença-t-il, mais je l'interrompis aussitôt, simplement en lui brandissant un doigt sous le nez.

– C'est vous qui allez m'écouter, Holmes. Je ne peux pas vous obliger à me faire des confidences, mais je ne me laisserai pas intimider. Vous n'êtes pas ma nounou, et vous n'êtes pas chargé de me protéger. Vous vous êtes montré satisfait jusqu'ici de mes capacités de déduction et de raisonnement. Vous admettez que je suis une adulte – vous m'avez appelée "femme", il n'y a pas dix minutes – et, en qualité d'associée adulte et pensante, j'ai le droit de prendre mes propres décisions. Vous êtes arrivé sale et épuisé, n'ayant pas mangé depuis hier soir, j'en suis certaine, et j'ai jugé nécessaire de protéger notre association en mettant un terme à votre bêtise. Oui, bêtise. Vous croyez ne pas avoir les limites des simples mortels, je sais, mais l'esprit, même le vôtre, mon cher Holmes, est tributaire du corps. L'absence de nourriture et de boisson, la saleté sur des plaies ouvertes font courir à notre association – à moi ! – des risques inutiles. Et je ne le tolérerai pas ! »

J'avais oublié le chauffeur qui, apparemment, avait écouté avec approbation cette tirade théâtrale. Il éclata de rire et frappa le volant de son poing, alors qu'il fonçait dans les rues étroites en évitant chevaux, murs et véhicules. « Bien envoyé, mam'selle, fit-il. Faut aussi lui faire laver ses chaussettes le soir, pendant que vous y êtes. » J'eus tout de même la bonne grâce de rougir.

Le chauffeur souriait encore, et même Holmes s'était radouci, lorsque nous atteignîmes notre destination, un dock sale et suintant du côté de Greenwich. Le fleuve était gras et noir dans la lumière du crépuscule, et le cadavre boursouflé d'un chien se balançait doucement contre un embarcadère. L'endroit était désert, mais des bruits de voix et de machines nous parvenaient d'une rangée de bâtiments voisins.

« Merci, jeune homme, dit Holmes. Venez, Russell. » Nous nous avançâmes prudemment jusqu'à une grille de tôle ondulée écaillée, qui coulissa sans un bruit et se referma derrière nous. L'homme qui l'avait ouverte nous suivit jusqu'au bout du quai, où était amarré un petit navire quelconque, un bateau, en fait. Depuis le pont, un autre homme nous héla à voix basse et vint prendre nos bagages.

« Bonjour, monsieur Holmes. Bienvenue à bord.

– Je suis très heureux d'être à votre bord, capitaine, vraiment très heureux. Je vous présente mon associée, Mlle Russell. Russell, le capitaine Jones possède l'un des bateaux les plus rapides du fleuve et a accepté de nous emmener quelque temps en mer.

– En mer ? Oh ! Holmes, je ne crois pas...

– Nous en parlerons dans un instant, Russell. Partons-nous, Jones ?

– Oui, monsieur, le plus tôt sera le mieux. Si vous voulez bien descendre, mon fils Brian vous rejoindra dans une minute pour vous montrer vos cabines. » L'enfant apparut alors que nous nous engagions dans la coursive, ouvrit une porte, baissa timidement la tête et alla aider son père à larguer les amarres.

Un escalier étroit menait à une cabine étonnamment spacieuse, une sorte de salon avec une minuscule cuisine/coquerie à un bout, des fauteuils et un canapé vissés au sol. À l'autre extrémité, un couloir desservait deux petites chambres à coucher, séparées par une salle de bains et des toilettes. Ce ne sont pas les termes techniques qui conviennent, je sais, mais l'ensemble était si manifestement destiné à assurer le confort de non-marins que les noms profanes sont peut-être plus adaptés. Nous nous assîmes et vîmes bientôt Londres défiler par les fenêtres. Je me penchai en avant.

« Maintenant, Holmes, il y a quelque chose que je dois vous dire...

– D'abord, un cognac.

– Vous devriez cessez de m'alcooliser, Holmes, cela devient lassant.

– C'est bon contre le mal de mer.

– Je ne suis pas sujette au mal de mer.

– Vos fréquentations douteuses de ces derniers jours ont une bien mauvaise influence sur vous, je trouve, mademoiselle Russell. C'était un mensonge, si je ne m'abuse. Vous vous apprêtiez à me dire sur le pont que vous ne vouliez pas aller en mer parce que cela vous rend malade, je me trompe ?

– Oh ! d'accord, servez-moi ce cognac. » J'avalai deux grandes gorgées explosives sous l'œil désapprobateur de Holmes et reposai brutalement le verre. « Maintenant, Holmes...

– Oui, Russell. Vous souhaitez savoir ce que j'ai découvert dans ces fumeries d'opium et...

– Holmes ! criai-je. Allez-vous m'écouter ?

– Naturellement, Russell. Je vous écoute toujours avec plaisir, je pensais simplement...

– Les chaussures, Holmes, celles du paquet ? C'étaient les miennes, subtilisées chez moi, à Oxford. Elles ont disparu entre le 12 et le 30 octobre. »

Une demi-minute de silence suivit.

« Seigneur ! dit-il enfin. C'est extraordinaire. Je vous suis très reconnaissant, Russell, cela m'aurait entièrement échappé. »

Il était si visiblement ébranlé que le soupçon de satisfaction malicieuse que j'aurais pu éprouver à lui faire part de ma seconde découverte s'évanouit.

« Il y a autre chose, Holmes. Il vaudrait mieux que vous finissiez d'abord votre cognac, je crois, parce que le message, celui qui était dans les chaussures ? Je l'ai examiné de très, très près, et je pense qu'il a été tapé sur la même machine que ceux des ravisseurs de Jessica Simpson. »

Il était impossible d'adoucir le choc. Les faits étaient

déjà assez déconcertants en eux-mêmes, mais que ce fût moi qui eusse à les lui apprendre était vraiment terrible pour lui. À deux reprises en un peu moins de deux jours, je lui avais évité de commettre une erreur importante. La première était sans doute excusable, bien qu'elle eût manqué coûter la vie à Watson ; mais là, il avait eu le message entre les mains, sous le nez, au moment où il cherchait précisément un indice de ce genre. Cela modifiait l'enquête, et il ne l'avait pas vu. Il se leva avec brusquerie et alla à la fenêtre.

« Holmes, je... »

Il pointa un doigt, et je ravalai les mots qui n'auraient fait qu'aggraver les choses : « Il y a quatre jours à peine, vous avez été commotionné et blessé, Holmes. Vous avez dormi moins de douze heures en trois jours, Holmes. Vous étiez épuisé et furieux lorsque vous avez lu ce message, Holmes. L'empattement manquant sur le "a",le "l" décentré et de travers, la hauteur du "M" vous seraient revenus à l'esprit, Holmes, vous vous seriez rappelé les avoir vus, peut-être pas aujourd'hui, mais demain ou le jour d'après. » Mais je me tus, car il aurait seulement entendu : « Vous baissez, Holmes. »

Il y avait longtemps que nous avions laissé la périphérie de Londres derrière nous lorsque je vis enfin sa nuque se détendre. Je poussai un soupir de soulagement silencieux et m'absorbai dans la contemplation des fenêtres opposées.

Dix minutes plus tard, il revint s'asseoir près de moi, sa pipe à la main.

« Vous êtes certaine de ce que vous avancez, je suppose ?

– Oui. » Je commençai à lui énumérer les caractéristiques que j'avais remarquées, mais il m'interrompit.

« Ce n'est pas nécessaire, Russell. Je me fie entièrement à vos yeux... et à votre cerveau, ajouta-t-il après avoir tiré une bouffée de sa pipe. Bien joué. À présent, nous avons au moins quelque chose qui ressemble à un mobile.

– Désir de revanche après l'échec de l'enlèvement de Jessica ?

– Oui, et aussi la conviction que nous guettons toute nouvelle tentative du même genre. Quiconque a lu les inventions littéraires de Watson doit penser que Sherlock Holmes finit toujours par cueillir son homme. Ou, en l'occurrence, sa femme. » Je remarquai avec plaisir qu'il avait repris son intonation ironique habituelle. « Il est toutefois étrange que je n'aie entendu parler nulle part d'une bande de criminels pleine d'avenir et dirigée par une femme. »

Abandonnant avec soulagement ce sujet pénible, je l'interrogeai sur ses découvertes des dernières dix-huit heures.

– Dix-huit heures ? fit-il avec un léger étonnement. Je vous ai certainement tenue au courant de mes réflexions de la nuit ?

– Vous avez marmonné de manière parfaitement inintelligible dans le parc, et si vous m'avez parlé avant l'aube dans le laboratoire, je n'ai rien entendu.

– Bizarre, je croyais avoir été très loquace. Revenons donc au parc, ou plutôt aux vestiges d'un fiacre jadis élégant, qui à première vue ont donné les résultats les moins intéressants de la nuit. Il y avait eu deux hommes forts sur les lieux et un autre – c'est du moins ce que je pensais – plus petit, plus léger, chaussé de bottes à talons carrés. Les deux premiers ont assailli Billy par-derrière alors qu'il était à côté du cheval et parlait apparemment à quelqu'un. Ils l'ont assommé, et Petites-Bottes l'a chloroformé. Vos vêtements ont été détruits par les deux costauds, tandis que le troisième restait auprès de Billy et continuait à lui faire couler du chloroforme sur le visage. Lorsqu'ils ont eu fini, Petites-Bottes est monté dans la voiture et a méthodiquement lacéré le siège. Des fibres de tissu se sont incrustées dans les entailles, bien que le couteau fût extrêmement affilé. Un couteau à manche court, à double tranchant, dont la lame, relativement mince, mesurait une quinzaine de centimètres.

– Vilaine arme. Un cran d'arrêt ?

– Probablement. La façon dont le fiacre a été détruit m'a intrigué. Qu'en avez-vous pensé ?

– Ces entailles m'ont paru étranges. Elles sont précises, toutes de la même taille, mais s'arrêtent avant le bout de la banquette. On aurait presque dit qu'ils cherchaient quelque chose sous le cuir, mais personne ne semble avoir enfoncé la main dans les coupures, n'est-ce pas ?

– Non. Il serait également intéressant de savoir pourquoi c'est Petites-Bottes, le chef, qui s'est chargé de taillader le siège. Quelque chose m'échappe ici, Russell. J'aimerais étudier les photographies. Elles me rafraîchiront peut-être la mémoire. Mais poursuivons : dans le fiacre, il y avait un bouton portant l'empreinte nette du pouce d'un homme fort, un cheveu blond, et quelques traînées de boue brun clair sur le sol et le siège. Nous reviendrons sur celles-ci dans un instant.

« Pendant que vous passiez au crible les lambeaux de votre garde-robe, je m'occupai des pistes. Je suivis facilement les empreintes boueuses : elles traversaient le parc sur l'allée de gravier. C'est du moins ce que je crus d'abord. Des deux hommes forts, aucune trace : ce qui était singulier. Ce n'est que lorsque vous avez trouvé la même boue dans les toilettes pour dames que j'ai compris : nos trois individus n'avaient pas traversé le parc, mais l'avaient contourné en empruntant le chemin pavé, dur et très passant. Les deux plus gros étaient repartis par là, mais Petites-Bottes, marchant *à reculons*, avait suivi l'allée centrale, pénétré, *à reculons*, dans les toilettes pour s'y laver les mains et regagné, toujours de la même façon, l'endroit par où ils étaient entrés dans le parc. Tous les trois sont alors montés dans un véhicule quelconque et sont partis.

– Et il vous fallait voir les empreintes de jour pour être certain que celles de l'allée de gravier allaient vraiment à rebours ?

– Exact. Avez-vous lu ma monographie sur les empreintes de pied, *Quarante-sept méthodes pour dissimuler sa piste* ? Non ? J'y écris avoir utilisé diverses manières d'inverser les traces de pas ou, comme vous l'avez vu mardi matin, de les dissimuler dans celles de quelqu'un d'autre, mais apparemment cela ne passe pas totalement inaperçu à un œil attentif. Je travaille sur un autre article traitant des différences entre les empreintes de pied féminines et masculines. Je vous l'ai montré ? Non, bien sûr, vous n'étiez pas là. J'ai constaté que, quel que soit le type de chaussures, la disposition des orteils et la façon dont le talon presse le sol diffèrent selon les sexes. L'idée m'est venue d'une conversation que nous avions eue. Hier soir, je l'ai soupçonné. Après votre découverte et l'examen des empreintes à la lumière du jour, c'est devenu une certitude. Nous avons affaire à une femme d'un mètre soixante-huit, et mince – moins de cinquante kilos. Elle est peut-être blonde...

– Seulement peut-être ?

– Oui. Elle est intelligente, cultivée et a un sens de l'humour plutôt créatif et grotesque.

– Le message ?

– Je m'en étais aperçu avant. Vous connaissez ma monographie sur les sols de Londres ?

– *Notes sur quelques caractéristiques distinctives...*, commençai-je.

– Oui, c'est cela. Comme vous le savez, j'ai passé l'essentiel de ma vie à Londres avant de prendre ma retraite. J'ai respiré son air, foulé son sol, je la connaissais comme... comme un époux connaît sa femme. » Je ne fis pas de commentaire sur la comparaison en dépit du sens biblique du verbe « connaître ». « Je peux identifier certains de ses sols à l'œil et d'autres, au microscope. La terre repérée dans le fiacre et le lavabo est d'une variété assez courante. C'est sur ce type de sol qu'a été construite ma maison de Baker Street, par exemple, mais on en trouve de similaires en divers autres endroits, et seul un examen attentif au microscope permet de les distinguer.

– Et la boue de Petites-Bottes venait de Baker Street.

– Comment le savez-vous ? demanda-t-il avec un sourire.

– Mettons que j'aie deviné.

– Une plaisanterie triviale indigne de vous, Russell, fit-il en haussant un sourcil.

– Navrée. Mais en quoi le fait qu'elle a emprunté Baker Street avant de se rendre dans le parc a-t-il un rapport avec notre affaire ?

– À vous de me le dire, Russell. »

Docilement, je passai en revue tous les éléments dont nous disposions. La boue, que l'on avait trouvée dans le fiacre, sur le siège (le siège ? murmura mon cerveau), dans l'allée (cela faisait beaucoup de boue, non ?) et, à l'intérieur des toilettes pour dames (un sens de l'humour créatif et grotesque), par terre et dans le lavabo (le lavabo ? cela signifie...)

« Elle avait de la boue sur la main. Sur la main gauche, et le pied droit. » Je me tus, incrédule, et regardai Holmes. Ses yeux gris pétillaient littéralement. « Elle remettait délibérément de la boue sur sa chaussure pour laisser des empreintes. Tout n'était qu'une mise en scène du début à la fin. Elle voulait que vous sachiez qu'elle était passée par là, et elle a employé la boue de Baker Street pour vous faire un pied de nez. Elle s'est même lavé les mains dans les toilettes pour dames afin de vous laisser cette indication, au cas où vous n'auriez pas déjà découvert qu'elle était une femme. C'est incroyable... personne ne pourrait être assez fou pour vous défier de la sorte. Quelle sorte de jeu joue-t-elle ?

– Un jeu fort déplaisant, incontestablement, qui nous a valu jusqu'à présent trois bombes et un mort, mais c'est bien dans le style du paquet de vêtements et de la ruche piégée, je suis d'accord. On est contraint de se demander... » Il se tut, l'air songeur.

« Oui ?

– Rien, Russell. De simples conjectures, qui ne reposent sur aucune donnée, un exercice stérile la plupart du temps. Je me disais que le seul esprit véritablement supérieur que j'avais rencontré parmi les criminels était Moriarty, ce qui me prépare mal à la subtilité de notre ennemi actuel. Si j'étais tout à fait certain, par exemple, des intentions du tireur qui nous a pris pour cible dans le bureau de Lestrade, ou de celles de Dickson, ou même... Oui, je suppose... » Il se tut de nouveau.

« Est-ce que je vous comprends bien, Holmes ? Ces différentes tentatives n'auraient pas été destinées à nous tuer ?

– Oh, à nous tuer, certainement, quoique peut-être pas uniquement. Mais oui, vous me comprenez. Je m'interroge sur cette série d'échecs de la part de quelqu'un qui donne par ailleurs les preuves d'une grande compétence. Les accidents existent, naturellement, mais je n'aime pas les coïncidences, et je nie catégoriquement l'existence des anges gardiens. Oui, dit-il d'un ton pensif, et je fis la grimace en entendant sa phrase suivante. C'est vraiment un joli problème.

– Qui mérite bien trois pipes, hein, Holmes ? » lançai-je d'un ton jovial. Il était vraiment exaspérant quand il s'y mettait.

« Non, non, pas encore. La méditation nicotinisée sert à débrouiller les faits connus, pas à les faire apparaître comme par magie. Or, il me semble que nous n'avons pas tous les éléments.

– Peut-être, mais nous pouvons tout de même émettre des hypothèses d'ordre général. Si elle ne voulait pas nous tuer, quelles sont ses intentions ?

– Je n'ai pas dit qu'elle ne comptait pas nous tuer, mais seulement qu'elle ne souhaitait peut-être pas le faire tout de suite. Si nous supposons que tout ce qui s'est passé ces derniers jours correspond plus ou moins à ses plans, nous pouvons en tirer trois conclusions : elle ne souhaite pas nous éliminer immédiatement ; tient à ce que nous sachions qu'un ennemi intelligent, zélé, ingénieux et implacable nous talonne presque littéralement et veut, soit que nous nous terrions, soit que nous quittions l'Angleterre.

– Et n'est-ce pas ce que nous faisons ?

– En effet, dit-il d'un air suffisant.

– Je... » Je refermai la bouche et attendis.

« Ses actes m'indiquent que c'est ce qu'elle désire que je fasse. Elle me connaît assez bien pour supposer que je percevrai ses intentions et refuserai de coopérer. Par conséquent, je ferai ce qu'elle veut. »

Je finis par décider que le cognac émoussait mes facultés logiques, car, bien que certaine que son raisonnement comportait une faille, je ne pouvais mettre le doigt dessus. Je secouai la tête et me lançai.

« Pourquoi ne pas disparaître quelques jours seulement ? Est-il vraiment nécessaire...

– Que nous prenions la fuite ? compléta-t-il. Battions précipitamment en retraite ? Détalions ? Vous avez raison. Ce matin encore, quelques jours chez Mycroft ou dans l'un de mes refuges m'auraient paru suffire. (L'idée d'être enfermée avec Holmes dans la Réserve me fit frémir.) Mais les événements d'aujourd'hui m'ont fait changer d'avis. Je ne parle pas du paquet – une plaisanterie intelligente –, ni même des chaussures, mais... de cette balle. Elle a failli vous atteindre. Et je pense qu'elle était destinée à le faire. » Il ne me regardait pas, mais la manière dont il se contrôlait et le tic qui contractait le côté droit de sa bouche en disaient long sur la rage et la crainte que cette menace suscitait en lui. Pour donner le change, il se leva avec brusquerie et se mit à marcher de long en large, les mains derrière le dos, ce qui, comme il n'avait pas lâché sa pipe fumante, faisait courir de sérieux dangers à ses vêtements. Il parla à toute vitesse, en ayant l'air de s'adresser des reproches.

« Je commence à avoir l'impression d'être un morceau de bois flottant ballotté par les vagues. C'est un sentiment très déconcertant. Si j'étais seul, je serais presque tenté de me laisser ballotter, simplement pour voir où j'échoue. Cette solution-là est toutefois exclue.

« Quelles sont les autres ? Passer à l'offensive ? Contre quoi ? Se défendre ? Comment se défend-on contre une image inversée ? Elle a lu les récits de Watson, mon livre sur les abeilles, mes monographies sur les sols et les empreintes de pas – qui ne sont pas accessibles au grand public – et Dieu sait quoi encore. Une femme ! Elle a utilisé mes armes contre moi, m'a durement éprouvé physiquement et mentalement, m'a déstabilisé pendant cinq jours entiers, m'a pourchassé et harcelé jusqu'à m'obliger à me terrer... en mer. Savez-vous... » Il s'interrompit et agita un tuyau de pipe outragé dans ma direction. « Cette... personne a même pénétré dans un de mes refuges ! Oui, aujourd'hui, il y avait des traces. Je n'arrive toujours pas à croire qu'une femme puisse avoir déduit mes déductions, prévu chacun de mes mouvements, en donnant de surcroît l'impression que c'est pour elle un jeu, un jeu mortel certes, mais facile et très divertissant. Même Moriarty n'est pas allé aussi loin, et c'était un cerveau sans pareil. L'esprit capable de tels coups de maître... » Il se tut et se redressa d'une secousse, comme pour remettre ses habits en place.

« Un adversaire agréablement stimulant, reprit-il avec plus de calme en rallumant sa pipe éteinte. J'ai réfléchi à ce que vous m'avez dit ce matin, Russell. Il m'arrive de temps à autre de prendre en considération les réflexions des autres, vous savez. Surtout les vôtres. Je dois reconnaître que vos protestations étaient entièrement justifiées. Vous êtes adulte, et j'ai eu tort de vous traiter comme je l'ai fait. Je vous présente mes excuses. »

Comme on peut l'imaginer, je le regardai avec beaucoup de stupéfaction et de méfiance, mais il poursuivit du ton dont il aurait discuté du temps.

« Aujourd'hui, alors que je cherchais en vain des informations dans les égouts humains de notre belle ville, il m'est venu à l'esprit que je devais m'attaquer à la question de votre avenir. La situation actuelle a accéléré les choses, mais elle se serait posée tôt ou tard. Que fait-on, en effet, lorsqu'une étudiante a réussi brillamment tous les examens auxquels elle a été soumise ? Un jour ou l'autre, il faut lui permettre d'assumer les droits et les responsabilités de la maturité.

« J'ai donc un nombre limité de solutions. Étant donné la gravité de cette affaire particulière, j'estime que je serais en droit de vous éloigner du front jusqu'à ce que je l'aie tirée au clair, comme je l'ai fait pour Watson. Non, non, ne m'interrompez pas. À mon grand déplaisir, je constate que cela ne m'est pas possible, ne serait-ce que parce que j'aurais toutes les peines du monde à imposer mon autorité.

« Depuis le pays de Galles, je me dis qu'un apprenti que l'on lanterne trop se détériore. Aujourd'hui, devant ce que j'appellerai une affaire, faute de meilleur terme, j'ai deux possibilités : vous maintenir en "apprentissage" ou vous accorder la qualité de "maître". N'ayant jamais aimé les demi-mesures, je juge inutile de repousser l'inévitable. Donc... » Il se tut, retira sa pipe de sa bouche, examina le fourneau, la remit dans sa bouche, prit sa blague dans sa poche, et j'étais si tendue que je faillis lui hurler d'aller au fait.

Il ouvrit la blague, y prit une pelure d'oignon pliée plusieurs fois, la laissa tomber devant moi, alla au cendrier fixé à la table et commença à curer sa pipe pendant que je dépliais le morceau de papier. Il contenait cinq lignes sibyllines, écrites d'une écriture précise et minuscule :

Égypte – Alexandrie – Saïd Abou Bahadr
Grèce – Thessalonique – Thomas Catalepo
Italie – Ravenne – Fr. Domenico
Palestine – Jaffa – Ali et Mahmoud Hazr
Maroc – Rabat – Peter Thomas

Chaque patronyme était suivi d'une série de chiffres qui avaient l'air de fréquences radio. Je levai les yeux, mais Holmes était de nouveau debout devant la fenêtre, et son dos ne m'apprit rien.

« J'ai déjà dit un jour que je jugeais plus stupide que courageux de ne pas prendre en compte un danger, surtout quand il vous menace d'aussi près que celui-ci. Même mes détracteurs ne sauraient m'accuser de stupidité, sinon je n'aurais pas atteint mon âge actuel après la vie mouvementée que j'ai menée. Je me souviens, comme si cela s'était passé hier et non il y a un quart de siècle, du soir où, assis dans le fauteuil de Watson, j'ai admis que je n'étais plus en sécurité à Londres. Les circonstances présentes sont... remarquablement similaires.

« Cet aveu me causa alors une certaine honte. Mais c'était il y a bien longtemps et j'ai appris depuis, lentement et péniblement, que le temps et la distance sont parfois des armes puissantes.

– Et peut-on savoir le temps que vous avez en tête, cette fois, Holmes ? » demandai-je avec précaution. Sa disparition la plus célèbre avait duré trois ans ; la mort du petit cheval pour mon diplôme universitaire.

« Pas très longtemps. Juste assez pour instiller le doute chez notre adversaire – ne s'est-elle pas trompée, en fin de compte ? Ai-je décidé de disparaître purement et simplement ? Où diable puis-je être ? – et pour permettre à Mycroft et à l'éléphantine Scotland Yard de rassembler les données et de commencer à les passer au crible. Le temps que nous revenions (nous ! il avait dit « nous » !), elle sera furieuse – et donc imprudente – parce que nous n'aurons pas eu le comportement prévu, que nous ne nous serons pas livrés au petit jeu attendu et traditionnel des menaces et des défis, des ripostes et des contre-attaques.

« Pour le meilleur ou pour le pire, vous êtes mêlée à cette affaire. » Mon fugitif sentiment de triomphe fut vite englouti par un remous de pensées et d'interrogations contradictoires : fuyait-il parce qu'il m'avait sur les bras ? Et où diable comptait-il aller ? Au Tibet ? « Qui plus est, vous y êtes mêlée en qualité d'associée. Étant donné les circonstances, je n'ai pas le choix : il me faut vous faire confiance. »

Comme je ne trouvai rien de sensé à répondre à cela, je dis la première chose qui me vint à l'esprit :

« Qu'auriez-vous fait si j'avais ouvert ma porte, l'autre soir ?

– Hem ! Je me demande. Malheureusement peut-être, la question ne se pose pas. Nous sommes ici ; je ne peux me fier à personne d'autre. Et, pour marquer votre accession aux nobles droits et privilèges du partenariat, je vous accorde une faveur : c'est vous qui prendrez la décision suivante. Où irons-nous nous mettre à l'abri du danger ? Savez-vous que je crois bien ne pas avoir pris de vacances depuis vingt-cinq ans, Russell ? » ajouta-t-il d'un ton presque enjoué.

Au cours des dernières soixante-douze heures, on avait

mis une bombe sur ma porte et j'avais constaté les effets d'une autre sur le dos de Holmes ; j'avais pendant treize heures pénibles cheminé vers Londres, menacé Holmes d'un revolver, vu ma première tentative de m'habiller à la dernière mode réduite en lambeaux, souffert de la faim, du manque de sommeil et du froid, failli recevoir une balle, vu Holmes plus troublé que jamais encore auparavant, et voilà qu'il passait maintenant sans transition de considérations pratiques à une gaieté presque espiègle... c'était un peu éprouvant.

Je regardai le papier que je tenais à la main.

« Ce sont les seules destinations qui nous soient permises ? demandai-je.

– Absolument pas. Le capitaine Jones est tout disposé à naviguer en rond, si nous le souhaitons, ou à mettre le cap sur l'Amérique du Sud ou les lumières du Nord. Les possibilités sont quasi illimitées, mais si vous décidiez d'aller faire sauter la banque à Monte Carlo, il me faudrait arranger un transfert de fonds discret. Nous devons seulement éviter le Royaume Uni et New York pendant six à huit semaines.

– Deux mois ! Je ne peux pas m'absenter deux mois, Holmes, je serais renvoyée de l'université ! Et ma tante enverra l'armée à ma recherche. Et Mme Hudson, et Watson...

– Mme Hudson part demain en croisière.

– En croisière ! Mme Hudson ?

– Elle va rendre visite à sa famille en Australie, je crois. Et vous n'avez pas non plus à vous inquiéter pour Watson ; le plus grand danger qu'il courre là où Mycroft l'a caché, c'est de faire trop bonne chère et d'avoir une attaque de goutte. Votre collège et vos directeurs d'études vous accorderont un *exeat* pour vous permettre de vous occuper d'affaires de famille urgentes. Votre tante sera prévenue de votre absence.

– Seigneur ! Si Mycroft est capable de l'amadouer, c'est assurément un allié précieux. » Mes objections commençaient à chanceler.

« Eh bien ?

– Qui sont ces gens ? demandai-je.

– C'est l'écriture de Mycroft, répondit Holmes en guise d'explication.

– Et il a... des tâches à accomplir dans ces différents endroits.

– Exactement. Selon ses termes, si nous décidons de quitter le champ de bataille pendant que les éclaireurs reconnaissent les positions ennemies, autant que nous en profitions pour être utiles à Sa Majesté et changer d'air sous ses auspices. » Ses yeux pétillaient de malice, et l'on voyait qu'il avait déjà écarté notre affaire de son esprit. Il agita doucement le papier devant mon nez. « D'après l'expérience que j'en ai, les missions de Mycroft sont généralement des plus divertissantes. »

J'acquiesçai, lui pris le papier, l'étalai sur la table et posai le doigt sur la quatrième ligne.

« Yisroel.

– Quoi ?

– La Palestine, Israël, Sion, la Terre sainte. Je veux marcher dans les rues de Jérusalem. »

Holmes hocha lentement la tête, l'air étonné. « Je crois pouvoir honnêtement dire que je n'aurais pas choisi cette destination. La Grèce, oui. Le Maroc, peut-être. Même l'Égypte, mais la Palestine ? Très bien, c'est vous qui décidez, et je suis certain que notre ennemie ne pensera jamais que c'est là que j'ai choisi d'aller. »

À minuit, nous étions au large de la France et, peu à peu, la tension qui me nouait depuis le mardi précédent commença à se dissiper. Le capitaine Jones entra dans notre cabine, un homme gros comme une barrique, lugubre, aux cheveux clairsemés et vaguement roux, qui se distinguait des quatre autres marins par l'état de ses ongles, légèrement plus noirs que les leurs, et par l'air assuré, hautain, de quelqu'un qui pourvoit aux besoins de personnages royaux. Le jeune garçon était un modèle réduit de son père, et tout l'équipage, lui compris, avaient été choisis par Mycroft.

« Bonsoir, Jones, dit Holmes. Un cognac ? Un whisky ?

– Merci, monsieur, je ne bois pas en mer. C'est chercher les ennuis, monsieur. Je venais vous demander si vous aviez décidé de votre destination.

– La Palestine, Jones.

– La Palestine ?

– Oui, vous savez... Israël, Sion, la Terre sainte. C'est sur vos cartes, je suppose ?

– Naturellement, monsieur. C'est juste que... eh bien, je ne sais pas si vous y êtes allé récemment, mais ce n'est pas l'endroit le plus tranquille où voyager. Il y a eu une guerre, vous savez.

– Cela ne m'a pas échappé, Jones. Vous avertirez Londres, et ils prendront les dispositions nécessaires.

– Très bien, monsieur. Devons-nous faire route tout de suite ?

– Cela peut attendre le matin, Jones, rien ne presse. N'est-ce pas, Russel ? »

J'ouvris les yeux. « Non, rien du tout, confirmai-je avant de les refermer.

– Très bien. Bonsoir, monsieur, mademoiselle. »

Holmes se leva silencieusement, et je sentis son regard posé sur moi.

« Russell ?

– Mmm.

– Nous n'avons plus rien à faire, ce soir. Allez vous coucher. Ou voulez-vous que j'aille vous chercher une couverture, une fois de plus ?

– Non, non, j'y vais. Bonne nuit.
– Bonne nuit, Russell. »

Je me réveillai dans la lumière grise de l'aube, lorsque les moteurs changèrent de régime. En traversant la cabine pour aller chercher un verre d'eau, je vis la silhouette de Holmes. Recroquevillé dans un fauteuil, les genoux sous le menton et la pipe à la main, il contemplait la mer. Je retournai me coucher sans mot dire, et je ne pense pas qu'il m'ait remarquée. Je dormis toute la journée, et lorsque j'ouvris enfin les yeux, c'était l'été.

Pas tout à fait, bien sûr, et nous eûmes de la pluie pendant les semaines qui suivirent, mais, comme il y avait assez de soleil, Holmes et moi passions des heures à bronzer sur le pont. Londres, sous son épaisse couverture de neige fondue et de brouillard jaunâtre, semblait appartenir à un autre monde, et je me surpris souvent à espérer avec ferveur que notre assassin potentiel subissait toutes les rigueurs de l'hiver, bronchite et engelures comprises.

Les jours s'écoulèrent rapidement. À mon étonnement, loin de s'impatienter de ce repos forcé, Holmes paraissait détendu et de bonne humeur. Nous restions des heures à inventer des jeux intellectuels complexes, et il m'enseigna les subtilités des codes et des messages chiffrés. Nous démontâmes et remontâmes la radio de secours du bateau et commençâmes des expériences consistant à chauffer diverses substances pour déterminer leur point d'inflammation spontanée. Mais comme cela rendait le capitaine extrêmement nerveux, nous y renonçâmes pour nous exercer au vol à la tire. Noël arriva et passa, avec pudding, diablotins et chansons parlant de terre dure comme du fer et d'empreintes dans la neige, puis, après le dîner, Holmes monta sur le pont avec un jeu d'échecs.

Nous n'avions guère joué depuis que j'étais entrée à Oxford, et nous nous mîmes aussitôt en devoir de redécouvrir les gambits et le style de l'autre. J'avais fait des progrès en dix-huit mois, et il n'avait plus à se priver d'une pièce, ce qui nous était agréable à tous deux. Nous jouâmes régulièrement, malgré la perte du fou noir, puis du roi blanc qui roulèrent par-dessus bord et durent être remplacés (par une salière et un gros écrou graisseux, respectivement).

Par un chaud après-midi, au large de la Crète, Holmes attaqua la partie avec plus de concentration qu'à son habitude et avec une sorte de fièvre qui me perturba. Nous fîmes trois demi-parties, que nous abandonnâmes dès qu'il fut satisfait de la direction établie par les gambits d'ouverture. La quatrième, toutefois, commença par de curieux mouvements d'ouverture le long de l'aile dame de l'échiquier. Je me préparai à une partie délirante.

Holmes avait les blancs, et il fit tournoyer ses cavaliers à travers l'échiquier comme un chevalier sa masse d'armes, semant la destruction et le désordre sur seize cases et m'obligeant à improviser des défenses en cinq ou six endroits, à mobiliser, puis abandonner fous et tours, à égailler mes pions à l'avant de la mêlée et à les laisser dans des coins écartés tandis que l'action se portait ailleurs. Il écrasa mes défenses l'une après l'autre et, au désespoir, je dus séparer ma reine de mon roi menacé pour en détourner mon adversaire. Je réussis quelque temps mais, finalement, il la prit au piège avec un cavalier et je la perdis.

« Qu'est-ce qui vous arrive, Russell ? se plaignit-il. Vous manquez de concentration.

– Je ne crois pas, Holmes », répondis-je avec douceur. Je déplaçai alors un pion, et ce coup transforma le désordre apparent en un piège fatal tendu par deux pions et un fou. En trois autres coups, je l'avais fait échec et mat.

Devant l'air consterné et stupéfait de Holmes, j'eus envie de pousser des hourras, de sauter de joie, d'embrasser les joues mal rasées du capitaine Jones. Au lieu de quoi, je me contentai de rester assise, le sourire fendu jusqu'aux oreilles.

Il regarda l'échiquier avec ébahissement, comme des spectateurs, un prestidigitateur. Puis, brusquement, il se donna une claque sur le genou en éclatant d'un rire ravi et redisposa les pièces sur l'échiquier pour rejouer les six derniers coups.

« Bravo, Russell, dit-il finalement avec admiration. Sacrément intelligent. Plus tortueux que je vous en aurais cru capable. Mes enfants m'ont surpassé, cita-t-il de façon assez irrévérencieuse.

– J'aimerais m'en attribuer le mérite, mais ce coup est survenu dans une partie que j'ai faite avec mon professeur de mathématiquues, il y a quelques mois. J'attendais l'occasion de m'en servir contre vous.

– Je n'aurais pas pensé que l'on puisse réussir à me faire négliger un pion, reconnut-il. Une belle manœuvre.

– Je m'y suis laissé prendre, moi aussi. Il faut parfois sacrifier une reine pour sauver la partie. »

Il sursauta, me regarda, puis fixa de nouveau l'échiquier, en changeant d'expression. Son visage se crispa et pâlit sous le hâle, comme s'il était pris d'une douleur soudaine.

« Holmes ? Vous allez bien ?

– Hé ? Oh ! oui, très bien. Merci pour cette partie fort intéressante, Russell. Elle m'a donné à réfléchir. » Un sourire d'une grande douceur détendit ses traits durcis. Il avança une main vers mon visage mais la retira avant de me toucher, se leva et se dirigea vers l'escalier. Je le suivis des yeux, un goût de cendres dans la bouche, en me demandant ce que j'avais fait.

Je ne le revis plus jusqu'à notre arrivée à Jaffa.

Excursus

Nous rassemblons nos forces

Umbilicus mundi

... elle est utile, elle ranime les courages,
et pousse les recherches dans une direction nouvelle.

Je ne m'étais pas rendu compte du désir que j'avais de la Palestine avant de voir une de ses villes sur la liste des destinations qui nous étaient proposées et de prononcer son nom. Je ne doutais pas qu'un jour (l'année suivante), je me rendrais en pèlerinage sur la terre de mes ancêtres, mais un pèlerinage est un voyage envisagé et préparé par l'esprit, et peut-être par le cœur, ce qui n'était assurément pas le cas de celui-ci. Alors que j'étais assaillie par la peur et le désarroi, poursuivie et menacée, cette terre inconnue m'appela, me tendit les bras, et j'y trouvai réconfort, refuge et soutien. À moi qui n'avais ni famille, ni foyer, elle apporta l'un et l'autre.

Au crépuscule, nous voguions lentement vers le sud, en longeant à distance la côte lointaine, mais lorsque la nuit fut entièrement tombée, le capitaine mit le cap à l'est, et nous nous dirigeâmes rapidement et silencieusement vers la terre. Holmes apparut, l'air préoccupé, portant un sac à dos presque plat et, à une heure du matin, nous embarquâmes dans une chaloupe aux avirons assourdis, qui nous déposa au sud de Jaffa, ou Yafo, une ville où, pendant la guerre, la population juive avait dû fuir les violences arabes. Imaginez donc mon plaisir lorsque nous fûmes poussés sans cérémonie dans les bras de deux coupe-jarrets arabes en burnous et abandonnés. Avant que la chaloupe eût disparu dans la nuit, nous nous étions enfoncés dans ces terres ravagées par la guerre.

Les deux hommes n'étaient pas des coupe-jarrets, ou peut-être devrais-je dire qu'ils n'étaient pas seulement cela. Ils n'étaient même pas arabes. À leur invitation, nous les appelions Ali et Mahmoud, mais sous des climats plus frais, ils se seraient appelés Albert et Matthew, et leur façon de prononcer les diphtongues anglaises évoquait Oxford et Cambridge. Holmes disait qu'ils étaient de Clapham. Il disait aussi que, bien qu'ils eussent l'air des frères qu'ils prétendaient être et se conduisissent comme des jumeaux, ils étaient au mieux des cousins éloignés. Je ne cherchai pas à en savoir davantage et me contentai de les regarder déambuler main dans la main à la manière des hommes arabes, bavarder interminablement dans la langue du pays et faire de grands gestes de leurs mains libres.

Si nos deux guides n'étaient pas ce qu'ils paraissaient, le reste ne l'était non plus : le bateau apparemment banal qui nous avait transportés était expérimental, un produit de la technologie de la guerre ; les marins n'étaient pas de simples marins, en dépit de la présence de l'enfant, et nous n'étions ni deux nomades à la peau brune et aux yeux clairs, ni un père et son fils. Les deux premières semaines, nous errâmes sans but apparent, accomplissant diverses tâches qui semblaient elles aussi sans objet. Nous récupérâmes un document dans une maison fermée, réunîmes deux vieux amis, établîmes des cartes détaillées de deux sites insignifiants à en bâiller. Pendant cette période assez irréelle, j'eus le sentiment que nous étions observés, sinon jugés, sans pouvoir déterminer si l'on mettait nos capacités à l'épreuve ou si l'on attendait que se présentât une mission qui nous convînt. Quoi qu'il en soit, nous fûmes brusquement plongés dans une affaire où nous retrouvâmes notre confiance en nous dans l'ivresse du danger et les exigences d'un mode de vie inconfortable. Je me découvris vite un goût prononcé pour ce genre d'existence, dont j'avais eu un aperçu au pays de Galles, et qui fit fleurir en moi une passion pure et brûlante pour la liberté. Si le but caché de Mycroft était de nous procurer une forme exotique de vacances, il y réussit parfaitement.

Ce qui ne veut pas dire que nous étions sous son contrôle, ni même sous sa direction : son nom nous ouvrit quelques portes, aplanit quelques difficultés, mais nous n'en étions pas pour autant sous sa protection. Nos activités en Terre sainte nous placèrent même quelquefois dans des situations assez intéressantes. Les dangers auxquels nous eûmes à faire face (microbes et insectes mis à part), bien qu'immédiats et personnels (notamment pour Holmes, qui tomba un moment dans des mains inamicales) furent toutefois agréablement directs et dépourvus de subtilité.

Nous fûmes tous les deux blessés, mais sans gravité. En fait, si je fus prise pour cible par deux tireurs remarquablement incompétents dans le désert et attaquée par des voyous à la porte de l'église du Saint-Sépulcre, le plus mauvais moment que je passai fut celui où un trio de marchands amoureux et éméchés m'assaillit dans le quartier arabe. Même la révélation de la quantité de cheveux dissimulés sous mon turban ne les arrêta pas longtemps, et ils se montrèrent aussi disposés à courir après une femme qu'après le jeune homme pour qui ils m'avaient prise. Je faillis commettre un meurtre, ce jour-là... mais pas sur la personne des marchands, sur celle de Holmes, pour le peu d'empressement et l'amusement avec lesquels il vint à ma rescousse.

Nous – je – gardâmes Jérusalem quasiment pour la fin ; nous la contournâmes pour nous diriger vers le nord, la frôlâmes de façon cruellement tentante à deux reprises sans y entrer. Puis, un soir enfin, en compagnie d'un groupe de bédouins et de leurs chèvres étiques, nous montâmes les deux longues collines desséchées qui menaient à la ville et, noircis par le soleil, les pieds endoloris, répugnants de saleté (même Holmes, habituellement d'une propreté de chat), nous atteignîmes le sommet du mont des Oliviers au coucher du soleil. Devant nous se dressait la ville des villes, l'*umbilicus mundi*, le centre de l'Univers, poussant sur les fondations mêmes de la terre, étonnamment petite, un joyau. Mon cœur chanta dans ma poitrine, et les antiques paroles hébraïques me montèrent aux lèvres.

« *Simchu eth Yerushalaim w'gilu bah kal-ohabeha* », récitai-je. « Réjouissez-vous avec Jérusalem et soyez heureux pour elle, vous tous qui l'aimez. » Nous dormîmes parmi les tombes, cette nuit-là, à la consternation de nos guides. Au matin, nous vîmes le soleil enlacer tendrement les murs de la ville et l'animer d'une vie vibrante. Je la contemplai avec bonheur, remplie d'une reconnaissance inexprimable.

Nous attendîmes que le soleil embrasât les murs blanc doré et que la poussière montât de la route, puis nous entrâmes dans la ville. Pendant trois jours, nous parcourûmes ses ruelles étroites, mangeâmes dans ses bazars, respirâmes l'encens de ses églises. Nous touchâmes ses murs, goûtâmes sa poussière et en repartîmes, changés. Après avoir regardé le soleil d'hiver l'abandonner à la nuit, nous ramassâmes nos sacs et lui tournâmes le dos.

Tandis que le ciel passait du bleu cobalt à un noir infini, nous marchâmes vers le nord, puis nous fîmes halte, préparâmes nos deux feux et plantâmes nos trois tentes, tirâmes de l'eau d'une citerne, cuisinâmes et mangeâmes l'inévitable et coriace viande de chèvre qui semblait être l'ordinaire d'Ali et de Mahmoud. Nous finîmes par de petites tasses de café, épais comme du miel et presque aussi sucré. Quand les feux baissèrent, nos guides allèrent se coucher et, silencieux, Holmes et moi fumâmes et cherchâmes les constellations, respectivement. Sur une colline lointaine, des chacals firent entendre leur sinistre concert d'aboiements. Quelque part, un bruit de moteur enfla, puis s'éloigna. Un coq chanta. Finalement, remplie de cette sérénité qui provient seulement d'une décision prise ou d'une tâche bien accomplie, je me levai pour gagner ma tente. Holmes vida sa pipe dans le feu.

« Je dois vous remercier de m'avoir amené ici, Russell. Cela a été un intermède très instructif.

– Il y a encore un endroit que je souhaite voir dans ce pays, dis-je. Nous y passerons en nous rendant à Acre. Bonne nuit, Holmes. »

Deux jours plus tard, debout sur une colline venteuse, nous dominions la plaine ensanglantée d'Esdrelon. Le général Allenby y avait vaincu l'armée turque en déroute, quatre mois auparavant ; sept cent trente ans plus tôt, les croisés y avaient subi une défaite désastreuse ; au cours des trois mille ans précédents, diverses armées s'y étaient affrontées pour le contrôle de l'étroit passage nord-sud reliant l'Égypte et l'Afrique aux continents européen et asiatique. Le mont Megiddo, Ar Megiddo, a donné son nom au site de l'ultime bataille : l'Harmagedôn commencera ici. C'est un carrefour, et il est fertile : une combinaison fatale. Ce soir-là toutefois, on n'y entendait rien de plus menaçant que les aboiements d'un chien et le tintement lointain de clochettes de chèvres. Le lendemain, nous nous mettrions en route pour Acre, la forteresse des croisés, où nous retrouverions le bateau qui nous ramènerait dans l'Angleterre froide de janvier et nous rendrait à notre lutte contre une ennemie inconnue. Une perspective peu séduisante, quand le soleil couchant vous chauffe le dos et qu'une douce brise fait claquer la toile de votre tente. Pendant les semaines écoulées, nous avions peu parlé des événements qui nous avaient amenés en Palestine. Je savais que Holmes supportait mal d'être obligé de laisser d'autres travailler à sa place, mais il avait su maîtriser son impatience. Sur cette colline qui dominait le champ de bataille, j'abordai résolument le sujet.

« Alors, Holmes. Londres nous attend.

– En effet, Russell, en effet. » Ses yeux brillaient soudain d'un éclat que je ne leur avais pas vu depuis quelques semaines, l'impatience d'un chien courant longtemps privé de chasse.

« Quels sont vos plans ? »

Il sortit sa pipe et sa blague à tabac de ses robes miteuses.

« Dites-moi d'abord pourquoi vous nous avez amenés ici.

– À Yizréel ? Je vous ai dit le nom de ma mère, je crois ?

– Oui, Judith, n'est-ce pas ? Pas Mary McCarty. Rafraîchissez-moi la mémoire, voulez-vous, Russell. J'essaie d'oublier les connaissances dont je n'ai pas besoin dans mon travail, et les récits de la Bible entrent normalement dans cette catégorie.

– Vous tirerez peut-être profit de celui-ci, fis-je avec un sourire amer. Ma mère et moi le lisions quand j'avais sept ans. C'était la petite-fille d'un rabbin, une petite femme paisible douée d'une sagesse remarquable. Bien que ne faisant pas partie du canon hébraïque, cette histoire fut la première qu'elle me fit étudier, parce qu'elle ne pensait pas que la religion devait être une chose facile. Et parce qu'il y était question de son homonyme.

– L'histoire de Judith et d'Holopherne.

– Cela s'est passé ici, dans une petite ville située sur la route de Jérusalem que nous avons suivie tout à l'heure. Holopherne était le commandant d'une armée venue du nord, chargé de punir Jérusalem. Comme cette petite ville lui en barrait l'accès, il la coupa de ses sources et l'assiégea. Au bout de trente-quatre jours, les habitants adressèrent un ultimatum à Dieu : il avait cinq jours pour leur procurer de l'eau, sinon ils livraient la ville.

« Dégoûtée par ses concitoyens, Judith, une jeune veuve sage, honnête et riche, revêtit ses plus beaux atours, appela sa servante et se rendit dans le camp d'Holopherne. Elle lui dit qu'elle voulait échapper à la destruction prochaine et s'exhiba quelques jours devant lui. Il finit naturellement par l'inviter dans sa tente. Elle l'enivra, il perdit connaissance, elle lui coupa la tête et la rapporta dans sa ville. L'invasion échoua, Jérusalem fut sauvée et, deux mille cinq cents ans après, des femmes ayant reçu son nom font faire des cauchemars à leurs enfants en leur racontant son histoire.

– Un récit stimulant, Russell, mais que je n'aurais peut-être pas choisi pour une enfant de sept ans.

– Ma mère considérait qu'il fallait commencer l'apprentissage théologique de bonne heure. Comparée à l'histoire de la concubine du Lévite étudiée l'année suivante, celle de Judith ressemble à une comptine enfantine. Bref, je voulais venir ici pour voir l'endroit où Holopherne avait déployé ses troupes. Cela répond-il à votre question ?

– Je le crains, fit-il en soupirant. Vous avez donc compris à quoi je pensais, sur le bateau ?

– Cela pouvait difficilement m'échapper.

– Et vous proposez cela comme solution de remplacement, dit-il en désignant la plaine d'un geste de la main.

– Oui.

– Non. Je suis désolé, Russell, mais je ne vous laisserai pas vous introduire dans le camp de l'ennemi. Je ne pense pas que notre adversaire actuel ferait un ivrogne complaisant.

– Je refuse toutefois d'être sacrifiée. Je ne veux pas vous abandonner, Holmes. » J'étais soulagée, mais je n'allais pas me montrer lâche pour autant.

– Je ne vous propose pas de m'abandonner mais seulement d'en avoir l'air, Russell. » Il alla dans sa tente et en revint avec le coffret en bois familier. Il disposa les pièces comme elles l'étaient dans la partie que nous avions jouée au large de la Crète, avant que ma reine ne succombât. Puis il retourna l'échiquier pour prendre les noirs. Cette fois, ce fut moi qui capturai sa reine, moi qui le pressai et l'acculai. Le jeu se modifia toutefois, car je connaissais ses intentions.

Les coups se ralentirent. Des pièces tombaient et étaient retirées du champ de bataille. Les premières étoiles apparurent imperceptiblement, et Ali apporta une petite lampe à huile qu'il posa sur une pierre entre nous. Holmes prit mon second fou en tenailles ; je lui pris une tour (une fausse victoire ; Holmes dédaignait leur marche trop directe) et, deux coups plus tard, en perdis une, démantelée par son cavalier (ses cavaliers étaient une arme terrible quand il était d'une certaine humeur ; ils ressemblaient plus au char faucheur de Boadicée qu'à d'honnêtes cavaliers à cheval). Mahmoud nous mit dans les mains de minuscules tasses de café sirupeux, étudia quelque temps l'échiquier sans faire de commentaire, puis s'éloigna.

La partie fut longue. Je savais qu'il comptait reproduire ma victoire surprise et refusais de me laisser manœuvrer. Je me tins à l'écart de ses pions, me servis de ma reine avec beaucoup de précaution et, finalement, il sembla changer de tactique et tâcha de m'attirer dans un autre piège triangulaire. Je m'en échappai ; il le retendit plus loin sur l'échiquier. Je l'évitai de nouveau et déplaçai ma tour pour le mettre en échec. Il para, j'appelai ma reine à la rescousse, puis je ne sais comment, dans l'excitation de la traque, je négligeai le pion qui avait été l'élément faible de son premier mouvement de tenailles, oublié depuis longtemps. Brusquement, il fut dans ma seconde rangée ; au coup suivant, il se transformait en reine.

« *Regina redivivus* », commenta Holmes d'un ton sardonique, avant de s'abattre sur l'arrière de mon offensive comme une averse de grêles sur des fleurs de pêcher. Sa reine ressuscitée mit en déroute les restes de mon armée, je fus mat en cinq ou six coups, et ce fut à mon tour de rire en secouant la tête.

« Elle ne s'y laissera jamais prendre, Holmes, objectai-je.

– Si, je vous assure, pourvu que la diversion soit assez crédible. C'est une femme fière et méprisante, l'irritation que lui aura causée notre absence la rendra imprudente et toute disposée à croire que Sherlock Holmes n'a pas su conserver sa reine, que ce pauvre vieil Holmes est seul, exposé et sans défense. Elle fondra sur lui, dit-il en tapotant la reine blanche. Et c'est alors que nous l'aurons. » Il prit le pion noir, le roula entre ses mains comme pour le réchauffer et, lorsqu'il les ouvrit, la reine noire reposait au creux de ses paumes. « C'est bon, reprit-il de l'air d'un homme concluant une longue et délicate négociation. Vraiment très bon. » Je vis briller dans ses yeux le même éclat intense que la semaine précédente, lorsqu'il avait affronté un jeune assaillant armé d'un grand couteau. L'ivresse du combat, sans doute.

« C'est dangereux, protestai-je. Et si elle s'en apercevait ? Si elle ne jouait pas suivant les règles et décidait de nous éliminer tous les deux ? Et si... » Et si j'échoue, gémissait une voix en moi.

« Si, si... Bien sûr que c'est dangereux, Russell, mais je ne peux pas passer le reste de mes jours à battre la campagne palestinienne ou à trébucher sur des gardes du corps, n'est-ce pas ? » Il avait l'air très content de son plan, mais maintenant que l'heure était venue, je me dérobais.

« Nous ne savons pas ce qu'elle fera, m'écriai-je. Laissez Lestrade organiser une surveillance, ou Mycroft si vous ne voulez pas de Scotland Yard. Au moins au début, le temps que nous sachions comment elle réagit.

– Autant mettre une annonce dans le *Times* pour l'informer de nos intentions, railla-t-il. Vous devriez vous mettre à l'escrime, Russell, je vous assure. Elle offre des moyens fort intéressants de juger son adversaire. J'ai une idée du style et de l'allonge de notre ennemie, à présent. Si elle a marqué quelques points sur moi, elle m'a également révélé ses faiblesses. Ses attaques ont toutes été conçues en fonction de ce qu'elle savait de ma nature, de mes talents. À notre retour, elle s'attendra que je continue à esquiver et à parer avec ma subtilité et mon adresse habituelles. Elle sait que je le ferai mais... je ne le ferai pas. Je vais stupidement baisser ma garde et m'avancer vers elle. Elle hésitera quelque temps, se montrera méfiante, puis progressivement convaincue de ma folie, elle jubilera et s'apprêtera à frapper. Mais vous, Russell, vous l'aurez guettée d'un bout à l'autre, et vous la prendrez de vitesse. »

Mon Dieu ! Moi qui avais souhaité davantage de responsabilités, j'étais servie ! Je tâchai de maîtriser le tremblement de ma voix.

« Ce n'est pas fausse modestie de ma part que de dire que je n'ai aucune expérience de ce " jeu ", comme vous tenez à l'appeler. Une erreur de ma part pourrait être fatale. Nous devons avoir un soutien.

– J'y penserai. » Il se pencha alors par-dessus l'échiquier et me regarda dans les yeux avec cette étrange intensité que j'avais remarquée plus tôt. « Je veux toutefois que vous sachiez que je connais mieux que vous vos possibilités, Russell. Je vous ai formée, après tout. Pendant près de quatre ans, je vous ai façonnée, trempée, affûtée, et je sais de quoi vous êtes capable. Je connais vos forces et vos faiblesses, surtout après ces quelques semaines. Ce que nous avons fait dans ce pays vous a polie, mais l'acier était déjà là. Je ne regrette pas de vous avoir emmenée avec moi, Russell.

« Si vous vous sentez vraiment incapable d'y arriver, je n'insisterai pas. Je ne considérerai pas cela comme un échec de votre part. Cela signifiera simplement que vous rejoindrez Watson tandis que je m'assurerai le concours de Mycroft. Ce serait moins bien, je le reconnais... peu élégant et probablement plus long, mais pas impossible. C'est à vous de décider. »

Il parlait avec calme, mais ses propos me bouleversaient, car Holmes, le calculateur, le réfléchi, Holmes, le solitaire qui ne consultait jamais personne, ce Holmes que je croyais connaître, ne proposait maintenant rien de moins que de se jeter dans l'abîme en s'en remettant entièrement à moi pour le rattraper.

Mieux encore : cet homme indépendant, qui avait rarement permis même à son ami Watson, un ancien soldat robuste, de s'exposer à un véritable danger, qui depuis quatre ans n'avait cessé de chercher à me protéger ; cet homme qui était un gentleman victorien jusqu'au bout des ongles se proposait à présent de placer entre mes mains inexpérimentées et, surtout, féminines, non seulement sa vie, mais aussi la mienne. C'était le changement que j'avais remarqué en lui et sur lequel je m'étais interrogée : l'intensité et le plaisir avec lesquels il s'apprêtait au combat à venir. Il n'avait plus d'hésitations, plus de doutes, et me disait en termes on ne peut plus clairs qu'il était prêt à me considérer pleinement, entièrement, comme son égale, si c'était ce que je souhaitais. Il m'offrait non seulement sa vie, mais la mienne.

Je ne sais combien de temps mes yeux fixèrent la petite reine sculptée, mais quand ils se levèrent pour regarder enfin l'homme assis en face de moi, ses sourcils semblaient attendre quelque chose. Je dus réfléchir un moment avant de me rappeler qu'il m'avait posé une question. Mais il n'y avait pas de décision à prendre.

« Face à l'impensable, on choisit ce qui n'est qu'impossible », dis-je d'une voix tremblante. Il eut un sourire approbateur, chaleureux.

Puis un miracle se produisit.

Holmes tendit ses longs bras vers moi. Comme une enfant effrayée, je m'y réfugiai, et il m'enlaça, gauchement d'abord, puis avec plus de naturel. Bientôt mes tremblements s'apaisèrent. Réconfortée, j'écoutai les battements réguliers de son cœur jusqu'à ce que la lampe s'éteignît et que l'obscurité nous enveloppât.

Deux jours plus tard, les remparts d'Acre se refermèrent sur nous, aussi différents des pierres baignées de soleil de Jérusalem qu'on peut l'imaginer. Alors que les murs dorés de cette ville avaient brillé et étincelé, alors qu'elle vibrait d'un chant de joie et de douleur inaudible, les murs d'Acre étaient lourds et épais, et il s'en élevait un hymne funèbre et plurilingue d'ignorance et de mort. Leurs ombres longues ressemblaient à des spectres qu'il convenait d'éviter, et je remarquai que Holmes jetait autour de lui des regards méfiants. Nous descendîmes jusqu'à la mer par les ruelles et, après avoir pris congé d'Ali et de Mahmoud, nous bûmes du thé à la menthe et regardâmes les vagues lécher les vestiges de la jetée des croisés jusqu'au crépuscule, moment où nous fûmes rejoints par le marin qui nous avait conduits à terre, un mois plus tôt.

Une fois sur le bateau, nous vîmes disparaître les dernières lumières de la Palestine. Jérusalem était invisible aux regards, mais je percevais une faible lueur au sud-est, comme si le soleil s'y était réfugié. Je récitai à mi-voix :

« *Al naharoth babel sham yashavnou gam-bakinou...*

Im eshkahek Yerushalaim tishkah y'mini...

– Vous avez chanté cela l'autre soir, il me semble ? dit Holmes. Qu'est-ce que c'est ?

– Un psaume. L'un des plus puissants chants hébreux, plein de sifflantes et de gutturales. » Et je lui traduisis « Au bord des fleuves de Babylone... », le chant de l'exilé.

« Amen », murmura-t-il quand j'eus fini, me surprenant une fois encore.

La terre ne fut bientôt plus qu'une vague traînée lumineuse dans l'obscurité, et nous quittâmes le pont.

Livre 4

Maîtrise

Le combat est engagé

Premier acte

Isolée, pourvue de vivres abondants et dans la température la plus favorable, elle expire au bout de quelques jours, non de faim ou de froid, mais de solitude.

Les moteurs changèrent de régime avant même que nous soyons arrivés dans la cabine commune, et les vibrations sous nos pieds nous indiquèrent que nous prenions de la vitesse. Je me rendis dans la salle de bains et retirai avec reconnaissance mes vêtements croûtés de poussière, raides de sueur, odorants et élimés. Une heure et trois bains plus tard, j'en sortis transformée, les ongles roses et blancs, les cheveux enfin libérés, des picotements agréables par tout le corps. J'enfilai le long kaftan brodé que j'avais acheté dans les souks de Naplouse et, me sentant positivement sensuelle, à nouveau femme après des semaines passées à m'accroupir, marcher et me gratter, j'allai préparer une grande théière de thé anglais. Holmes s'était lavé ailleurs et lisait le *Times*, vêtu d'une chemise et d'une robe de chambre propres, comme s'il n'avait jamais dormi dans des peaux de chèvre, jamais eu à se soucier de la faune locale qui avait élu domicile sur son crâne. Je soulevai une délicate tasse de porcelaine et ris doucement de plaisir.

On frappa à la porte, et la voix du capitaine se fit entendre.

« Bonsoir, monsieur Holmes, bonsoir, mademoiselle. Puis-je entrer ?

– Faites, Jones, faites.

– J'espère que vous avez passé un séjour satisfaisant en Palestine, monsieur ?

– Des plaisirs simples pour des esprits simples », murmura Holmes. Une phrase qui provoqua une réaction chez notre imperturbable capitaine. Il jeta un coup d'œil exercé sur les meurtrissures jaunes et vertes qui décoraient le visage de Holmes et attarda un instant le regard sur le pansement impeccable qui dépassait de la manche de mon kaftan. Il alla même jusqu'à ouvrir la bouche pour faire un commentaire, mais avant de perdre aussi entièrement le contrôle de lui-même, il se ressaisit et referma les mâchoires.

« Et vous, capitaine Jones ? demanda Holmes. J'espère que le mois de janvier vous a été propice, quoique vous ne l'ayez pas passé sur ce bateau, apparemment. Comment était la France ? Déjà en pleine reconstruction, semble-t-il. » Le silence s'installa, et une expression de perplexité méfiante se peignit sur le visage du capitaine.

« Comment savez-vous où j'étais ?

– Ce n'est pas un grand mystère, Jones. Votre teint me dit que vous n'avez pas beaucoup vu le soleil depuis que nous nous sommes quittés ; votre nouvelle pommade capillaire et la montre à votre poignet indiquent que vous avez visité Paris. Ne vous inquiétez pas, je ne vous ai pas fait espionner, ajouta-t-il avec un petit rire.

– Je suis heureux de le savoir, monsieur. Si je pensais que vous aviez mis le nez dans mes affaires, je serais obligé d'envoyer certains messieurs vous poser des questions pénibles. Soit dit sans offense, monsieur, ce serait mon devoir.

– Je comprends, Jones, et je veille à ne voir que des détails sans importance.

– Cela vaut sans doute mieux, monsieur. Ah ! ce colis vous est destiné. Il m'a été remis la semaine dernière par un messager... à Paris, en fait. » Comme j'étais à côté du capitaine, je tendis la main pour le prendre, mais la voix de Holmes s'éleva, coupante et impérieuse :

« Non, Jones. Ce paquet ne doit être remis à personne d'autre qu'à moi, et il en ira de même pour toute communication officielle ultérieure. C'est bien compris, capitaine ? »

Un silence stupéfait s'abattit sur la cabine. Holmes prit avec froideur le paquet des mains du capitaine et alla l'ouvrir près de la fenêtre. Jones contempla fixement son dos pendant quelques secondes, puis me jeta un regard ahuri. Je rougis de honte et, faisant volte-face, courus dans ma cabine, dont je claquai la porte. Un instant plus tard, j'entendis le capitaine sortir. La pièce avait commencé.

Peu après, deux coups légers furent frappés à ma porte. J'allai à la fenêtre avant de répondre. « Entrez, Holmes.

– Russell, ce colis est très... ah ! je vois. L'esprit était prêt, mais le cœur a été déconcerté, hein ? » Qu'il ait réussi à lire ma détresse dans ma colonne vertébrale m'étonne encore.

« Non, non, c'est la soudaineté de la chose qui m'a prise au dépourvu, répondis-je en me retournant. Je ne m'attendais pas que nous endossions nos rôles aussi vite. Mais c'est aussi bien, peut-être. Le capitaine sait désormais que quelque chose cloche, et je n'aurais sans doute pas su jouer cette scène-là. Je ne suis pas tout à fait Sarah Bernhardt. » Mon sourire était un peu contraint.

« C'était très convaincant. Je crains que nous ne connaissions encore bien des moments pénibles avant la fin de cet acte.

– Le texte est écrit, il faut le dire, fis-je d'un ton léger. Vous vouliez me parler du colis de Mycroft ?

– Tenez, regardez vous-même. Notre adversaire a été d'une extrême prudence. Sa technique me remplit d'admiration. Si elle ne me serrait pas d'aussi près, je prendrais beaucoup de plaisir à cette affaire, car je ne crois pas en avoir connu une seule où un aussi grand nombre d'indices ne menaient strictement nulle part. »

Le paquet était volumineux. Je mis de côté les cinq grosses enveloppes portant l'écriture de Mme Hudson et les timbres de divers ports d'escale. Un épais rapport des laboratoires de Scotland Yard traitait des empreintes trouvées dans le fiacre et sur le bouton, ainsi que des trois bombes. C'était la description de l'engin placé dans la ruche qui était la plus éclairante. Les hommes de Mycroft avaient en effet établi que la charge avait été enflammée, non par la maladresse de Holmes, mais par un fil très mince, dissimulé dans l'herbe et allant de la ruche qu'il était en train d'examiner à celle où se trouvait la bombe.

« Elle n'a donc jamais eu l'intention de vous tuer !

– Je l'ai appris avec plaisir. C'était un problème qui me tracassait. Oh ! je ne parle pas de la tentative de meurtre, mais du fait qu'elle s'en fût prise d'abord à moi. Mon hypothèse était qu'elle ne s'attaquait à Watson et à vous que pour m'éprouver. Or, je pouvais difficilement l'être si j'étais déjà mort. J'ai désormais l'explication ; cela confirme aussi le fait que vous serez en sécurité si nous paraissons en froid. »

Le reste était intéressant mais moins important. Les empreintes relevées sur la bombe d'Oxford était celles du mort. Dans le fiacre, outre les empreintes de Holmes, de Billy et de moi-même, on avait trouvé celles du propriétaire du véhicule, d'un autre cocher (interrogés et relâchés tous les deux par Lestrade) et de deux autres hommes, dont l'un avait également appuyé son pouce sur le bouton. Ce dernier, bien connu des services de police, avait vite été appréhendé. Son complice s'était échappé par la fenêtre de derrière de la maison et passait pour avoir fui en Amérique. L'homme arrêté était accusé des blessures infligées à Billy mais, d'après Lestrade, il ne révélerait rien sur son employeur. « Bien que menacé d'une longue peine de prison, il refuse résolument de parler, écrivait Lestrade. Il est à noter que sa femme et leurs deux enfants adolescents se sont récemment installés dans une maison neuve et semblent avoir des revenus extérieurs. Leur compte en banque ne révèle pas de grand changement, mais ils disposent de sommes d'argent conséquentes. L'enquête n'a pas donné d'autres résultats jusqu'à présent. »

Je regardai Holmes, qui était environné d'un nuage de fumée grise.

« Encore un bon père de famille dans le groupe, je vois.

– Continuez votre lecture. Ça se corse. »

Le document suivant concernait le mort, John Dickson. Il s'était apparemment amendé, vivait heureux avec sa femme et ses enfants et travaillait dans la boutique de son beau-père. À peu près six semaines avant les trois bombes, il avait hérité une somme rondelette d'un parent lointain, décédé à New York. Il avait expliqué à sa veuve qu'il toucherait cet héritage en deux parties d'un montant égal, versées à cinq ou six mois d'intervalle. Il commença à parler d'université pour les enfants, d'une opération à la jambe dont l'un d'eux avait besoin, et ils projetèrent un voyage en France pour l'été suivant. Après avoir reçu la première partie de la somme, il se mit à passer de longues heures enfermé dans sa remise ; il disparaissait de temps à autre pendant un ou deux jours et revenait sali par le voyage, fatigué mais étrangement excité. À la mi-décembre, il quitta sa maison un samedi soir en disant qu'il devait s'absenter quelques jours mais que ce serait la dernière fois.

Le mardi matin, il était tué par sa bombe, apparemment parce que le mouvement d'horlogerie en avait été trafiqué. Une semaine plus tard, sa veuve reçut un virement à son nom d'une banque new-yorkaise. La police de ce pays trouva que le compte y avait été ouvert quelques mois auparavant par une femme qui l'avait alimenté en espèces. Détail curieux : le second paiement faisait exactement le double du premier, contrairement aux prévisions de Dickson. Les deux virements avaient vidé le compte, qui avait été fermé. Lestrade concluait que, rien ne permettant d'établir un lien entre cet argent et les bombes, la veuve serait sans doute autorisée à le conserver.

« Que pensez-vous de ce second versement, Holmes ? Remords de conscience ?

– La propreté a affecté votre cerveau, Russell. C'était manifestement un meurtre prémédité. Faites-moi tout de même penser à demander à Lestrade quel était l'état d'esprit de Dickson au moment du meurtre.

– Vous croyez qu'il s'agissait peut-être d'un suicide ? Contre versement du solde à sa famille ?

– De toute façon, cela nous apprend des choses intéressantes sur notre ennemie. Elle a des relations internationales, c'est du moins ce que tend à indiquer la possession d'une somme importante en dollars, et elle respecte ses engagements après la mort de l'intéressé. En plus de tout ce que nous savons d'elle, c'est un assassin doué du sens de l'honneur. Très subtil. »

Je retournai au paquet, qui contenait une copie du rapport des experts en bombes – extrêmement technique et rédigé en anglais policier –, plusieurs photographies glacées du fiacre et des toilettes pour dames et une lettre de Mycroft. Je jetai un coup d'œil au premier, mis de côté les secondes et commençai à lire les pattes de mouche de Mycroft. Il parlait d'abord de la bombe, convenant qu'elle avait été posée par Dickson et ajoutant que, bien que le détonateur eût été fabriqué en Amérique avant 1909, il avait manifestement été exposé à l'air corrosif de Londres pendant de nombreux mois. Il s'intéressait ensuite au problème du tireur qui nous avait pris pour cible à Scotland Yard, et qui était ou n'était pas la personne que la mère à la poussette avait vue fourrer à l'arrière d'un taxi un engin compliqué ressemblant à l'appareil d'un photographe de rues, capote comprise et roues en sus. À ce sujet, il écrivait :

Je flaire la diversion, comme c'était déjà le cas pour la chaloupe, dont nous avons découvert qu'elle avait été louée comptant – anonymement – pour s'éloigner à toute vapeur dès que le capitaine entendrait un bruit « ressemblant à celui d'un coup de feu ».

Concernant l'identité de votre poursuivante, rien de bien nouveau, sinon ceci : il y a trois jours, alors que je me rendais au club, un individu incroyablement louche affligé d'une physionomie de crapaud – et en ayant vaguement la couleur – s'est coulé vers moi d'une façon qu'il croyait sans doute naturelle et a marmonné du coin de ses lèvres plates qu'il avait un message pour mon frère. (Si seulement tu pouvais faire en sorte que ces personnes envoient des lettres. Je présume qu'elles sont analphabètes. Pourrait-on les persuader d'utiliser le téléphone ?) Son message, et je le cite mot pour mot, se résumait à ceci : Lefty dit qu'il y a des oiseaux migrateurs en ville qui ont du biscuit, et qu'une grenouille mène la danse. Fin de citation.

J'ai pensé que cela pourrait t'intéresser.

Par parenthèses, mes plus chaleureuses félicitations pour le succès de ton excursion palestinienne. Je n'en attendais pas moins de toi, mais la reconnaissance du Premier Ministre et des députés t'est acquise. Je suppose que, lorsque ton nom apparaîtra sur les listes de l'année prochaine, il faudra que je m'arrange pour l'en faire disparaître. Cela devient fatigant, et j'ai bien peur d'avoir à en faire autant pour Mlle Russell d'ici longtemps.

J'espère que la présente vous trouvera tous deux en bonne santé. J'attends impatiemment votre retour (avec un peu le même intérêt qu'un renard surveillant un poulailler dans lequel il a vu sauter un chat).

Mycroft.

J'achevai ma lecture et me tournai vers Holmes.

« Les oiseaux migrateurs, etc. ?

– Des inconnus en ville, qui ont de l'argent et dont le chef est une femme. »

Je hochai la tête d'un air songeur, puis étalai les photos sur une table basse et me mis à les étudier avec attention. Le photographe avait pris deux séries de photos de l'intérieur du fiacre, avant que j'en eusse retiré mes lambeaux d'étoffe et après. Je me rappelai avec un serrement de cœur le plaisir que j'avais eu à acheter la robe de soie verte en voyant un morceau de sa manche sur une photo.

« Pourquoi a-t-elle détruit le fiacre, Holmes ? Pourquoi s'est-elle attaquée à lui et pas à nous ? Même Billy n'a pas été sérieusement blessé. Verriez-vous un inconvénient à ce que j'ouvre la fenêtre ?

– C'est un peu enfumé, n'est-ce pas ? Bien. Mais il vaudra mieux la refermer dans une minute ou deux, de peur que l'on ne nous entende. Pourquoi, comme vous dites, un ennemi se contente-t-il de quelques vêtements et du cuir du siège d'un vieux fiacre ? Sinon pour nous montrer qu'elle savait où nous étions et qu'elle aurait aussi bien pu s'en prendre à nos personnes. Et aussi pour me faire un pied de nez en marchant à reculons et en appliquant de la boue de Baker Street sur ses chaussures. C'était une démonstration, sans aucun doute, mais n'était-ce que cela ? Je ne pense pas. Regardez de près les taillades du siège. Est-ce que cela vous dit quelque chose ? »

J'étudiai avec concentration les coupures qui se croisaient, se rencontraient à une extrémité ou étaient parallèles. « Y aurait-il une combinaison ? fis-je avec une certaine surexcitation. Passez-moi ce crayon et ce bloc, voulez-vous, Holmes ? » Les deux premières taillades se croisaient en leur centre, et je traçai un X sur ma feuille. Les deux suivantes se rencontraient au bord inférieur du siège, un V. Au bout de quelques minutes, j'avais la série de « X », de « V » et de lignes droites suivantes

XVXVIIXXIIXIIXXIIXXIVXXXI

« Des chiffres romains ? Cela vous évoque quelque chose ? » demandai-je à Holmes, qui fixait la feuille de ses yeux d'acier. Je vis que non et me calai dans mon fauteuil.

« Une série de vingt-cinq chiffres romains. Qu'est-ce que cela donne si on les additionne ? » Je fis le calcul, dix plus cinq plus dix, etc. « Cent quarante-cinq, si on les prend séparément. Bien entendu, cela pourrait aussi être quinze, dix-sept, vingt-deux, etc.

– Ce qui ferait ?

– Étant donné la nature des chiffres romains, la différence ne sera pas grande mais, voyons... cent quarante-trois.

– Intéressant. Et le chiffre intermédiaire est cent quarante-quatre, douze par douze.

– Et si l'on additionne les deux totaux, cela fait deux-cent-quatre-vingt-huit, le nombre de dollars que mon père avait dans son bureau à sa mort. Ces jeux sont sans fin, Holmes.

– Et si nous remplacions les chiffres par des lettres, l'un des codes les plus simples. »

Nous réfléchîmes, gribouillâmes, mais n'arrivâmes à rien. La série 15, 17, 22, 12, 22, 24, 20, 11 donnait un charabiesque OQVLVXTX, et les autres combinaisons possibles n'avaient pas plus de sens.

« Il y a trop de variables, Holmes, dis-je finalement en repoussant la feuille. Sans clé, nous ne pouvons même pas savoir s'il s'agit d'un mot, de la combinaison d'un coffre, de coordonnées cartographiques...

– Pourtant, ces marques nous sont destinées. Où peut se trouver cette clé, à votre avis ?

– À en juger d'après son style, je dirais qu'elle est à la

fois cachée et entièrement évidente, ce qui est toujours le moyen le plus efficace de dissimuler quelque chose. »

Il était très tard, et j'avais l'impression d'avoir du sable dans les yeux. Je repris la conversation où nous l'avions laissée avant de nous pencher sur les taillades du siège.

« Elle nous a fait une démonstration de son intelligence, c'est évident, et elle a marqué un certain nombre de points lors de ce round. Je me demande ce qu'elle aurait fait si nous n'avions pas disparu. Coupé le nez de Watson pour prouver qu'elle aurait pu prendre sa tête ?

– Plus important, comment va-t-elle agir en nous voyant revenir ? Combien de temps faudra-t-il pour qu'elle oublie sa méfiance et se dise que ce n'est peut-être pas un piège, que nous sommes véritablement brouillés et que j'en ai été ébranlé au point de devenir une épave ? M'éliminer ne lui suffit apparemment pas, elle veut me détruire d'abord. Eh bien, nous lui donnerons satisfaction sur ce point et attendrons sa réaction. »

Il rangea avec soin documents et photograhies et se tourna vers moi.

« Merci de m'avoir fait connaître la Palestine, Russell. Nous ne pourrons peut-être plus parler librement avant très, très longtemps. Je vous dis donc bonsoir, et au revoir ; nous nous retrouverons lorsque notre proie aura mordu à l'hameçon et sera tombée dans notre piège. » Ses lèvres effleurèrent mon front, et il s'en fut.

C'est ainsi que commença notre comédie. Holmes et moi n'avions que quelques jours pour mettre nos rôles au point : les deux amis brouillés, le père et la fille désunis, les presque amants devenus des ennemis acharnés et implacables. Comme tous les acteurs le savent, il faut du temps pour incarner un personnage, pour explorer toutes ses nuances et ses bizarreries de caractère. Le piège ne serait efficace que si nous étions parfaits. Nous devions supposer que nous étions épiés en permanence et que la moindre manifestation d'affection pouvait être désastreuse.

C'est un truisme que de dire que l'acteur ne peut jouer que lui-même sur scène. Pour être pleinement convaincant, il doit avoir de la sympathie pour les motifs du personnage, si déplaisants que ceux-ci puissent paraître à quelqu'un d'extérieur. Dans une grande mesure, il doit devenir son personnage, et c'est ce que nous fîmes, Holmes et moi. Dès l'instant où nous nous levions, nous ne jouions pas aux ennemis, nous l'étions. Lorsque nous nous rencontrions, c'était avec une politesse glaciale qui laissait rapidement place à des affrontements violents. J'adoptai le rôle de l'élève qui en est venue à ne plus éprouver que mépris pour son vieux professeur. Holmes répondait par ses sarcasmes les plus acérés. Nous nous déchirions verbalement, saignions, nous réfugions, blessés, dans nos cabines respectives et revenions à la charge.

Le premier jour fut techniquement difficile, car je me demandai sans cesse ce que je ferais si j'étais véritablement mon personnage, la façon dont je réagirais à telle ou telle des paroles de Holmes. C'était épuisant, et j'allai me coucher tôt. Dès le deuxième jour, cela devint plus facile. Holmes n'enlevait jamais son masque, et le mien était désormais bien en place. Je me retirai de bonne heure dans ma chambre pour lire mais eus du mal à me concentrer. Mes pensées vagabondaient. Que diable faisais-je sur ce bateau ? Il y avait longtemps que j'aurais dû être à Oxford. Tout travail était impossible sur ce champ de bataille. Si le capitaine acceptait de me débarquer en France, je pourrais rentrer en train. Ce serait sans doute plus rapide et assurément plus reposant. Et si...

Je sursautai, horrifiée. Ce n'étaient pas là les pensées d'un acteur ; j'étais devenue, l'espace d'un instant, celle dont j'avais joué le rôle toute la journée. Si cela se produisait au bout de quarante-huit heures, à quoi devais-je m'attendre après des semaines, des mois de comédie ? Pourrais-je me détacher de mon personnage à volonté ? Ou deviendrait-il une habitude trop bien ancrée pour que je m'en débarrasse ? « Que servira-t-il donc à l'homme de gagner le monde entier, s'il ruine sa propre vie ? » Une belle bombe bien propre ne valait-elle pas mieux que de perdre Holmes ? Il me semblait entendre une voix malveillante murmurer sous les vibrations du moteur.

J'allai dans la cabine commune me servir un peu de cognac et croisai Holmes, qui se rendit silencieusement dans sa chambre. Debout dans le noir, je regardai la mer obscure jusqu'à ce que mon verre fût vide. En passant devant la porte de Holmes, je vis qu'elle était légèrement entrebâillée, et mes pas ralentirent.

« Holmes ? dis-je, sans entrer.

– Oui, Russell.

– Lorsque vous avez joué un rôle pendant plusieurs jours, vous arrive-t-il d'avoir du mal à vous en libérer ?

– Cela peut arriver, oui, répondit-il sur le ton de la conversation. Il y a quelques années, j'ai travaillé une semaine sur les docks dans le cadre d'une affaire. Le lendemain du jour où l'homme a été arrêté, je me suis déguisé et suis sorti à l'heure habituelle ; j'ai marché jusqu'à Oxford Street avant de reprendre mes esprits. Oui, un rôle peut devenir habituel. Ce risque ne vous était pas apparu ?

– Pas vraiment.

– Vous vous débrouillez bien, Russell. Cela devient plus facile à mesure que le temps passe.

– C'est justement ce qui m'effraie, murmurai-je. Combien de temps faut-il pour que cela devienne naturel au point de ne plus être un rôle ? Comment conserverai-je mon objectivité, comment pourrai-je guetter les réactions de l'adversaire, si j'entre dans la peau de mon personnage ?

– Le moment venu, vous le ferez. J'ai foi en vous, Russell. »

Ses paroles me rendirent un peu d'équilibre, m'apportèrent une accalmie dans la tempête. « Vous m'en voyez ravie, Holmes, dis-je sèchement. Je m'incline devant votre expérience supérieure. » Je devinai son sourire de l'autre côté de la porte.

« Lorsque vous serez à Oxford, je vous enverrai des messages chaque fois que je serai sûr de pouvoir le faire sans qu'ils soient lus. De votre côté, bien entendu, vous écrirez de temps à autre à Mme Hudson quand elle sera rentrée d'Australie, et elle laissera délibérément traîner vos lettres.

– Vous croyez qu'il est sage de l'autoriser à revenir dans le Sussex ?

– Je ne vois pas comment l'en empêcher. Mme Hudson est une femme très décidée, et il a déjà quasiment fallu que mon frère la kidnappe pour lui faire prendre ce bateau. Non, nous engagerons simplement un ou deux domestiques supplémentaires. Des hommes dc Mycroft, bien entendu.

– Pauvre Mme Hudson, elle va être bouleversée de nous voir ennemis.

– Oui. Mais Mycroft sera un agent de liaison sûr. On ne peut rien lui cacher. Je crains que nous ne fassions aussi beaucoup de peine à Watson. Espérons seulement que cela ne durera pas de trop nombreux mois.

– Vous croyez que cela peut prendre aussi longtemps ? Oh ! mon Dieu.

– Je crois que notre ennemie est une femme prudente et patiente. Elle n'agira pas précipitamment.

– Vous avez raison. Comme toujours.

– Votre tante sera ravie, j'en ai peur. Il faudra que vous

vous rendiez de temps à autre dans votre ferme du Sussex, évidemment.

– Une automobile pourrait être très utile dans cette aventure, Holmes. Mais je ne peux plus emprunter d'argent à Mme Hudson, et je doute que ma tante approuve la dépense. Je vais recevoir davantage d'argent, cette année, mais pas assez pour un achat de ce genre.

– Je pense que Mycroft pourra persuader vos curateurs de vous avancer la somme. Vous pourriez même venir une ou deux fois chez moi, pour tenter une réconciliation.

– Sans succès, bien entendu.

– Bien entendu, répondit-il avec un sourire dans la voix. Le piège que nous construisons est bon, Russell, simple et efficace. Il nous faut seulement être patients et attentifs. Nous l'aurons. Elle ne fait pas le poids contre nous. Allez dormir, à présent.

– Oui. Merci, Holmes. »

Je finis effectivement par m'endormir mais dans ces heures silencieuses qui n'appartiennent ni à la nuit, ni au matin, le Rêve revint m'assaillir, avec plus de force qu'il ne l'avait fait depuis des années. Lorsque je m'en arrachai, j'étais recroquevillée par terre, les bras sur la tête, et un cri de désespoir et de terreur absolus retentissait encore à mes oreilles. Tous les anciens symptômes étaient là : sueurs froides, goût de vomi au fond de la gorge, cœur battant et respiration haletante. Puis la porte s'ouvrit à la volée, et les mains puissantes de Holmes me saisirent par les épaules.

« Qu'y a-t-il, Russell ?

– Allez-vous-en ! Laissez-moi seule ! » Je me relevai, faillis tomber et il m'aida à regagner mon lit. Assise, la tête dans les mains, je tâchai de repousser le rêve, vaguement consciente de la présence de Holmes, de ses yeux sur ma nuque. Finalement, il s'en alla, mais il ne ferma pas la porte et, une minute plus tard, il était de retour, un verre dans une main et sa blague à tabac dans l'autre.

« Buvez. »

À mon étonnement, ce n'était pas du cognac mais de l'eau, fraîche, délicieuse. Lorsque je reposai le verre sur la table, mes mains étaient presque fermes.

« Merci, Holmes. Désolée de vous avoir réveillé une fois encore. Vous pouvez retourner vous coucher, maintenant.

– Couvrez-vous, Russell, vous allez attraper froid. Je vais rester un peu, si cela nc vous dérange pas. »

Il s'assit en tailleur sur un fauteuil et sortit sa pipe. Pelotonnée sous les couvertures, j'écoutai les bruits familiers : le fourneau récuré et tapoté, le froissement de la blague à tabac, le grattement de l'allumette qui s'enflamme, les premières bouffées rapides. Puis l'odeur du tabac emplit l'air, et Holmes demeura là à fumer, discrètement, sans rien demander.

Je repris peu à peu mes esprits et, comme des milliers de fois déjà, réfléchis au Rêve. Ces manifestations de mon subconscient m'avaient poussée vers les œuvres de Freud, de Jung et d'autres psychanalistes... des heures innombrables d'auto-hypnose, d'auto-analyse. Je l'avais analysé, disséqué, j'avais concentré toute la force de mon esprit contre lui. J'avais même essayé de l'ignorer. En vain. Une nuit venait toujours où j'étais à nouveau précipitée dans l'enfer et l'angoisse.

La seule chose que je m'étais refusée à essayer était d'en parler à quelqu'un. Un matin, ma tante m'avait questionnée avec trop d'insistance sur mes « cauchemars », et je l'avais frappée au visage. Lorsque mes voisines d'Oxford avaient fait des commentaires sur mes tapages nocturnes, je les avais mis sur le compte du surmenage. L'idée de me confier et de devoir ensuite affronter le regard de l'autre m'avait toujours fermé la bouche, mais à présent, à mon horreur et à mon soulagement, les mots se mirent à couler de mes lèvres. Lentement d'abord, puis de plus en plus inexorablement.

« Mon frère... mon frère était un génie. Il lisait à trois ans, faisait de la géométrie à cinq. Ses possibilités étaient immenses. Il avait neuf ans quand il est mort, cinq de moins que moi. Et je... je l'ai tué. » Ma voix s'éteignit, et l'on n'entendit plus que le ronronnement des moteurs et le murmure de la pipe. Holmes ne dit pas un mot.

« Je fais un... un rêve. Sauf que ce n'est pas un rêve, mais la réalité jusque dans ses plus horribles détails. Nous étions en voiture, voyez-vous, et nous longions la côte au sud de San Francisco. Mon père devait rejoindre l'armée, la semaine suivante. On l'avait refusé en raison de sa jambe malade, mais il avait fini par se faire admettre dans... vous l'aviez deviné, je pense, fis-je avec un rire sans joie.... dans les services secrets. Nous allions passer un dernier week-end en famille dans notre petite maison de campagne, mais je me montrais... difficile, comme disait ma mère. J'avais quatorze ans, et j'étais contrariée parce que j'avais dû renoncer à aller dans le parc de Yosemite avec des camarades de classe. Mon frère était particulièrement désagréable, ma mère attristée par le prochain départ de mon père, et mon père préoccupé par ses affaires et par l'armée. Une joyeuse ambiance, comme vous voyez. La route était mauvaise et, en plusieurs endroits, elle côtoie des falaises à pic sur le Pacifique. Bref, nous montions vers l'une de ces falaises et abordions un virage sans visibilité, lorsque je me mis à injurier mon frère en hurlant. Mon père se retourna pour nous faire taire, et la voiture dévia vers la gauche. Une autre voiture déboucha du virage à toute allure et nous heurta. Nous fîmes un tête-à-queue, je fus projetée au-dehors, et la dernière chose que je vis fut le contour de la tête de mon frère par la lunette arrière, au moment où la voiture basculait. Papa venait de faire le plein. Il n'est rien resté d'eux. On a rassemblé assez de morceaux pour l'enterrement. » Silence.

Comment avais-je pu penser qu'il était bien de raconter cela à Holmes ? J'étais vide, morte, il n'y avait dans le monde qu'un vent hurlant et des grincements de dents. Le Rêve avait échappé à mon contrôle, mon passé libéré venait me détruire, moi et (oui, je l'admettais) l'amour (*la faible plainte de ma mère au moment où la voiture chavirait*) que j'avais pour cet homme.

« J'ai été folle quelque temps ; il fallait sans cesse m'empêcher de me jeter dans le vide. Finalement, je suis tombée sur une très bonne psychiatre. Elle m'a dit que la seule façon de me racheter n'était pas de me tuer mais de faire quelque chose de bien de moi-même, d'être la remplaçante de mon frère, en fait, bien qu'elle ne l'exprimât pas de façon aussi simple. Cela a été efficace, d'une certaine façon. Je n'ai plus essayé de sauter d'endroits élevés. Mais le Rêve a commencé la même semaine. » Holmes s'éclaircit la voix.

« Vous le faites souvent ?

– Moins maintenant. C'était la première fois depuis le pays de Galles. Je pensais même qu'il avait disparu. Je me trompais, apparemment. Je n'en ai jamais parlé à personne. » Je me rappelai ce jour où, juste avant que je ne quitte la Californie, le docteur Guinzberg m'avait emmenée sur ces falaises. J'avais vu les débris de verre et la marque des flammes en contrebas, et les vagues tentantes, accueillantes, qui se brisaient en écumant sur les rochers.

« Russell, je... »

Je l'interrompis par un flot désespéré de paroles.

« Si vous vous apprêtez à me dire que ce n'était pas ma faute et que je ne dois pas me sentir coupable, je préfère que vous partiez, Holmes, parce que cela nous achèverait, je vous assure.

– Non, Russell, reconnaissez-moi un peu plus de mérite, je vous en prie. Bien sûr que vous les avez tués. Ce n'était pas un meurtre, ni même un homicide, mais vous êtes assurément coupable d'avoir provoqué un accident fatal. Cela restera sur votre conscience. »

Je n'en croyais pas mes oreilles. Je le regardai alors pour la première fois depuis que j'avais commencé ma confession, et vis sur son visage le reflet de la douleur qui crispait le mien, mais adouci, atténué par la sagesse et les ans.

« J'allais simplement dire que la culpabilité fait de piètres fondations à une vie, en l'absence d'autres motivations. »

Ses paroles pleines de douceur m'ébranlèrent, comme un tremblement de terre. Je me sentis tomber dans un abîme qui béait en moi, et rien ne me retenait que deux yeux gris et calmes. Peu à peu, les tremblements cessèrent, la terre s'apaisa, l'abîme se referma, et les yeux voyaient tout, et comprenaient. Le secret qui me rongeait jour et nuit depuis quatre ans était désormais révélé, reconnu. Ma culpabilité avait été admise. J'avais été déclarée coupable, avais accompli ma pénitence, reçu l'absolution et été encouragée à aller de l'avant. La convalescence pouvait commencer. Pour la toute première fois depuis que je m'étais réveillée entourée de vestes blanches dans l'odeur de l'hôpital, un sanglot me secoua. Je le vis sur le visage de l'homme assis en face de moi, fermai les yeux et pleurai.

Le lendemain matin, nous reprîmes nos rôles, comme si rien n'était arrivé. Ce fut supportable désormais parce que, chaque nuit, après l'extinction des lumières, Holmes venait quelques minutes dans ma chambre. Nous parlions de sujets paisibles, de mes études surtout. À deux reprises, j'allumai une bougie et lui lus des passages de la petite bible hébraïque que j'avais achetée dans le vieux bazar de Jérusalem. Une fois, après une journée où nous nous étions affrontés de façon particulièrement cruelle, il demeura près de moi et me caressa les cheveux jusqu'à ce que je m'endorme. Ces instants nous permettaient de conserver notre santé mentale.

Je devins plus forte et plus fière et, tant que le beau temps dura, restai des heures à lire sur le pont, au point que mes cheveux devinrent presque blancs au soleil. Holmes, en revanche, se repliait sur lui-même. Ses sarcasmes se teintèrent de perplexité et de douleur, des sentiments que son orgueil ne lui permettait pas d'exprimer. Il quittait rarement sa cabine, où la lumière brillait à toute heure du jour et de la nuit. Il ne touchait pas aux plats qu'on lui apportait et fumait d'énormes quantités d'un abominable tabac fort. Lorsque ses réserves s'épuisèrent, il se remit aux cigarettes, auxquelles il avait renoncé des années plus tôt. Il buvait beaucoup, sans jamais montrer le moindre signe d'ivresse, et je suppose qu'il serait revenu à la cocaïne s'il en avait eu à sa disposition. Il avait une mine épouvantable, le teint jaunâtre sous le hâle, des yeux injectés de sang et bordés de rouge. Sans parler de sa maigreur, qui devenait inquiétante. Un soir, j'abordai le sujet.

« Cette farce élaborée n'a pas grand sens, si vous vous tuez avant même qu'elle n'ait l'occasion de s'y essayer, Holmes. À moins que vous ne cherchiez à lui éviter cette peine ?

– Ça n'est pas aussi terrible qu'il y paraît, Russell, je vous assure.

– On dirait que vous avez la jaunisse, ce qui signifie que votre foie faiblit et, à en juger d'après vos yeux, vous n'avez pas dormi depuis plusieurs jours. » Je fus étonnée de sentir ma couchette trembler, puis me rendis compte qu'il riait tout bas.

« Le vieux a encore quelques tours dans son sac, on dirait ? J'ai découvert de grandes quantités d'épices dans la cale du bateau et utilisé les plus jaunes. Par ailleurs, divers irritants appliqués sur les yeux provoquent une gêne passagère mais des effets apparents durables. Je vous assure que je ne me fais aucun mal.

– Mais vous n'avez pas mangé depuis des jours et vous buvez beaucoup trop.

– L'alcool finit en grande partie dans les toilettes ; j'en parfume simplement mon haleine et mes vêtements. Quant à la nourriture, je vous promets de laisser Mme Hudson me nourrir quand elle rentrera. Lorsque je descendrai à terre, Russell, tous les yeux doivent voir un homme abattu, qui se moque de vivre ou de mourir. C'est la seule raison pouvant expliquer que je revienne au grand jour.

– Très bien. Je veux juste que vous m'assuriez que vous prendrez soin de vous en mon absence.

– Pour le bien de l'association, Russell ? » Son sourire me rassura davantage que ses paroles.

« Précisément.

– Je vous le promets. Si vous le souhaitez, je peux également promettre de laver mes chaussettes, le soir.

– Ce ne sera pas nécessaire, Holmes, Mme Hudson s'en chargera pour vous. »

Nous arrivâmes à Londres par un matin grisâtre, brûlés par le soleil et par le feu de conflits réels et simulés. Seule sur le pont, je regardai la ville approcher, percevant le malaise palpable du capitaine et des hommes qui s'affairaient derrière moi. Des silhouettes familières nous attendaient sur le quai. Watson cherchait anxieusement Holmes des yeux et, debout près de lui, l'inspecteur Lestrade paraissait également intrigué par l'absence du détective. Le visage de Mycroft était impénétrable. Ils me hélèrent lorsque nous accostâmes, mais je ne répondis pas. Dès que la passerelle fut en place, je saisis mes sacs, descendis d'un pas ferme, les yeux au sol, et commençai à m'éloigner, à la stupéfaction manifeste de deux des trois hommes. Watson tendit la main et Lestrade dit :

« Mademoiselle Russell.

– Mary ? Attendez, Mary, que se passe-t-il ? »

Je me tournai vers eux, en évitant de regarder Mycroft.

« Oui ? dis-je avec froideur.

– Où allez-vous ? Quelque chose ne va pas ? Où est Holmes ? »

Je perçus un mouvement sur le pont et levai les yeux vers Holmes. Il était à faire peur. Ses iris semblaient flotter dans des flaques sanglantes. Sa peau jaunâtre pendait sur ses joues et lui, d'ordinaire si soigné, avait le menton mal rasé. Sa cravate était droite, mais le col de sa chemise était légèrement froissé et sa veste n'était pas boutonnée. Réprimant tout sentiment de pitié ou d'hésitation, je rassemblai tout le mépris que j'avais passé des jours à distiller pour en imprégner mon visage, mon attitude, mon esprit, et lancer d'un ton mordant, comme autant de gouttes d'acide :

« Le voici, messieurs, le grand Sherlock Holmes. Le sauveur des nations, l'esprit du siècle, le don de Dieu à l'humanité. Je vous le laisse. »

Nos yeux se croisèrent un bref instant, et je lus dans les siens de l'approbation, de l'appréhension et un au revoir. Je pivotai sur les talons et m'éloignai à grands pas. Watson dut vouloir me rattraper, car j'entendis la voie aiguë, coupante de Holmes le rappeler.

« Laissez-la partir, Watson, elle ne veut pas de nous. Elle part se faire un nom dans le monde, vous ne voyez pas ? » Sa voix monta encore, pleine d'acrimonie. « Et Dieu vienne en aide à ceux qui se placeront en travers de sa route ! »

Ces paroles amères dans les oreilles, je tournai le coin d'un bâtiment et me mis en quête d'un fiacre. Deux mois entiers s'écouleraient avant que je ne revoie Holmes.

L'épreuve de la séparation

Elle est seule au monde dans le printemps qui s'éveille.

De retour à Oxford, je me jetai avec fureur dans les études. J'avais manqué quasiment un mois et, bien que le programme universitaire ne repose pas sur la présence aux cours magistraux, les absences sont remarquées et désapprouvées. Mon professeur de mathématiques, malade, n'était pas là, et j'en fus secrètement soulagée. La femme qui enseignait le grec était également absente, en congé maternité depuis les vacances de Noël. En travaillant avec acharnement pendant trois semaines, je parvins à me racheter aux yeux de mes directeurs d'études restants et à rattraper mon retard de façon satisfaisante.

Je changeai, ce printemps-là. Pour commencer, je cessai de porter des pantalons et remplis ma garde-robe de jupes et de robes coûteuses et austères. Comme je l'avais craint, Ronnie Beaconsfield ne m'avait pas pardonné ma défection de Noël, et je manquais de l'énergie nécessaire pour regagner son amitié. Je m'efforçai en revanche d'entrer en contact avec d'autres étudiantes de deuxième année. J'y pris un certain plaisir même si, au bout de quelques heures de leur conversation, j'étais impatiente de me retrouver seule. Je faisais de longues promenades dans les rues et sur les collines désolées d'Oxford. Je pris l'habitude d'aller à l'église, notamment à l'office du soir de la cathédrale, simplement pour m'y asseoir et écouter. Un soir, j'allai à un concert avec un jeune homme silencieux qui assistait à mes cours de patristique. La musique était de Mozart et bien jouée, mais au beau milieu, oppressée par son génie étincelant et la souffrance qu'elle exprimait, je partis. Le jeune homme ne me réinvita pas.

Mes travaux écrits changèrent, eux aussi. Ils devinrent plus précis, moins tolérants, d'une logique encore plus implacable : « Brillant et dur comme un diamant », déclara un professeur avec un soupçon de désapprobation.

Je me surmenais. Je mangeais moins, travaillais invariablement jusqu'au petit matin, buvais du cognac pour m'endormir. Je ris lorsqu'un bibliothécaire de la Bodléienne suggéra, en ne plaisantant qu'à demi, que je pourrais m'installer à dcmeure, mais mon rire était poli et cassant. Bref, je devenais plus semblable à Holmes que Holmes lui-même : brillante, obsédée par mon travail, ne me souciant ni de moi, ni des autres, mais sans cet amour profond pour ce qu'il y avait de bon dans l'être humain qui était la base de toute sa carrière. Il aimait l'humanité qui ne pouvait ni le comprendre, ni l'accepter totalement. Moi, au sein de cctte même race humaine, je devins une machine à penser.

De son côté, dans sa ferme des Downs, Holmes se retirait du monde. Mme Hudson écourta son voyage aux antipodes et rentra à la fin du mois de février. La première lettre qu'elle m'adressa était brève, et elle s'y disait choquée de l'état dans lequel ellc avait trouvé le détective. Ses lettres suivantes ne contenaient ni accusations, ni supplications, mais je n'en fus que plus triste de lire simplement que Holmes ne s'était pas levé de la journée ou qu'il envisageait de vendre ses ruches. Lestrade faisait surveiller la fermette en permanence. (Il avait tenté d'agir de même pour moi, mais j'avais déjoué la surveillance de ses hommes, et il avait fini par renoncer. Je ne les pensais pas capables de me protéger mieux que je ne le faisais moi-même et, à mesure que le temps passait, j'avais la conviction que les règles du jeu avaient effectivement changé et que je ne courrais aucun danger dans l'immédiat.)

Watson m'écrivait, lui aussi ; de longues lettres hésitantes où il parlait surtout de la santé de Holmes et de son état d'esprit. Il vint me voir une fois à Oxford. Je l'emmenai dans une longue promenade pour ne pas avoir à le regarder en face ; le froid et ma froideur l'incitèrent bientôt à repartir en boitant, accompagné de son garde du corps.

Début mars, je reçus un télégramme, la méthode de communication préférée de Holmes. Il disait simplement :

VIENDREZ-VOUS PENDANT LES VACANCES ?

HOLMES

Je le lus ouvertement dans la loge très passante de M. Thomas et eus une petite grimace irritée avant de me diriger vers l'escalier. Le lendemain, je lui répondis par une autre question :

EST-CE NÉCESSAIRE ?

RUSSELL

Je trouvai la réponse dans mon casier, le jour suivant.

VENEZ SVP CELA FERAIT AUSSI PLAISIR
À MME HUDSON.

HOLMES

J'envoyai un télégramme confirmant ma venue, deux jours plus tard.

Dès que je le pus, j'allai à Londres afin de demander aux exécuteurs testamentaires de mes parents de m'avancer assez d'argent sur mon héritage pour que je puisse acheter une voiture. L'associé qui s'occupait de la succession hésita, bafouilla, puis, après avoir donné quelques coups de téléphone en privé, il accepta, ce qui ne me surprit pas outre mesure. Le lendemain, je me rendis au garage Morris d'Oxford et payai la voiture ainsi que des leçons de conduite. Je fus bientôt autonome.

C'est à ce moment-là, deux semaines avant les vacances de printemps, que je m'aperçus pour la première fois que l'on me suivait. J'étais très préoccupée et lisais souvent en marchant, de sorte que la filature avait peut-être commencé depuis un certain temps. Je venais de sortir de chez moi quand, me rendant compte que j'avais oublié un livre, je rebroussai brusquement chemin et vis du coin de l'œil un homme qui s'accroupissait pour renouer ses lacets. Ce ne fut qu'en mettant la clé dans ma serrure qu'un détail me revint soudain à l'esprit : l'homme portait des chaussures sans lacet. Après cet incident, je fus plus attentive et constatai qu'une femme et un autre homme relayaient le premier. Tous étaient assez doués pour le déguisement, surtout la femme, et sans les leçons de Holmes, je n'aurais certainement pas remarqué que la religieuse aux chaussures neuves et l'homme promenant un bouledogue n'étaient qu'une seule et même personne.

Cela ne me posait qu'un seul problème. Si j'avais véritablement rompu tous liens avec Holmes, je me serais montrée ouvertement contrariée d'être espionnée. J'hésitais toutefois à agir avant de le consulter. C'était la première fois que quelqu'un venait renifler l'appât de mon côté, et je répugnais à les effaroucher aussi vite. Pouvaient-ils croire que je ne les voyais pas ? Ils étaient loin d'être facilement repérables, mais...

Je résolus de faire comme si de rien n'était et devins encore plus distraite, jusqu'au jour où, ma bible grecque devant le nez, je me cognai à un réverbère dans la rue principale. Je me retrouvai assise par terre, tout étourdie, tandis que des passants poussaient des exclamations apitoyées devant mon visage ensanglanté et qu'une jeune femme me tendait mes lunettes brisées. Je sortis de l'hôpital avec un gros pansement sur le front. Le médecin qui me recousit me conseilla gentiment d'oublier les verbes aoristes passifs lorsque je marchais, et je dus lui donner raison.

Quand mes lunettes furent réparées, je constatai que j'étais toujours filée. Je décidai de me rendre dans le Sussex en voiture plutôt qu'en train et prévins – publiquement – le garage où je laissais ma voiture neuve du jour de mon départ. Je voulais être certaine d'être suivie, car j'étais sur la piste de leur maîtresse autant qu'ils étaient sur la mienne.

Ils utilisèrent cinq voitures, ce qui prouvait l'importance de leurs moyens. Je notai leur numéro minéralogique quand je pus le lire, ce qui se produisit trois fois, et étudiai avec attention les voitures et les conducteurs. (L'exercice n'était guère moins distrayant que les aoristes passifs, mais j'évitai tout accident et ne pense pas en avoir provoqué.) Lorsque je déjeunai dans un pub, un peu avant Guildford, le jeune couple qui s'embrassait dans un roadster quitta le parking trois voitures après moi. Lorsque je m'arrêtai prendre le thé sur la route d'Eastbourne, le vieil homme qui avait remplacé le couple trente kilomètres auparavant me dépassa, mais je vis bientôt dans mon rétroviseur la femme qui avait promené un bouledogue (connu ?) derrière l'auberge. Elle ne disparut qu'à quelques kilomètres d'Eastbourne, au moment où je tournai dans la route menant au village. J'étais soulagée qu'ils ne m'aient pas perdue. Je voulais qu'ils rapportent ma conduite innocente à leur chef.

Ma tante était... eh bien, elle était elle-même. Le lendemain matin, je vis que la ferme avait belle apparence, grâce à Patrick. J'en fis le tour en sa compagnie. Nous saluâmes les vaches, discutâmes de l'état du toit de la grange, examinâmes le poulain que Vicky, l'énorme jument de labour, venait de mettre au monde et envisageâmes en passant la possibilité d'investir dans un tracteur, comme d'autres fermes de la région. Je m'attardai un instant à contempler le poulain louvet tétant sa mère dans l'écurie bien chaude en sachant que j'assistais à la fin d'une époque. J'en fis la remarque à Patrick, qui répondit par un grognement signifiant qu'il n'allait pas se laisser aller au sentimentalisme sur le sujet. Je ne fus pas dupe.

C'était la première fois depuis plus d'un mois que je portais un pantalon et des brodequins, et c'était agréable. J'invitai Patrick à venir boire une tasse de thé, mais comme il n'aimait guère ma tante, il me proposa d'aller dans sa petite maison.

Le thé était chaud, fort et bon. Nous parlâmes de factures et de réparations, puis brusquement il déclara : « Il y a des gens qui sont venus poser des questions sur vous dans le village.

– Ah oui ? Quand cela ?

– Il y a trois ou quatre semaines.

– Que voulaient-ils savoir ?

– Oh ! d'où vous étiez, des questions de ce genre, et aussi si vous voyiez beaucoup M. Holmes. Ils ont demandé ça à Tillie, de l'auberge, vous savez ? » Tillie et lui se fréquentaient depuis un bon bout de temps, maintenant, notai-je. « Elle n'a pas réalisé tout de suite, parce que c'était juste une conversation, vous comprenez. C'est quand elle a appris qu'ils avaient posé les mêmes questions à la poste qu'elle a fait le rapprochement.

– Intéressant. Merci de me l'avoir dit.

– Ce n'est pas mes affaires, mais pourquoi est-ce que vous ne voyez plus M. Holmes ? Ça lui a fichu un coup, apparemment. »

Je regardai son visage honnête et lui répondis ce qui aurait été la vérité, si j'avais dit la vérité.

« Vous connaissez le cheval de course dont Tom Warner est si fier, au point de vouloir ouvrir un haras avec lui ?

– Oui, une belle bête.

– Est-ce que vous l'attelleriez avec Vicky pour tirer une charrue ? »

C'était si manifestement absurde qu'il me dévisagea une minute en silence.

« Vous voulez dire que M. Holmes veut que vous soyez un cheval de labour.

– Et que, pour l'instant en tout cas, j'ai besoin de courir. C'est très bien, un cheval de labour, mais si vous le forcez à travailler avec un cheval de course, ils s'en irriteront tous les deux et rueront dans les brancards. C'est ce qui est passé avec Holmes et moi.

– C'est un brave homme. Il est venu déloger un essaim de sous le toit de Tillie, l'an dernier. Il ne fait pas d'histoires. » C'était le plus grand éloge que puisse faire Patrick. « Tâchez de vous tenir en bride assez longtemps pour le voir. Je crois que ça lui ferait plaisir. Son jardinier m'a dit qu'il n'allait pas bien.

– Oui, j'irai le voir. Cet après-midi, en fait. »

Il se méprit sur l'excitation qui perçait dans ma voix et tapota ma main molle d'étudiante de sa grosse main calleuse.

« Ne vous en faites pas. Rappelez-vous seulement que vous n'êtes pas accouplés à la charrue ensemble, et tout ira bien.

– Vous avez raison, Patrick. Merci. »

J'étais convenue de me rendre chez Holmes à quatre heures, sachant que le thé était le repas préféré de Mme Hudson. En arrivant, j'entendis le violon de Holmes. C'est par nature le plus mélancolique des instruments lorsqu'il n'est pas accompagné ; joué comme Holmes le faisait, une méditation lente et peu mélodieuse, c'était carrément déchirant. Je claquai bruyamment la portière de la voiture pour m'annoncer et pris le panier de fromages et de fruits que j'avais apporté d'Oxford. Lorsque je me redressai, la porte de la fermette était ouverte, et Holmes s'appuyait contre le chambranle, le visage inexpressif.

« Bonjour, Russell.

– Bonjour, Holmes, dis-je, tâchant vainement de lire quelque chose dans son regard. J'ai apporté ceci d'Oxford.

– C'est gentil de votre part, dit-il poliment en s'effaçant. Entrez, je vous en prie. »

J'allai déposer le panier dans la cuisine et réussis je ne sais comment à survivre à l'accueil de Mme Hudson sans fondre en larmes. Je me permis de la serrer dans mes bras, très fort, et laissai mes lèvres trembler un peu pour lui faire savoir que j'étais toujours Mary Russell, puis je redevins polie.

Elle nous servit d'énormes quantités de nourriture et parla longuement du bateau, du canal de Suez, de Bombay et de la famille de son fils, pendant que je remplissais mon assiette d'aliments dont je n'avais pas envie.

« Comment vous êtes-vous fait cette blessure à la tête, Mary ? » questionna-t-elle finalement.

Je tâchai d'en faire une plaisanterie, l'étudiante distraite qui se cogne au réverbère, mais le cœur n'y était pas. Mme Hudson sourit avec gêne, et Holmes me regarda comme si j'étais un spécimen sous son microscope. Puis elle se retira et nous laissa seuls.

Holmes et moi bûmes notre thé et pignochâmes dans nos assiettes. Je lui dis ce que j'avais fait pendant le trimestre, et il posa quelques questions. Le silence s'installa peu à peu entre nous. En désespoir de cause, je lui demandai sur quoi il travaillait, et il me décrivit une expérience d'un ton morne. Puis, il posa sa tasse et fit un geste vague dans la direction de son laboratoire.

« Vous voulez venir voir ?

– Oui, bien sûr, si cela ne vous dérange pas. » Tout valait mieux que de rester là à réduire en miettes graisseuses un scone au fromage.

Nous montâmes dans son laboratoire sans fenêtre, et il referma la porte derrière nous. Je vis aussitôt qu'il n'y avait aucune expérience en cours, et lorsque je me retournai, Holmes était adossé à la porte, les mains dans les poches. « Bonjour, Russell », dit-il pour la seconde fois, seulement à présent son visage était expressif, ses yeux cherchaient les miens, et je fus incapable de le supporter. Je lui tournai le dos, serrai les poings et fermai les paupières. Je ne pouvais pas le regarder, lui parler et continuer ensuite à jouer mon rôle. Il le comprit et poussa vers moi un tabouret sur lequel je m'assis, les yeux toujours clos.

« Nous avons cinq minutes, dit-il.

– On vous surveille, je présume.

– Chacun de mes gestes, et jusque dans le salon. Ils se sont arrangés avec les voisins... il y a des télescopes dans les arbres. Il se pourrait même qu'ils soient capables de lire sur les lèvres. D'après Will, le bruit court dans le village qu'il y a un sourd avec eux.

– Patrick m'a dit qu'ils s'étaient renseignés sur moi et sur vous. Ce sont des citadins ; ils ignorent que tout se sait à la campagne.

– Oui, et ils sont sûrs d'eux. Vous êtes surveillée, vous aussi, je suppose ?

– Je ne les ai vus qu'il y a deux semaines. Deux hommes et une femme. Très doués. Cinq voitures m'ont suivie jusqu'ici. Cette dame a de l'argent.

– Nous le savions. Comment allez-vous, Russell ? Vous avez perdu trois kilos depuis janvier, et vous ne dormez pas.

– Deux kilos et demi seulement, et je dors comme vous.

Je suis occupée. Oh ! Holmes, continuai-je dans un murmure. J'aimerais que ce soit fini. » Je sentis sa présence derrière moi et me levai avec brusquerie. « Non, n'approchez pas, je ne le supporterais pas. Et je ne crois pas que je pourrais refaire ce voyage. C'est soutenable lorsque je suis à Oxford, mais ne me demandez plus de revenir ici avant la fin. Je vous en prie. »

Il répondit d'une voix basse et rauque que je ne lui avais encore jamais entendue. « Oui. Oui, je comprends. » Il se tut, se racla la gorge et prit une profonde inspiration avant de poursuivre de son ton incisif habituel.

« Vous avez raison, Russell. Nous n'avons rien à y gagner et beaucoup à y perdre. Passons donc aux choses sérieuses. J'ai fait retirer les photographies pour vous. J'ai montré la série de chiffres romains à Mycroft, mais ni lui, ni moi n'arrivons à en trouver le sens. Je sais que la solution est là. Vous parviendrez peut-être à la découvrir. Elles sont dans cette enveloppe marron, devant vous. » Je la pris et la glissai dans une poche intérieure.

« Il faut que nous sortions, maintenant, Russell. Dans une dizaine de minutes, nous recommencerons, et vous partirez, furieuse, avant que Mme Hudson ait pu vous proposer de rester dîner. D'accord ?

– Oui, Holmes. Au revoir. »

Il alla dans le salon, où je le rejoignis quelques minutes plus tard. Les remarques sarcastiques se remirent bientôt à fuser et, peu après six heures, je quittai la fermette en claquant la porte sans avoir pris congé de Mme Hudson. Deux kilomètres plus loin, j'arrêtai la voiture et demeurai longtemps immobile, le front appuyé contre le volant. Tout cela était bien trop réel.

La fille de la voix

Il est donc bien certain que la [nouvelle] génération...
fera quelque chose que vous n'ayez pas fait ?

Les semaines s'écoulèrent, mornes et interminables. Mes fileurs continuaient à se montrer discrets et moi, distraite. Le trimestre de la Trinité débuta, et j'étais presque trop occupée pour me rappeler que mon isolement était feint. Presque. La nuit, je me réveillais souvent en sursaut en croyant avoir entendu deux coups légers frappés à ma porte, mais il n'y avait jamais rien. Je vivais dans un cocon ouaté de mots, de chiffres et de symboles chimiques, et passais chacune de mes minutes de loisir à la Bodléienne. Curieusement, le Rêve ne se manifestait pas.

Le printemps arriva, avec hésitation d'abord, puis à toute vitesse, de longues journées grisantes qui repoussaient peu à peu la nuit, le premier printemps depuis cinq ans qui ne fût pas assombri par le bruit des canons, d'autant plus éclatant de vie qu'il venait après quatre années de mort. Toute l'Angleterre offrait son visage au soleil. Ou presque.

Je continuai à travailler avec acharnement pendant la plus grande partie du mois de mai, jusqu'à ce jour où les fils enchevêtrés de l'affaire commencèrent à se dénouer entre mes mains.

À mon retour du Sussex, je m'étais demandé où mettre

l'enveloppe que Holmes m'avait donnée. Je ne pouvais plus estimer qu'elle serait en sécurité dans mon appartement, et préférais ne pas l'avoir constamment sur moi. Je finis par décider de la cacher derrière un volume obscur de la Bodléienne, non loin du bureau où je travaillais d'habitude. C'était courir un risque, mais à part acheter un coffre-fort ou me rendre avec une régularité suspecte dans la salle des coffres d'une banque – ce qui n'aurait pas manqué d'alerter notre ennemie –, c'était le risque le plus sûr que je pus trouver. Après tout, la bibliothèque n'était pas ouverte au public, ce qui obligeait mes guetteurs à m'attendre de longues heures devant sa porte, et ma cachette comme ma table de travail se trouvaient dans des coins sombres d'où il était facile de voir les gens approcher. Au cours des semaines, j'avais souvent sorti les photos pour étudier la mystérieuse série de chiffres romains. Comme Holmes, je connaissais assez bien notre adversaire pour être certaine qu'il s'agissait d'un message et, comme Holmes et son frère, je ne parvenais pas à en trouver la clé.

Le cerveau a toutefois l'étonnante capacité de continuer à s'escrimer tout seul sur un problème, si bien que, lorsque l'« Eurêka ! » survient, c'est aussi mystérieux que si Dieu nous le soufflait. Mais les mots qui résonnent alors dans notre esprit ne sont pas toujours clairs ; ils peuvent être elliptiques, ce que les prophètes appelaient la *bat qol*, la fille de la voix de Dieu, qui s'exprime en chuchotant et par des images floues.

J'avais énormément travaillé, n'avais pas dormi de la nuit et m'étais levée au chant des oiseaux ; j'avais assisté à un cours magistral, terminé un essai et sorti à deux reprises le paquet de photographies que Holmes m'avait donné. J'avais étudié la série muette des chiffres romains jusqu'à avoir l'impression qu'elle s'imprimait au fer rouge dans mon cerveau. Je l'avais même regardée à l'envers pendant vingt minutes dans l'espoir d'un déclic. Sans résultat. Je n'y avais gagné que de m'irriter d'avoir à les glisser sous des papiers innocents dès que quelqu'un passait près de ma table.

Vers la fin de l'après-midi, la circulation s'intensifia autour de moi et, après avoir caché les photos sept fois en moins d'une heure, je perdis patience. Je ne savais même pas si ces maudites taillades avaient un sens, après tout, et je sacrifiais des heures précieuses sur un problème qui n'existait peut-être que dans mon imagination. Je fourrai les photos dans leur enveloppe, l'enveloppe, dans sa cachette, et quittai la bibliothèque d'une humeur de chien. Peut-être n'y avait-il même pas d'ennemi, me disais-je sombrement. Peut-être Holmes était-il devenu réellement fou et toute cette histoire n'était-elle qu'un de ses fichus tours. Un « examen » de plus.

Le temps que j'arrive chez moi, je m'étais calmée, mais la vue de mon bureau qui semblait me faire des reproches me fut insupportable. J'entendis ma voisine aller et venir dans la pièce d'à côté et sortis dans le couloir.

« Dot ? appelai-je.

– Bonjour, Mary. Une tasse de thé ?

– Oh ! non, merci. Tu as quelque chose de prévu, ce soir ?

– Une descente en enfer avec Dante, mais je serais ravie d'avoir un prétexte pour la remettre à plus tard. Que se passe-t-il ?

– J'en ai par-dessus la tête, je ne supporte plus la vue d'un livre et je me disais...

– Toi ? Fatiguée des livres ? » Elle n'aurait pas eu l'air plus étonnée s'il m'avait poussé des ailes. J'éclatai de rire.

« Oui, même Mary Russell sature de temps à autre. Je pensais dîner à La Truite, puis aller écouter un récital de clavecin que donne un étudiant que je connais. Ça te dit ?

– Quand partons-nous ?

– Dans une demi-heure ?

– Quarante-cinq minutes, ce serait mieux.

– Entendu. J'appelle un fiacre. »

Le dîner fut agréable, Dorothy trouva un ami avec qui flirter, et nous allâmes au récital. Il y eut surtout du Bach, qui a la beauté et la cadence d'une formule mathématique bien équilibrée, particulièrement lorsqu'il est joué au clavecin. La symétrie et la noblesse de la musique du maître ainsi que le verre de champagne qui nous fut servi ensuite me calmèrent les nerfs, et je me couchai avant minuit, ce qui m'était rarement arrivé ces derniers mois.

Ce fut, je crois, vers trois heures du matin que je me réveillai en sursaut, le cœur battant et le souffle aussi court que si j'avais monté l'escalier en courant. J'avais fait un rêve, qui n'était pas le Rêve, mais un mélange confus de choses réelles et imaginaires. Un visage indistinct me lorgnait depuis une étagère de la bibliothèque, à demi dissimulé par des cheveux blonds, et me tendait une pipe en terre d'une main noueuse. « Tu ne sais rien ! disait-il d'une voix à la fois masculine et féminine. Puis il éclatait d'un rire horrible. Son poing déformé serrait la pipe, dont je savais qu'elle appartenait à Holmes, puis la lâchait.

Elle se brisait sur le sol. Je la regardais avec désespoir et m'agenouillais pour ramasser les morceaux dans l'espoir de les recoller. Certains des plus gros morceaux avaient roulé sous l'étagère, et je devais me mettre à plat ventre pour les atteindre. Tandis que je les cherchais à tâtons, une main agrippait soudain la mienne... et c'est alors que je m'étais réveillée en sursaut, terrifiée, gardant à l'esprit l'image vague de l'étagère. Elle se trouvait dans la section historique, et tous les livres concernaient Henri VIII.

J'allumai d'une main tremblante et attendis que les battements désordonnés de mon cœur s'apaisent. Puis, sachant que je ne parviendrais pas à me rendormir, j'enfilai ma robe de chambre et allai me faire une tasse de thé.

Quelques minutes plus tard, assise dans un fauteuil, je réfléchis à mon cauchemar. Il était très rare que je me souvienne de mes rêves, le Rêve excepté, et je ne me rappelais pas avoir fait d'autre cauchemar depuis la mort de ma famille. Que signifiait celui-ci ? Certains de ses éléments étaient évidents, mais pas tous. Pourquoi, par exemple, la blonde cachée était-elle à la fois homme et femme, alors que je savais mon adversaire de sexe féminin ? La pipe brisée représentait naturellement l'inquiétude permanente, presque panique, que j'éprouvais concernant Holmes, et les livres faisaient tellement partie de ma vie qu'il était difficilement imaginable qu'ils ne se glissent pas jusque dans mes rêves. Mais pourquoi des livres d'histoire ? Je ne m'intéressais guère à l'histoire contemporaine et, en raison de ma scolarité irrégulière, ne connaissais pas grand-chose à celle de l'Angleterre. Que venait faire le roi Henri là-dedans ? Ce vieillard obscène, perclus de goutte, qui avait sacrifié ses nombreuses épouses à son désir d'avoir des fils, comme si c'était leur faute et non celle de Sa Syphilitique Majesté. Que penserait Freud de ce rêve ? Holmes tombant sous le roi misogyne, tandis qu'éclatait le rire railleur d'un homme/femme ? Je poussai un soupir et m'installai à mon bureau. S'il fallait que je sois debout à trois heures du matin, autant que cela serve à quelque chose, Henri VIII ou pas. Je me mis au travail mais, toute la matinée, le rêve ne cessa de revenir m'importuner, et je me retrouvais alors en train de fixer le mur d'un regard vide. Henri VIII. Qu'est-ce que cela signifiait ?

Dans l'après-midi, avant de me rendre à un cours, j'allai prendre un café dans le marché couvert et finis par commander un repas plantureux dont j'avais ignoré avoir envie jusqu'à ce qu'une odeur appétissante de bacon frit me chatouille les narines. Deux repas, en réalité, avec dessert... plus de nourriture que je n'en avais avalé à la suite depuis que Mme Hudson ne me faisait plus à manger.

Un peu ballonnée, je pris Turl Street pour rejoindre ma salle de cours, mais en approchant de la Bodléienne, je ralentis le pas, puis finis par m'arrêter. Henri VIII. En cas d'ignorance, consultez une bibliothèque. Sans beaucoup de scrupules, je tournai le dos à la section des textes funéraires de la IIe dynastie et pris à droite. (L'étudiant flâneur et trop âgé que je connaissais bien m'avait suivie dans Broad Street mais n'avait pas franchi les portes de la bibliothèque.) Je demandai plusieurs livres sur la période, mais les feuilletai sans qu'aucune étincelle jaillisse dans mon esprit. Sachant que c'était sans espoir, j'allai prendre les photos, les étalai devant moi, et ce fut alors que la voix me parla et que je sus.

Holmes et moi avions envisagé la possibilité d'un code reposant sur une substitution chiffre/lettre (1 = A, 2 = B, etc.). Pour corser la difficulté, il arrive souvent que l'on chiffre un texte à l'aide d'un livre : si ce texte est long, on peut parvenir à le décoder en tâtonnant, mais s'il est court, il faut découvrir la clé. Si celle-ci est extérieure, les mots d'une page de livre par exemple, décrypter un message aussi bref que celui auquel nous avions affaire peut se révéler quasiment impossible.

Je devais partir de quelques hypothèses de base pour m'attaquer au problème. Il me fallait déjà supposer que notre ennemie avait laissé ce message à dessein et tenait à ce que nous finissions par le comprendre, qu'elle ne cherchait pas seulement à nous exaspérer par des indices qui ne menaient nulle part. Je devais aussi croire que la clé était là sous mon nez, n'attendant que d'être vue. J'estimais enfin, qu'une fois trouvée, elle permettrait de déchiffrer l'énigme assez rapidement. Si ce n'était pas le cas, j'en conclurais que ce n'était pas la bonne et n'insisterais pas.

Si je ne me trompais pas, la fille d'une voix avait découvert cette clé et l'avait déposée dans mon rêve. En effet, si

Henri VIII ne m'évoquait pas grand-chose, il en allait différemment du VIII, ou de la base huit. Si les êtres humains étaient nés avec trois doigts opposables au lieu de quatre, nous compterions en base huit. Un plus zéro signifierait huit, neuf s'écrirait 11, et 20 serait l'équivalent de 16 en base dix. J'écrivis sur un morceau de papier les vingt-six premiers chiffres en base huit et, au-dessous, les lettres de l'alphabet :

1	2	3	4	5	6	7	10	11	12	13	14	15	16	17	20	21	22	23	24	25	26	27	30	31	32
A	B	C	D	E	F	G	H	I	J	K	L	M	N	O	P	Q	R	S	T	U	V	W	X	Y	Z

Il me restait à diviser les vingt-cinq chiffres romains en nombres dont les équivalents-lettres auraient une signification. Bien que je les connusse désormais par cœur, à l'envers et à l'endroit, je les notai eux aussi pour les avoir sous les yeux :

XVXVIIXXIIXIIXXIIXXIVXXXI

Vingt-cinq chiffres, des uns, des cinq, des dix. Pris comme cela, ils donnaient une série de H, de E et de A dépourvue de sens. Il fallait que je les groupe autrement.

Je commençai par les dix premiers, XVXVIIXXII. Le dernier « I » pouvait être lié au « X » suivant, mais c'était une possibilité que je garderais à l'esprit. XVXVI, ou 10-5-10-5-1, donnait H-E-H-E-A, ce qui, sauf à supposer un rire railleur, ne voulait rien dire. X-V-XVII = 10-5-17 donnait HEO, ce qui était déjà un peu mieux. Plus les nombres étaient élevés, plus les lettres de l'alphabet variaient. J'utilisai donc les chiffres les plus élevés que pouvait donner la série, soit 15, 17, 22, 12, 22, 24, 31. En base dix, cela faisait OQVLVX. Le 31 posait problème puisque l'alphabet ne compte que vingt-six lettres. En base huit, en revanche, j'obtins M-O-R-J-R-T-Y. Il me fallut un moment pour me rendre compte de ce que j'avais sous les yeux. Mon crayon s'avança de lui-même et barra lentement le chiffre 12 pour le remplacer par 11-1 : MORIARTY.

Moriarty ne pouvait pas être en cause. Le professeur-de-mathématiques-devenu-cerveau-du-crime était mort ; Sherlock Holmes l'avait vu tomber au fond de chutes profondes en Suisse, près de trente ans plus tôt. Pourquoi ce nom, alors ? Notre ennemie nous disait-elle qu'elle nous persécutait pour venger sa mort ? Au bout de trente ans ? Ou voulait-elle établir un parallèle entre cette affaire et celle de Moriarty et de Holmes ? J'ignore combien de temps je restai assise là, plongée dans mes pensées, tandis que le jour déclinait au-dehors, mais finalement la petite fille d'une voix murmura une dernière fois, et j'entendis les paroles que j'avais prononcées dans ma chambre, le soir où tout avait commencé : « Mon professeur de mathématiques et moi travaillions sur des problèmes théoriques concernant la base huit, lorsque nous sommes tombés sur des exercices mathématiques conçus par une de vos anciennes connaissances. » Et Holmes avait dit : « Le professeur Moriarty... »

Mon professeur de mathématiques. Le cheveu blond trouvé dans le fiacre ne lui appartenait pas ; elle avait des cheveux bruns mêlés de gris. Elle m'avait toutefois soumis les exercices en base huit du professeur Moriarty le jour même où l'on avait posé une bombe sur ma porte et, je le savais à présent, c'était elle qui avait tracé ce cryptogramme au couteau sur la banquette du fiacre, trois jours plus tard. Mon professeur de mathématiques, Patricia Donleavy, qui avait quitté Oxford en raison d'une maladie inexpliquée, cette même semaine. Une forte femme, un esprit d'une grande subtilité, un des enseignants qui m'avaient le plus appris, qui m'avait formée, dont je prisais les rares compliments, avec qui j'avais parlé de ma vie, et de Holmes. « Un autre Moriarty », avait dit celui-ci. Et elle venait de le confirmer.

Je levai les yeux et vis que quelqu'un se tenait debout près de mon bureau, un bureau où s'étalaient les photographies, mes calculs et la traduction du cryptogramme. C'était un des vieux employés de la bibliothèque. Il avait l'air amusé et avait apparemment attendu que je remarque sa présence.

« Désolé, mademoiselle Russell, mais c'est l'heure de la fermeture.

– Déjà ? Mon Dieu, je n'ai pas vu le temps passer, monsieur Douglas. J'en ai pour une minute.

– Ne vous pressez pas, mademoiselle. J'ai encore quelques bricoles à faire. Je voulais juste vous prévenir avant que vous ne preniez racine. Je vous ouvrirai lorsque vous descendrez. »

Tandis que je rangeais mes papiers à la hâte, une pensée très désagréable me vint à l'esprit. Combien d'autres personnes avaient jeté un œil sur mon bureau pendant la soirée ? Je savais avoir pris soin de cacher les photos au début, mais pendant combien de temps avais-je été absorbée par mes travaux au point de ne plus rien remarquer ? Il me semblait me rappeler deux étudiants de première année cherchant un livre, un vieux prêtre qui toussait et se mouchait bruyamment, mais y en avait-il eu d'autres ? J'espérais que non.

M. Douglas me salua gaiement et verrouilla la porte derrière moi. Il n'y avait personne dans la cour obscure que la statue de Thomas Bodley, et je me hâtai de gagner Broad Street qui était, elle, animée, bien éclairée et sûre. Je rentrai chez moi, préoccupée. Que faire, à présent ? Téléphoner à Holmes en espérant que personne n'écouterait la conversation ? Lui envoyer un télégramme chiffré ? Je doutais pouvoir inventer rapidement quelque chose qui fût compréhensible pour Holmes et pas pour Patricia Donleavy. Si j'allais dans le Sussex, pourrais-je le faire sans alerter mes fileurs ? Un mouvement soudain de ma part pouvait mettre Holmes en danger. Et où était Mlle Donleavy ? Comment la trouver et lui tendre un piège ?

Au milieu de ce tourbillon de pensées, quelque chose d'autre me trottait dans la tête sans que je sache précisément quoi. Je m'immobilisai et tâchai de me concentrer. Qu'est-ce qui me tracassait ? L'animation de la rue ? Non. D'ailleurs, il y avait moins de monde, à présent. L'idée du téléphone ? Non, attends, reviens en arrière. Moins de monde ? Les suiveurs ! *Où étaient mes suiveurs ?* Je me rendis compte que je n'avais pas été filée depuis que j'avais quitté la Bodléienne et sus aussitôt ce que cela signifiait. Enfonçant mon chapeau sur mon crâne, je me mis à courir.

M. Thomas me regarda avec étonnement lorsque je fis irruption, hors d'haleine, dans sa loge.

« Appelez Holmes tout de suite, monsieur Thomas, il faut que je lui parle. » Je lui fus reconnaissante de ne pas me poser de question ; ce qu'il lut sur mon visage lui suffit.

J'attendis, en pianotant sur la table, en me retenant pour ne pas crier d'impatience, que l'opérateur réponde, que les centraux se consultent, puis je vis M. Thomas se figer.

« Je vois, dit-il. Merci. » Il raccrocha et se tourna vers moi.

« Les lignes téléphoniques semblent avoir été coupées, un peu avant Eastbourne. Un accident sur la route, apparemment. Puis-je faire quelque chose, mademoiselle ?

– Oui, aller demander au garage de sortir ma voiture. J'y serai dans quelques minutes. »

Avec une agilité surprenante, M. Thomas courut vers la porte, tandis que je m'élançais dans l'escalier. J'avais ma clé à la main avant même d'être sur le palier, je l'avançai vers la serrure et m'immobilisai. Sur le bouton de porte étincelant, il y avait une tache noire graisseuse.

« Holmes ? murmurai-je. Holmes ? » et j'ouvris la porte toute grande.

Nous joignons nos forces

Car l'œuvre est inespérée, mais ébauchée et dangereuse.
Elle a été conçue par une intelligence souveraine
qui a deviné la plupart de nos désirs...

« Heureusement qu'il n'y avait pas d'autre bombe sur la porte, Russell. Il ne resterait pas grand-chose de vous. » C'était le vieux prêtre de la bibliothèque, qui me regardait d'un air désapprobateur par-dessus ses lunettes, assis dans mon fauteuil.

« Oh ! Holmes, que c'est bon de vous voir ! » Aujourd'hui encore, il jure que j'ai pressé sa tête contre mes seins, mais je suis certaine qu'il était déjà debout lorsque j'arrivai près de lui. Je constatai avec soulagement que sa musculature n'avait pas souffert de ces semaines d'enfermement et d'oisiveté forcés, et ma cage thoracique garda d'ailleurs des traces douloureuses de son étreinte. Ce que naturellement il nie.

« Holmes, c'est fini, je sais qui elle est, mais j'ai cru qu'elle s'en était prise à vous, mes suiveurs ont disparu, votre ligne téléphonique est coupée, je montais prendre mon revolver avant de partir dans le Sussex, mais vous êtes ici et... »

Par bonheur, Holmes coupa court à cette logorrhée.

« Fort bien, Russell, je suis flatté que vous ayez l'air heureuse de me revoir en vie, mais pourriez-vous être un peu plus claire, je vous prie, notamment en ce qui concerne le téléphone et vos suiveurs ? » Il réajusta sa barbe, et je me baissai pour ramasser un sourcil, que je lui tendis distraitement.

« Je travaillais à la Bodléienne, cet après-midi...

– Oh ! pour l'amour du ciel, Russell, ne soyez pas totalement stupide. Mon absence vous aurait-elle ramolli le cerveau ?

– Oui, bien sûr, vous y étiez. Pourquoi ne vous êtes-vous pas fait reconnaître ?

– Pour déclencher une scène de ce genre dans ce lieu sacré ? J'ai pensé que vous souhaiteriez peut-être y travailler encore à l'avenir et ai préféré venir vous attendre ici. Je me suis également rendu compte que vous étiez au bord d'une découverte et n'ai pas voulu risquer qu'elle vous échappât. Je me suis mouché bruyamment à deux pas de vos oreilles, si vous vous souvenez bien ; comme cela n'a provoqué aucune réaction de votre part, je n'ai pas insisté. Qu'avez-vous trouvé ? J'ai vu que vous travailliez sur les chiffres romains mais, faute d'avoir pu me pencher sur votre épaule, je ne sais pas où vos pensées vous conduisaient.

– Oui, Holmes, c'était un code. En base huit, pas en base dix. Cela donnait Moriarty. Et savez-vous qui m'avait fait travailler sur la base huit, trois jours avant que les bombes ne fussent posées ?

– Oui, je m'en souviens, votre professeur de mathématiques. Mais comment... ?

– Elle m'a même parlé des exercices de Moriarty, indirectement, bien entendu. Elle a mentionné en passant avoir vu des problèmes dans un livre et...

– Ah ! je vois maintenant. Oui, bien sûr.

– Bien sûr quoi ?

– Votre professeur de mathématiques est une femme. J'aurais dû le savoir.

– Vous l'ignoriez ? Je pensais vous l'avoir dit. Mais elle n'est pas blonde, voyez-vous, et...

– Où se trouve-t-elle, à présent ? Soyez gentille, Russell, cessez de parler à tort et à travers. J'aimerais beaucoup prendre cette femme au piège, si elle a l'obligeance de se laisser faire. Cela m'éviterait de passer le reste de ma vie à éviter des bombes et à feindre de détester jusqu'à votre nom.

– Ah ! Oui. Mais elle... Je veux dire que mes suiveurs ont disparu pendant que j'étais à la bibliothèque. Elle a peut-être deviné ce que je faisais ou simplement décidé d'agir, mais les lignes téléphoniques du village sont coupées, alors j'ai pensé...

– Vous aviez raison, Russell, et cela signifie que nous devons faire vite. Pouvez-vous vous habiller de façon plus pratique ? Nous allons peut-être connaître des heures mouvementées. »

Je plongeai dans la chambre voisine et dans ma tenue de jeune homme en deux minutes et, trente secondes plus tard, j'avais mes chaussures aux pieds et, dans la poche, mon revolver et une poignée de balles.

Nous fîmes sensation en dévalant l'escalier. Ma voisine hypocondriaque sortait de la salle de bains lorsque nous nous ruâmes vers elle. Elle hurla en serrant son peignoir contre sa poitrine.

« Des hommes ! Deux hommes dans le couloir !

– Oh ! pour l'amour du ciel, Di, c'est moi », criai-je en la dépassant.

Elle se pencha par-dessus la rampe avec plusieurs de mes colocataires pour suivre notre descente. « Mary ? Mais qui est avec toi ?

– Un vieil ami de la famille !

– Mais c'est un homme !

– Je l'avais remarqué.

– Mais les hommes ne sont pas autorisés ici ! » Nous étions déjà en bas.

« Il faut que je me serve du téléphone de M. Thomas, Russell. Ah ! le voici. Bonjour, Thomas.

– Puis-je vous aider, mon révérend ? Qui est-ce, mademoiselle Russell ? Que voulez-vous, monsieur, je vous prie ? Hé ! monsieur, ce n'est pas un téléphone public ! Monsieur...

– Ma voiture est-elle prête, Thomas ? coupai-je, pendant que Holmes demandait sa communication.

– Quoi ? Ah ! oui, mademoiselle, elle doit vous attendre dehors. Mais qui est ce monsieur ?

– Un ami de la famille, monsieur Thomas. Mon Dieu, j'entends Dianne crier, là-haut. Pourriez-vous aller voir ce qu'elle veut ? Vous savez combien elle est nerveuse. Non, monsieur Thomas, allez-y. Je raccompagne mon ami. Oui, un ami de la famille. Très vieux. Oui. Au revoir, monsieur Thomas, je ne rentrerai pas ce soir.

– Ni demain soir, hurla Holmes. Venez, Russell ! »

La voiture était garée le long du trottoir, moteur tournant. Le garagiste en sortit dès qu'il nous vit, puis s'immobilisa, hésitant, la main sur la porte.

« C'est vous, mademoiselle Russell ?

– Oui, Hugh, merci mille fois. Au revoir. » Il grimaça en entendant crisser les pneus mais, après tout, ce n'était pas sa voiture. Holmes fit plus que grimacer avant même que nous ne soyons sortis d'Oxford, mais je ne heurtai personne et ne frôlai que légèrement une charrette. Ce n'était pas non plus son automobile, et que connaissent les hommes à la conduite ?

Lorsque la Morris roula à une allure plus régulière sur la route étroite et sombre qui quittait la ville, je me tournai vers Holmes.

« Que faites-vous ici, d'ailleurs ?

– Dites-moi, Russell, croyez-vous... que ce soit la vitesse qui convienne sur cette route particulière et... attention à la vache !... et dans ces conditions particulières ?

– Ma foi, je pourrais aller un peu plus vite, si vous le

souhaitez, Holmes. Je suppose que la voiture en est capable.

– Non, ce n'est pas ce que je voulais dire.

– Alors... ah ! je vois, vous préféreriez un autre itinéraire. Vous avez raison, comme d'habitude, Holmes. Il y a des cartes derrière, dans une petite pochette noire. Vous trouverez aussi une lampe de poche. Votre sourcil est encore tombé, Holmes.

– Cela ne m'étonne pas, marmonna-t-il, en se débarrassant du reste de son déguisement.

– Vous faites un beau prêtre, Holmes, très distingué. Vous avez les cartes ? Il y a une route qui part sur la gauche à plusieurs kilomètres d'ici, un chemin de terre. Vous le voyez ? »

Holmes prétend que cette excursion nocturne a raccourci sa vie de dix ans, mais je trouvais assez grisant de foncer à tombeau ouvert sur des chemins de campagne obscurs en compagnie de l'homme avec qui je n'avais pu bavarder librement depuis tant de mois. Il manqua toutefois singulièrement de conversation pendant ces heures, ce qui m'obligea à parler pour deux.

À un moment, lorsque nous nous glissâmes de justesse entre une charrette de foin et un mur de pierre, en laissant une quantité considérable de peinture sur ce dernier, il se montra vraiment plus silencieux qu'à son habitude. Au bout de quelques minutes, je lui demandai s'il allait bien.

« Si vous décidez de courir le Grand Prix, Russell, il faudra que vous invitiez Watson à vous servir de navigateur. C'est tout à fait sa partie.

– Auriez-vous des doutes sur ma conduite, Holmes ?

– Oh ! non, vos capacités dans ce domaine sont très convaincantes, je vous assure. Mes doutes concerneraient plutôt le terme de notre voyage. La question de notre arrivée, par exemple.

– Et ce que nous trouverons, là-bas ?

– Cela aussi, bien que ce ne soit peut-être pas ma préoccupation la plus immédiate. Aviez-vous vu cet arbre, Russell ?

– Oui, un vieux chêne superbe, n'est-ce pas ?

– J'espère qu'il l'est toujours », marmonna-t-il. Je ris gaiement. Il fit la grimace.

Nous réussîmes à couper toutes les grandes artères rayonnant de Londres en passant par des routes de campagne, puis attaquâmes finalement la dernière ligne droite. Je jetai un coup d'œil à Holmes.

« Allez-vous me dire ce qui vous amenait à Oxford et quels sont vos plans pour les prochaines heures ?

– Je pense vraiment que vous devriez ralentir cet engin, Russell. Nous ne savons pas quand nous allons tomber sur les sous-fifres de notre adversaire, et nous ne souhaitons pas attirer leur attention. Ils nous croient, vous à Oxford et moi au lit. »

Je permis au compteur d'indiquer une vitesse plus posée, qui parut le satisfaire.

« J'ai été amené à Oxford par un train, un moyen de transport banal et nettement plus confortable que votre voiture de course.

– Ce n'est qu'une Morris, Holmes.

– Je doute que l'usine la reconnaisse après cette nuit. Quoi qu'il en soit, j'ai le regret de vous informer que l'état de votre ami Sherlock Holmes s'est considérablement aggravé. Il semble qu'il ait bêtement attrapé froid, la semaine dernière, et que cela ait dégénéré en pneumonie. Il a refusé d'aller à l'hôpital ; des infirmières se sont relayées nuit et jour à son chevet. Le médecin venait régulièrement et repartait, l'air sombre. Vous ne vous imaginez pas combien il est difficile de trouver un spécialiste qui sache à la fois mentir et jouer la comédie, Russell. Heureusement que Mycroft a des relations.

– Comment avez-vous tenu Watson à l'écart ?

– Il est venu me voir. J'ai passé deux heures à me maquiller pour avoir une chance de le convaincre, et même ainsi j'ai préféré refuser de le laisser m'examiner. Si je l'avais mis au courant, c'en était fini de notre piège. Il n'a jamais su dissimuler. Pour qu'il consente à regagner sa cachette, Mycroft a dû le persuader que, si quelque chose arrivait à mon bon ami Watson, cela m'achèverait.

– Pauvre oncle John. Nous aurons beaucoup à nous faire pardonner, quand tout cela sera fini.

– Il a toujours été très indulgent. Mais je continue. Je pensais que ma grave maladie pousserait notre ennemie à agir. Je comptais vous en parler lorsque vous viendriez ici, ce que vous auriez assurément fait en recevant la lettre hebdomadaire de Mme Hudson, demain... ou plutôt aujourd'hui. Mais les choses sont allées plus vite que je ne l'avais prévu, et je suis donc venu à Oxford vous voir... au moment où vous vous apprêtiez de votre côté à partir.

– Qu'est-il arrivé ?

– Je vous ai parlé de mes guetteurs, sur la colline ? Ils sont devenus très négligents : éclats de lumière sur leurs lunettes ; cigarettes allumées dans l'obscurité. Le mois dernier, Mycroft m'a offert un télescope très puissant, et j'ai donc passé beaucoup de temps à guetter les guetteurs. Leur emploi du temps était très prévisible, toujours les mêmes aux mêmes heures. Puis soudain, hier, ou plutôt avant-hier – dimanche soir –, ils ont tous disparu. Un homme que je n'avais encore jamais vu est venu, ils ont discuté quelques minutes, et sont partis en laissant leur équipement derrière eux. Je n'avais pas osé espérer un événement de ce genre mais, puisque l'occasion se présentait, je n'allais pas la négliger. J'ai envoyé ce vieux Will jeter un coup d'œil et rapporter tout ce qu'il pourrait dénicher. Il est à la retraite mais, à son époque, il n'avait pas son pareil et, quand il ne veut pas être vu, même un faucon ne le repérerait pas.

« Il est revenu deux heures plus tard, juste après la tombée de la nuit, avec un beau petit sac d'ordures. Des croûtes de fromage, un vieux talon de botte, des paquets de biscuits vides, une bouteille de vin. J'ai emporté tout ça dans mon laboratoire et devinez ce que j'ai trouvé ? Du fromage d'Oxford, de la boue d'Oxford sur le vieux talon et un paquet de biscuits venant d'une boutique du marché couvert d'Oxford. J'ai fumé une ou deux pipes et décidé de passer la journée au lit tout en prenant le train du matin. Le médecin est venu cet après-midi, au fait, et s'est montré légèrement plus optimiste ; l'infirmière de nuit a été renvoyée, et l'on m'a entendu jouer du violon de temps à autre derrière les rideaux clos de ma chambre. De tous les miracles de la technologie moderne, c'est le gramophone qui m'a toujours paru le plus utile, Russell. Ah ! j'oubliais, ajouta-t-il, Mme Hudson est dans le secret, à présent.

– Vous pouviez difficilement vous passer d'elle, en effet. Comment se débrouille-t-elle ?

– Elle a été ravie d'entrer dans le jeu et s'est révélée une actrice très capable. Les femmes ne cessent de m'étonner. »

Je ne fis pas de commentaire, pas à voix haute. « Cela explique ce qui s'est produit jusqu'ici. Et maintenant ?

– Tout indique que le dénouement est proche, vous ne pensez pas ?

– Assurément.

– Mon instinct me dit qu'elle désirera me rencontrer face à face. Qu'elle n'ait pas encore lancé un obus sur ma fermette, ni empoisonné mon puits prouve bien que ce n'est pas seulement ma mort qu'elle veut. Voilà quarante ans que j'ai affaire à des criminels, et je suis certain d'une chose : elle arrangera une entrevue, pour railler ma faiblesse et chanter victoire. Il reste à savoir si elle viendra à moi ou si elle me fera venir à elle.

– Il me semble qu'une autre question se pose, Holmes, encore plus importante : faut-il que nous la rencontrions ?

– Non, ma chère Russell. Elle ne se pose pas. Je n'ai pas le choix. Je suis l'appât, vous vous rappelez ? Nous devons simplement réfléchir à la meilleure façon de vous placer, de vous donner la meilleure occasion de frapper. Je dois avouer que je suis assez impatient de faire la connaissance de cet adversaire particulier », ajouta-t-il d'un ton songeur.

Je freinai brutalement pour éviter d'écraser un blaireau et déclarai :

« Si je n'étais pas mieux informée, Holmes, je pourrais vous croire entiché de Patricia Donleavy. Non, inutile de répondre. Mais je m'en souviendrai : si j'ai jamais envie d'attirer votre attention, je n'ai qu'à menacer de vous faire sauter.

– Russell ! Je n'aurais jamais pensé...

– N'insistons pas, Holmes, n'insistons pas. Vous êtes vraiment le plus exaspérant des associés, parfois, vous savez. Voudriez-vous passer au vif du sujet, s'il vous plaît ? Nous serons chez moi dans deux minutes, et vous ne m'avez toujours rien dit de votre plan de campagne. Parlez, Holmes !

– Oh ! très bien. C'est à Mycroft que j'ai téléphoné, lorsque nous étions à Oxford. Je lui ai demandé d'envoyer ses hommes les plus discrets dans la région, ce soir, après la tombée de la nuit. Hier, il y avait trop d'allées et venues chez moi pour permettre à votre Mlle Donleavy de passer à l'action. Mais aujourd'hui, mon ami médecin annoncera que je me rétablis et que j'ai besoin de calme et de silence. Mme Hudson ira se coucher de bonne heure, et nous lui dresserons un guet-apens. On peut se fier à Patrick, votre fermier, je suppose ?

– Les yeux fermés. Nous pouvons laisser la voiture dans la grange et nous rendre à pied jusqu'à votre fermette. C'est bien votre plan ?

– Vous connaissez mes méthodes, Russell. Ah ! nous y voici. »

Je roulai jusqu'à la grange, qui se dressait un peu à l'écart, en bord de route. Holmes alla m'ouvrir. Lorsque nous eûmes déplacé quelques bottes de foin, la voiture se logea douillettement entre les stalles ; Vicky et les divers membres de sa famille regardèrent avec une curiosité modérée ce bizarre intrus noir.

« Je vais prévenir Patrick. J'en ai pour une minute. »

J'entrai dans la maison, puis montai l'escalier en murmurant son nom à intervalles réguliers afin de ne pas être prise pour un cambrioleur. Il dormait profondément, mais je finis par le réveiller.

« Bon Dieu, Patrick, les granges pourraient flamber sans que vous vous aperceviez de rien.

– Quoi ? Les granges ? Le feu ? J'arrive ! Qui est-ce ? Tillie ?

– Non, non, Patrick, il n'y a pas le feu. Ne vous levez pas, c'est moi, Mary.

– Mademoiselle Mary ? Que se passe-t-il ? Je vais allumer.

– Pas de lumière, Patrick. Ne vous levez pas. » Le clair de lune me montrait que la moitié supérieure de sa personne était dénudée, et je n'avais aucune envie de savoir si l'autre l'était aussi. « Je voulais juste vous dire que j'avais caché ma voiture dans la grange du bas. Il ne faut pas qu'on la voie. Il est très important que personne ne sache que je suis ici. Pas même ma tante. Je compte sur vous, Patrick ?

– Bien sûr, mais où allez-vous ?

– Je serai chez Holmes.

– Vous avez des ennuis, mademoiselle, n'est-ce pas ? Je peux vous aider ?

– Si c'est le cas, je vous enverrai un message. Veillez surtout à ce que personne ne voie la voiture. Désolée de vous avoir réveillé, Patrick.

– Bonne chance, mademoiselle.

– Merci. »

Holmes m'attendait. Nous nous dirigeâmes en silence vers les Downs, que seuls les renards et les chouettes hantaient à cette heure.

Ce n'était pas la première fois que je les parcourais de nuit, et la lune nous éclaira d'ailleurs une partie du chemin avant de se coucher. Je craignis au début que sa longue inaction n'eût amoindri la constitution de fer de Holmes, mais je fus vite rassurée. Ce n'était pas lui mais moi qui parvenais essoufflée au sommet des collines.

Les bruits portent, la nuit, si bien que nous n'échangeâmes que quelques murmures, surtout en approchant de la fermette. La lune s'était couchée, et nous arrivâmes en lisière du verger au plus noir de la nuit. Holmes se pencha pour me souffler à l'oreille :

« Nous allons faire le tour et passer par la porte de derrière, puis monter tout droit dans le laboratoire. Nous pourrons allumer, là-haut ; il n'y a pas de fenêtres. Restez dans l'ombre et rappelez-vous qu'il y a un guetteur quelque part. »

Il sentit mon hochement de tête et s'éloigna. Cinq minutes plus tard, la porte s'ouvrit avec un imperceptible cliquetis et je pénétrai dans la maison obscure, où flottaient des odeurs mêlées de tabac, de produits chimiques toxiques et de pâtés en croûte, qui étaient pour moi celles du foyer et du bonheur.

« Venez, Russell, vous êtes perdue ? » dit Holmes à voix basse, au-dessus de moi. Je montai à sa suite les marches usées sans avoir besoin de lumière et entrai dans le laboratoire. Je sentis au mouvement de l'air qu'il refermait la porte derrière nous.

« Ne bougez pas jusqu'à ce que j'aie allumé, Russell. J'ai déplacé quelques objets depuis votre dernière visite. » Une allumette s'enflamma et éclaira son profil, penché sur une vieille lampe. « Je vais calfeutrer les fentes de la porte, ajouta-t-il en réglant la hauteur de la flamme.

– Mon nez me dit que Mme Hudson a fait des pâtés en croûte, hier, remarquai-je en accrochant mon manteau à une patère. Je suis contente qu'elle soit convaincue de votre guérison prochaine. » Je me tournai vers Holmes et vis son visage. Totalement immobile, encore courbé sur la lampe qu'il venait de poser sur une table, il observait le coin sombre de la pièce, par-dessus la flamme, avec une expression où se mêlaient l'appréhension, le désespoir et le sentiment écrasant de la défaite. Je fis deux pas rapides en avant pour voir derrière l'étagère et découvris la bouche ronde d'un revolver, qui bougea et se pointa sur moi. Je regardai Holmes et lus pour la première fois de la peur dans ses yeux.

« Bonjour, monsieur Holmes, dit une voix familière. Mademoiselle Russell. »

Holmes se redressa lentement, l'air terriblement las, et répondit d'une voix froide comme la mort.

« Mademoiselle Donleavy. »

Bataille en règle

...il n'y a point de place pour de nombreuses émotions dans son étroit cerveau ...pratique et barbare.

« Eh bien, monsieur Holmes, pas de bons mots ? "Vous avez été en Afghanistan, je vois, ou à New York ?" Bah ! vous ne faites pas toujours des étincelles, sans doute. Et vous, mademoiselle Russell ? On ne salue pas son professeur, on ne s'excuse même pas de la médiocrité de son dernier essai, qui était non seulement trempé mais bâclé ? »

Entendre sa voix précise, légèrement rauque, me glaça jusqu'au fond de l'âme. Elle m'évoquait son bureau sombre et opulent, le feu de cheminée, le thé qu'elle me servait, les deux occasions où elle m'avait offert un verre de sherry sec et rare pour accompagner des compliments tout aussi secs et rares. J'avais cru... j'avais cru connaître ses sentiments à mon égard, et j'étais devant elle comme un enfant qui vient d'être poignardé par sa marraine bien-aimée.

« Vous avez vraiment l'air de deux ânes », dit-elle avec irritation. Et si ses premiers mots m'avaient pétrifiée, son accès de mauvaise humeur me fit l'effet d'un coup de fouet, une réaction machinale qu'apprenaient tous ses étudiants : lorsque Mlle Donleavy se montrait mordante, mieux valait rassembler ses esprits au plus vite. Je l'avais vue faire pleurer un homme solide.

« Asseyez-vous, mademoiselle Russell. Auriez-vous l'obligeance d'allumer les ampoules que je vois au-dessus de votre tête, monsieur Holmes ? Pas de mouvements brusques, surtout ; le revolver est armé et la détente, extrêmement sensible. Merci. Vous m'avez l'air beaucoup plus loin des portes de la mort que je n'avais été amenée à le croire, monsieur Holmes. Maintenant, j'aimerais que vous alliez prendre cet autre fauteuil et le placiez derrière la table à la gauche de Mlle Russell. Un peu plus loin. Bien. Éteignez la lampe et posez-la sur l'étagère. Oui, là. À présent, asseyez-vous. Vous voudrez bien garder vos mains sur la table, tous les deux. Parfait. »

Elle était assise dans le coin de la pièce, derrière des étagères et dans leur ombre. La lumière des plafonniers éclairait ses jambes gainées de soie des pieds aux genoux et, de temps à autre, l'extrémité du lourd pistolet militaire. On voyait parfois étinceler ses dents ou ses yeux, luire faiblement la chaîne en or et le médaillon qu'elle portait autour du cou ; tout le reste était dans la pénombre.

« Nous nous rencontrons enfin, monsieur Holmes. J'attendais ce jour depuis un certain temps.

– Depuis vingt-cinq ans ou davantage, n'est-ce pas, mademoiselle Donleavy ? Mais vous préférez peut-être être appelée du nom de votre père ? »

Le silence se fit dans le laboratoire, et je regardai Holmes avec perplexité. Savait-il d'où cette femme venait ? Son père... ?

« Touché, monsieur Holmes. Je retire mes précédentes critiques ; vous avez encore de la repartie. Peut-être pourriez-vous donner quelques explications à Mlle Russell.

– C'est son propre nom que Mlle Donleavy a laissé sur le siège du fiacre, Russell. Vous avez devant vous la fille du professeur Moriarty.

– Surprise, surprise, mademoiselle Russell. Vous m'aviez bien dit que votre ami avait un cerveau très supérieur. Dommage qu'il soit logé dans un corps d'homme. »

Au prix d'un immense effort, j'ordonnai mes pensées et tâchai de me concentrer sur le dernier plan qu'Holmes et moi avions élaboré, si inutile que cela pût paraître désormais. Je m'éclaircis la voix et contemplai mes mains sur la table.

« Je ne suis pas d'accord avec vous, mademoiselle, dis-je. Le cerveau de M. Holmes et son corps me semblent parfaitement assortis.

– Toujours l'esprit vif, mademoiselle Russell, dit-elle, ravie. Je dois admettre que j'avais oublié le plaisir que j'ai toujours pris à votre intelligence. Et, comme vous le laissez entendre, j'avais aussi oublié que vous étiez... en froid. Je me suis souvent demandé ce que vous lui trouviez, remarquez. J'aurais pu faire beaucoup avec vous sans votre affection irrationnelle pour M. Holmes. »

Je gardai le silence, les yeux fixés sur mes mains, en m'étonnant qu'elles ne tremblent pas.

« Mais à présent cette affection s'est tarie, n'est-ce pas ? reprit-elle d'un ton presque mélancolique. C'est si triste de voir de vieux amis devenir ennemis. »

J'eus un frémissement d'espoir, mais restai impassible. Si elle le croyait, nous avions peut-être encore une chance. Il m'était difficile de le savoir, parce que je ne pouvais voir son visage et que ma confiance dans mes perceptions avait été sérieusement ébranlée, mais aussi parce que j'avais l'impression déroutante d'avoir affaire à une inconnue aux réactions exagérées, imprévisibles.

Je n'eus guère le temps de m'appesantir sur la question, car Holmes déclara d'une voix monocorde :

« Ayez l'obligeance de ne pas taquiner cette enfant, mademoiselle Donleavy, et poursuivez. Je pense que vous souhaitez me dire certaines choses. »

Je vis avec terreur la bouche ronde du revolver trembler légèrement, puis son rire retentit, et je me sentis prise de nausées. Elle avait joué avec moi. Nous l'avions peut-être abusée quelque temps, mais à présent notre comédie était éventée et nous n'avions même plus cette minuscule chance-là.

« Vous avez raison, monsieur Holmes. Je n'ai pas beaucoup de temps, et vous m'avez coûté de grandes dépenses d'énergie ces derniers jours. Je n'en ai plus guère, vous comprenez. Je suis mourante. Oh ! oui, mademoiselle Russell, j'étais absente d'Oxford pour de bonnes raisons. Un cancer incurable me ronge le ventre. Je comptais initialement attendre quelques années encore avant cette rencontre, monsieur Holmes, mais je n'en ai plus le loisir. D'ici peu, je n'aurai plus la force de m'occuper de vous. Il fallait que ce soit maintenant.

– Fort bien, mademoiselle Donleavy, je suis à votre merci. Renvoyons Mlle Russell et réglons cette affaire entre nous.

– Oh ! non, monsieur Holmes, je suis désolée. Elle fait partie de vous, à présent, et je ne peux la laisser partir. Elle reste. » Son ton était devenu glacial, au point qu'il m'était difficile de l'associer à la personne avec qui j'avais bu du thé et ri devant un feu de cheminée. Je frissonnai, et elle le vit.

« Mlle Russell a froid, et elle est fatiguée, je suppose. Nous le sommes tous, ma chère, mais nous n'en avons pas encore fini. Allons, monsieur Holmes, épargnez à votre protégée de rester ici toute la journée. Je suis sûre que vous avez des questions à me poser. Vous pouvez commencer. »

Je regardai Holmes, assis à moins d'un mètre de moi. Il se passa les mains sur le visage avec lassitude mais, l'espace d'une fraction de seconde, ses yeux rencontrèrent les miens et j'y vis briller une lueur de triomphe. Puis ses traits n'exprimèrent plus à nouveau qu'une immense fatigue et le sentiment de la défaite. Il se laissa aller en arrière et haussa légèrement les épaules.

« Je n'ai pas de question à vous poser, mademoiselle Donleavy. »

Le revolver vacilla un instant.

« Pas de question ! Mais bien sûr que... » Elle se reprit. « N'essayez pas de m'irriter, monsieur Holmes. Nous perdrions un temps précieux. Allons, vous avez sûrement quelques points à éclaircir. » Un certain énervement perçait dans sa voix, et celle de Holmes lui répondit en contrepoint, lasse et ennuyée.

« Je vous répète que je n'ai plus rien à apprendre sur cette affaire, mademoiselle Donleavy. Elle a été très intéressante, stimulante même, mais elle est désormais terminée et toutes les données importantes ont été corrélées.

– Vraiment ? Pardonnez-moi de douter de votre parole, monsieur Holmes, mais je vous soupçonne de jouer à quelque jeu obscur. Peut-être auriez-vous l'obligeance d'expliquer à Mlle Russell et à moi-même l'enchaînement des événements. Les mains sur la table, monsieur Holmes. Je n'ai aucune envie d'abréger cette conversation. Merci. Nous vous écoutons.

– Dois-je commencer par les événements de l'automne ou par ceux d'il y a vingt-huit ans ?

– Comme il vous plaira, quoique Mlle Russell pourrait trouver quelque intérêt à ces derniers.

– Très bien. Il y a vingt-huit ans, Russell, j'ai tué le professeur James Moriarty, le père de votre professeur de mathématiques. J'ai agi en légitime défense, certes, mais cela ne change pas le fait que je suis responsable de sa chute dans le gouffre de Reichenbach ; et, s'il chercha à me tuer, ce fut en raison de l'enquête que je menais sur ses activités criminelles d'envergure. Je le démasquai, dénonçai son organisation et fus la cause directe de sa mort.

« Je commis toutefois deux erreurs à cette époque, bien que je ne voie pas aujourd'hui comment j'aurais pu prévoir ce qui arriverait. Tout d'abord, en disparaissant pendant trois ans d'Angleterre, je permis aux restes dispersés de l'organisation de Moriarty de se regrouper ; avant même mon retour, elle avait réussi à s'étendre internationalement, en ne laissant guère de structures visibles dans ce pays. Ma seconde erreur fut de perdre de vue la famille de Moriarty – dont l'existence était un de ses secrets les mieux gardés. Sa femme et sa jeune fille partirent pour New York, pour ne plus jamais revenir. Du moins, le croyais-je. Donleavy était-il le nom de jeune fille de votre mère ?

– Ah ! vous avez donc une question. Oui, en effet.

– Lacune mineure, mademoiselle Donleavy, qui ne mérite guère que l'on s'efforce de la combler. À quoi sert-il de savoir si le cheveu laissé dans le fiacre appartenait à votre père, ou dans quelle pièce de l'entrepôt se trouvait le tireur lorsqu'il a pris Mlle Russell pour cible de l'autre côté du fleuve, ou même si c'est vous ou un de vos comparses qui a trafiqué la bombe qui a tué Dickson ? Ce sont des questions accessoires qui ne modifient en rien la structure de base de l'affaire.

– Voilà une déclaration intéressante de la part d'un homme dont les enquêtes reposent sur l'observation de détails infimes, commenta-t-elle, non sans justesse. Mais passons. Oui, le cheveu appartenait à mon père. Ma mère en avait une mèche dans un médaillon. Un médaillon que je porte, d'ailleurs. Et oui, mon ami tireur se trouvait dans cet entrepôt, bien qu'apparemment Scotland Yard recherche toujours la chaloupe. Comment peuvent-ils imaginer que l'on réussisse à tirer avec une précision quelconque depuis un bateau en mouvement ? Quant à Dickson, il connaissait les risques. J'étais furieuse contre lui après que sa bombe vous eut blessé, et cela l'a rendu maladroit. Je me suis montrée généreuse envers sa famille, vous me l'accorderez.

– Quel est le prix d'une vie humaine, mademoiselle

Donleavy ? Combien de guinées compensent la perte d'un homme pour sa veuve et ses trois orphelins ? Vous l'avez tué, poursuivit-il d'une voix dure. Vous ou l'un de vos hommes de main, qui ont entendu vos paroles et les ont prises pour des ordres. Vous comptiez sur sa mort lorsque vous avez ouvert un compte en banque à New York pour le payer, en novembre dernier. Et il est mort. »

Un silence total tomba, et mon cœur battit dix, onze fois avant qu'elle ne réponde, avec une admiration réticente, un léger amusement et d'une voix qui était de nouveau la sienne.

« Comme c'est généreux et miséricordieux de votre part, monsieur Holmes, de voir dans l'homme qui a failli vous tuer, vous et deux de vos proches, un pauvre malheureux pleuré par sa veuve et ses enfants !

– John Dickson était un professionnel, un artiste en explosifs. Avant que vous ne veniez le sortir de sa retraite, il n'avait jamais tué de toute sa carrière, et n'avait blessé qu'une seule fois. Il faut que vous ayez fait pression sur lui, en menaçant sa famille peut-être, pour l'amener à se lancer dans des assassinats. Ne jouez pas à vos petits jeux avec moi, madame ; ma patience a des limites. »

Mes battements de cœur s'accélérèrent lorsque je vis l'extrémité de son arme se détourner légèrement de ma personne, et le silence était si pesant que j'étais convaincue qu'elle allait les entendre. Holmes avait toute son attention, à présent. Bientôt, sa voix s'éleva de l'obscurité, empreinte d'une sorte de respect.

« Je vois qu'en votre compagnie on ne risque pas de se laisser aller à l'autosatisfaction. Vous avez raison : je suppose que je souhaitais effectivement en être débarrassée. L'affection qu'il avait pour ses sales moutards était une faiblesse, et il m'aurait dénoncée dès que l'occasion s'en serait présentée. Ah ! que voulez-vous, l'introspection n'a jamais été mon fort. J'ai une fâcheuse tendance à négliger les questions secondaires lorsque j'ai un but en vue. Comme Mlle Russell pourrait vous le dire, je crois. »

La bouche de métal était de nouveau braquée directement sur moi, et je forçai mes muscles à se détendre, en jurant intérieurement. Nous gardâmes tous le silence une longue minute et, lorsqu'elle reprit la parole, je sus que Holmes avait fait une erreur de calcul, qu'au lieu de la distraire, son gambit n'avait réussi qu'à renforcer son désir d'affirmer sa supériorité sur lui. J'aurais pu le lui dire, mais il ne pouvait le savoir. Elle contre-attaqua en s'en prenant à son point faible, en cherchant à l'atteindre dans son orgueil.

« Je crois, dit-elle avec lenteur, de ce ton étrange qui me donnait l'impression de ne pas la connaître du tout, je crois que je vais vous appeler Sherlock. Un prénom bien peu élégant. À quoi pensait votre père ? Quoi qu'il en soit, nous avons des relations si intimes – unilatérales jusqu'à présent, j'en conviens – et depuis tant d'années, qu'il est temps, je trouve, de les rendre réciproques. Vous voudrez bien m'appeler désormais par mon prénom. »

Avant même qu'elle n'eût terminé ce petit discours bizarre, je savais ce qui me déroutait chez elle depuis le début. À Oxford, elle m'avait fait l'effet d'une femme que les contraintes de la vie universitaire irritaient et qui abandonnerait vite le professorat pour exercer ailleurs ses immenses compétences. C'était d'ailleurs plus ou moins l'explication que j'avais donnée à son absence du trimestre précédent. Il était clair à présent que cette rupture avait eu lieu, mais intérieurement : l'impatience rentrée qu'elle avait toujours montrée se donnait désormais libre cours, et la conscience qu'elle avait de sa supériorité avait dégénéré en un sentiment de toute-puissance. Son excentricité s'était transformée en folie.

C'était presque un exemple classique de démence, mais je n'avais pas besoin de manuel pour savoir ce que toutes mes fibres me disaient : elle était plus dangereuse que son arme, aussi explosive que des vapeurs d'essence, aussi venimeuse qu'une araignée. Terrifiée, je n'imaginais aucun moyen de la calmer, ni même de la distraire. Je ne pouvais que rester là, immobile et insignifiante, en laissant le champ de bataille à Holmes et à son expérience.

« Madame, je ne pense vraiment pas que...

– Je vous conseille de réfléchir, Sherlock. »

Je lui avais déjà entendu ce ton, lorsqu'elle me demandait si j'étais satisfaite de ma solution et que je cherchais fébrilement mon erreur pour éviter ses remarques cinglantes comme des coups de fouet. Holmes ne perçut pas la menace ou choisit de ne pas en tenir compte.

« Mademoiselle Donleavy, je... »

Le coup de feu claqua dans la pièce ; au même instant, je ressentis un léger tiraillement dans le haut du bras et quelque chose se désintégra bruyamment sur une étagère, à côte de la porte. J'avais juste eu le temps d'espérer que le bruit ne réveillerait pas Mme Hudson, quand la douleur flamba. Holmes se tourna vers moi au moment où je pressai ma main gauche sur la blessure.

« Russell, vous êtes...

– Elle va bien, mon cher Sherlock, et je vous conseille de rester tranquillement assis si vous tenez à ce que cela continue. Merci. Je vous assure que je touche exactement ce que je veux avec cette arme. Je ne fais rien à moitié, et cela inclut les exercices de tir. Par parenthèses, vous n'avez pas à craindre que votre garde vienne nous interrompre, ce soir : Mme Hudson et lui dorment profondément. Enlevez votre main, mon enfant, que nous voyons si vous saignez. Vous voyez ? À peine une égratignure. Un joli coup, vous en conviendrez. Je suis vraiment désolée d'avoir dû vous infliger cela, mademoiselle Russell, poursuivit-elle d'un ton entièrement différent, plein de compassion. Vous comprenez, je l'espère, que je n'ai pas l'habitude de tirer sur mes élèves. » Elle cherchait à m'arracher un sourire, et le plus terrible était qu'en dépit de la panique qui montait en moi j'avais envie de la satisfaire. De lui faire confiance.

« À présent, mon cher Holmes, revenons à nos moutons. Comment vous apprêtiez-vous à m'appeler ? » dit-elle avec une coquetterie affectée.

Sa voix me donnait la chair de poule. Elle était moqueuse en surface mais, au-dessous, il y avait une menace, du mépris et quelque chose d'autre aussi, que je ne perçus pas immédiatement : le ton d'intimité et de séduction grossier d'une femme totalement sûre de son pouvoir. J'eus envie de vomir, puis la colère commença à monter en moi, et elle me rendit mon sang-froid.

« J'attends, Sherlock. » Le revolver bougea légèrement sur son genou.

La réponse de Holmes sonna comme un crachat.

« Patricia.

– Voilà qui est mieux. Il faut encore travailler l'intonation, mais cela viendra. Comme je disais, j'ai le sentiment de très, très bien vous connaître. Savez-vous que vous êtes mon violon d'Ingres depuis que j'ai dix-huit ans ? Oui, cela fait un moment, n'est-ce pas ? J'étais à New York. Ma mère était mourante et, dans un kiosque, devant l'hôpital, j'ai vu votre photo sur la première page d'un journal. À l'intérieur, on expliquait que vous n'étiez pas mort et que vous aviez tué mon père. L'agonie de ma mère a été longue, et j'ai eu tout le temps de réfléchir à la façon dont je vous retrouverais, un jour. J'ai hérité de l'affaire de mon père, vous savez, encore que les mathématiques pures m'intéressent davantage que l'organisation. Elle a d'ailleurs fonctionné toute seule pendant que je faisais mes études. Mes directeurs étaient très loyaux. Ils le sont toujours ; la plupart d'entre eux, en tout cas. Ils me consultaient de temps à autre à l'université mais, pour l'essentiel, je leur disais ce qu'il fallait faire, et ils se chargeaient du reste. De temps à autre, je formulais un souhait, qu'ils exauçaient avec beaucoup d'efficacité.

– Comme ces accidents fâcheux dont deux professeurs ont été victimes peu avant que vous ne soyez engagée ? » dis-je sans réfléchir, en me rappelant une rumeur. Je sentis Holmes se tendre à côté de moi et me giflai mentalement pour avoir attiré son attention.

« Vous en avez donc entendu parler, mademoiselle Russell ? Oui, ils n'ont pas eu de chance, n'est-ce pas ? Néanmoins, j'ai eu le poste que je voulais, celui dont mon père avait été injustement chassé, et j'ai pu continuer à me consacrer à mon passe-temps. J'ai réuni tout ce qui avait été écrit par vous ou sur vous, Sherlock. J'ai même un exemplaire dédicacé de votre monographie sur les pneus de bicyclette, que vous aviez offert au préfet de police. Je vous assure que j'en fais plus de cas que lui. Peu à peu, j'ai tout appris vous concernant. J'ai repéré trois de vos refuges londoniens, mais je pense qu'il en existe au moins un autre. Celui où se trouve le Vernet est très agréable, même si le tapis laisse un peu à désirer. » Elle guetta sa réaction et, comme il n'en eut aucune, poursuivit avec irritation : « Billy n'a été que trop facile à trouver, et le suivre le soir où vous êtes allé à l'Opéra était un jeu d'enfants. J'ai pensé un moment à me servir de lui contre vous, en menaçant de révéler certains détails du passé de sa sœur, mais j'aurais eu l'impression de tricher. » De nouveau elle attendit une réaction, qui ne vint pas.

« Non, il n'y a pas grand-chose que j'ignore sur vous. Je sais pourquoi le fils de Mme Hudson a émigré si précipitamment en Australie ; vos relations avec Irène Adler après la mort de mon père ; l'origine de la cicatrice que vous avez au bas du dos. J'ai même une assez jolie photo de vous sortant des bains de vapeur du hammam de... Ah ! cela vous surprend ? jubila-t-elle en entendant l'exclamation étouffée de Holmes. Je vous ai même acheté la ferme que vous aviez sur la colline, il y a quelques années – par l'entremise d'un employé, bien sûr. Cela m'a permis de vous observer jusque dans votre chambre à coucher.

« Il m'a fallu cinq ans pour installer sept de mes employés dans la région, mais cela a été un plaisir de tous les instants. Et puis – délicieuse ironie ! –, votre protégée m'a choisie pour directrice d'études. Je ne pouvais rêver d'un plus beau cadeau. J'en ai appris autant avec Mlle Russell que si j'avais été assise dans un coin de votre salon. C'était vraiment divin.

« Pendant les vacances d'été, je m'occupe généralement de l'organisation, juste pour garder la main. L'été dernier, nous avons décidé d'emprunter la fille de ce sénateur américain. Comme vous le savez, nous n'avons pas entièrement réussi, mais imaginez mon plaisir quand je me suis rendu compte que vous étiez aussi sur cette affaire, quoique de l'autre côté. Nous avons pour ainsi dire travaillé ensemble, et cela avait un piquant qui m'a presque dédommagé de notre échec.

« Mon plan est né de ce fiasco. Je décidai d'enlever Mlle Russell et de m'amuser avec vous, publiquement, pendant une période assez longue. Je lui achetai des vêtements à Liverpool – tout à fait acceptables, vous en conviendrez, bien qu'elle ne s'en soit pas servie, apparemment ? Dommage. Un de mes employés pickpockets subtilisa une paire de chaussures dans son appartement, surtout pour établir un parallèle entre les deux enlèvements... ah ! je vois que cela vous avait échappé. C'est bien décevant. Je comptais l'enlever à la fin du trimestre, pour que mes absences ne suscitent pas trop de commentaires. »

C'était extrêment déconcertant de l'entendre discuter de moi de cette façon, mais je ne réagis pas. Elle commençait à oublier ma présence, à parler de moi à la troisième personne. J'avais des élancements dans le bras droit et des fourmis jusque dans les doigts.

« Puis, fin octobre, tout changea. Mon médecin m'apprit que je n'avais plus qu'un an à vivre, et je dus modifier mes plans. Pouvais-je encore m'embarquer dans un projet compliqué, physiquement éprouvant, qui ne saurait être mené à bien qu'en six ou huit mois et exigerait des voyages réguliers dans un coin perdu du genre des îles Orcades ? À contrecœur, je me rabattis sur quelque chose de plus simple. Incapable de me résoudre à me priver du plaisir de jouer au chat et à la souris, je décidai que je vous éliminerais tous purement et simplement. Si je pouvais rendre votre échec public, tant mieux. Après tout, je n'avais pas grand-chose à perdre.

« À la fin du trimestre, tout était prêt. J'étais en congé de maladie, j'avais engagé M. Dickson et, juste avant de quitter Oxford, je soumis certains des exercices mathématiques de mon père à Mlle Russell. Les jours qui suivirent furent merveilleux, oui, vraiment, comme une équation complexe qui se met en place. Je fus extrêmement contrariée de la maladresse de M. Dickson, je vous l'ai dit. Cela m'obligea à retarder la bombe de Mlle Russell d'un jour pour être certaine que vous fussiez en état de la désamorcer. Puis j'attendis. Je n'avais pas vraiment besoin du docteur Watson, mais cela a été amusant, vous ne trouvez pas ? Ce vieux gâteux. Un gamin a surveillé l'appartement de votre frère toute la journée, et j'ai su que vous étiez chez lui avant que vous ne franchissiez sa porte. Le lendemain, après que vous eûtes semé mes hommes, j'ai joué et misé sur Billy, ce qui s'est révélé payant. Il nous a conduits droit à vous, et nous avons eu une conversation assommante jusqu'à ce qu'il s'endorme. J'ai été désolée de détruire vos vêtements, mademoiselle Russell. Ils avaient dû vous coûter une bonne partie de votre argent de poche.

– C'est moi qui les avais payés, en fait », intervint Holmes. Je sentis les yeux de Mlle Donleavy quitter ma personne pour se reporter sur lui.

« Dans ce cas, tout va bien. Avez-vous apprécié mon petit jeu dans le parc ? Vos articles sur les empreintes de pas étaient très instructifs.

– C'était très intelligent, dit Holmes avec froideur.

– "C'était très intelligent"... ? »

Il parla, les dents serrées, ce qui me rassura. Je commençais à croire sa colère authentique.

« C'était très intelligent, "Patricia", cracha-t-il.

– N'est-ce pas ? Mais j'ai été extrêment contrariée lorsque vous avez disparu sur ce satané bateau. Furieuse même. Savez-vous ce qu'il m'en a coûté de faire surveiller les docks correctement ? J'étais certaine que vous reviendriez à Londres, mais des semaines ont passé sans que vous vous manifestiez. Mes directeurs se sont émus des sommes dépensées. J'ai dû me débarrasser de deux d'entre eux avant que les autres ne se calment. Et le temps, mon temps précieux, perdu ! Finalement, vous êtes revenu, et lorsque l'on m'a rapporté votre apparence et votre conduite, je n'ai pas voulu y croire. J'ai même pris le risque de venir jusqu'ici pour juger par moi-même. J'avoue que je m'y suis laissé prendre. Je n'ai pas pensé qu'il pouvait s'agir d'une comédie. Oh ! s'il n'y avait eu que vous, je me serais méfiée, mais je ne croyais pas Mlle Russell capable d'un numéro d'acteur de cette qualité. C'était bien autre chose que de s'habiller en bohémienne. Ce n'est qu'en vous voyant entrer ici tous les deux que j'ai été certaine d'avoir été bernée. »

Sa voix était devenue rauque, et elle tenait son revolver avec plus de désinvolture. Holmes et moi restions immobiles, lui avec une expression d'ennui poli sur le visage, moi en m'efforçant d'avoir l'air jeune et stupide. Mon sang avait cessé de goutter sur le carrelage, mais j'avais la main droite légèrement engourdie. Patricia Donleavy reprit la parole, d'une voix légèrement cassée par la fatigue. J'attendais, invisible, que Holmes me donne l'occasion d'agir.

« Ce qui nous amène à aujourd'hui. Pourquoi croyez-vous que je sois venue, mon cher Sherlock ? »

Il répondit avec indifférence, d'un ton insultant.

« Pour chanter votre victoire sur moi, comme un coq sur son tas de fumier.

– Patricia. » Le revolver se fit menaçant.

« Ma chère Patricia, jeta-t-il avec mépris.

– C'est une façon de présenter les choses, je suppose. Rien d'autre ?

– Vous souhaitez m'humilier, de préférence publiquement, afin de venger votre père.

– Excellent. Vous voyez cette enveloppe sur l'étagère à votre droite, mademoiselle Russell ? Celle du haut. Levez-vous et allez la prendre, je vous prie... doucement, n'oubliez pas. Bien, posez-la devant Sherlock et retournez vous asseoir. Les mains sur la table. Merci.

« Ce document explique votre suicide, Sherlock. Un peu long, mais on n'y peut rien. Pour votre information : la machine sur laquelle il a été tapé se trouve en bas, à la place de la vôtre. Lisez-le, je vous en prie, et placez-le devant Mlle Russell si vous souhaitez qu'elle en fasse autant. Vous n'y toucherez pas, mademoiselle. Il serait fort gênant que vos empreintes figurent sur un document aussi personnel. Je vous en prie, mon cher Sherlock, il faut que vous le lisiez. Je suis vraiment très satisfaite de l'effet qu'il produit. Sans compter qu'il ne faut jamais rien signer sans l'avoir lu. » Elle éclata d'un rire joyeux qui ne laissait aucun doute sur sa folie.

La lettre commençait par déclarer que lui, Sherlock Holmes, disposait de toute sa raison mais ne trouvait tout simplement plus d'intérêt à la vie ; puis elle expliquait en détail pourquoi. Le fait que je l'aie rejeté et la dépression qui en avait résulté étaient niés avec tant de véhémence que l'on comprenait que c'était la raison principale de son acte, quoique la lettre évitât soigneusement de me donner des torts. Suivait un exposé, long, décousu, circonstancié, démontrant que les récits de Watson étaient entièrement faux. Dix-sept affaires en tout étaient examinées à la loupe, et il était précisé à qui revenait réellement le mérite de les avoir élucidées : généralement à la police ; quelquefois à Holmes, qui était tombé par hasard sur la réponse, et une fois à Watson. Venait finalement la mort de Moriarty, et il était révélé que l'histoire avait été fabriquée de toutes pièces pour nuire à un professeur inoffensif, qui avait pris au détective la jeune femme qu'il convoitait et que Holmes avait traqué jusqu'à sa mort en inventant un syndicat du crime totalement imaginaire. Le document se terminait par des excuses abjectes à la mémoire de ce grand homme injustement traité et à la population en général, indignement trompée.

C'était fort bien fait. Le lecteur en retirait l'impression d'avoir affaire à un égotiste déséquilibré, profondément déprimé, rongé par la drogue, qui avait ruiné des carrières et des vies pour asseoir sa réputation. Si ces feuillets étaient jamais rendus publics, ils causeraient un énorme scandale et couvriraient très probablement d'opprobre le nom de Sherlock Holmes. Je me laissai aller en arrière, bouleversée.

« Vous avez un don certain pour le roman, dit Holmes d'une voix glaciale. Mais vous ne vous imaginez certainement pas que je vais signer ça.

– Si vous ne le faites pas, j'abattrai Mlle Russell, puis vous, et un de mes employés imitera votre signature. Vous aurez commis un meurtre et un suicide, et son nom sera compromis avec le vôtre.

– Et si je signe ?

– Vous pourrez vous faire une dernière injection, qui se révélera fatale même pour un homme ayant vos penchants. Mlle Russell sera emmenée et libérée après que les journaux auront trouvé votre lettre. Elle n'a aucune preuve, voyez-vous, absolument aucune, et je serai loin.

– Vous me donneriez votre parole de ne lui faire aucun mal ? »

Il était sérieux, même moi pouvais m'en rendre compte.

« Holmes, non ! m'écriai-je, consternée.

– Vous me donnerez votre parole ? répéta-t-il.

– Vous l'avez : rien n'arrivera à Mlle Russell tant qu'elle sera sous ma garde.

– Pour l'amour du ciel, Holmes, ne le faites pas ! Pourquoi la croiriez-vous ? Elle m'abattrait dès que vous auriez disparu.

– Mademoiselle Russell ! protesta-t-elle, indignée. Je suis une femme d'honneur. N'ai-je pas payé ce que je devais à Dickson après sa mort ? Et j'entretiens aussi la famille de bons à rien de mon employé, pendant qu'il est en prison. J'ai même fait parvenir son second souverain au garçon qui vous a livré ces vêtements. Je tiens parole, mademoiselle Russell.

– Je vous crois, Patricia. J'ignore pourquoi, mais je vous crois. Je vais prendre mon stylo dans ma poche intérieure. » Et, lentement, il joignit le geste à la parole. Horrifiée, je le regardai ôter le capuchon et poser la plume au bas de la dernière feuille. Puis, à l'instant le plus dramatique, le stylo refusa d'écrire. Holmes le secoua sans succès et leva les yeux.

« Je crains que le réservoir ne soit vide, Patricia. Il y a une bouteille d'encre dans le placard, au-dessus de l'évier. »

Elle hésita un instant, craignant une ruse, mais il attendait patiemment, son stylo à la main.

« Allez la chercher, mademoiselle Russell.

– Holmes, je...

– Cessez de pleurnicher, mon enfant, et allez chercher cette encre, sinon je vais être tentée de faire un second trou dans votre personne. »

Je me tournai vers Holmes, qui me regarda avec calme, en haussant légèrement un sourcil.

« L'encre, Russell, s'il vous plaît. Votre professeur semble nous avoir mis échec et mat. »

Je repoussai ma chaise avec brusquerie pour dissimuler la lueur d'espoir qui s'était allumée en moi. Après avoir pris la bouteille, je la posai sur la table devant Holmes et me rassis. Il écarta la feuille de papier, dévissa le bouchon, remplit son stylo et nettoya soigneusement la plume de son surplus d'encre. Puis il posa le stylo sur la table, referma la bouteille, la poussa sur le côté, reprit la dernière feuille du document, approcha la plume du papier, et s'immobilisa.

« Vous savez, bien entendu, que votre père s'est suicidé, lui aussi ?

– Quoi !

– Suicidé », répéta-t-il. Il revissa distraitement le capuchon du stylo, le posa sur la table, joua distraitement avec la bouteille, puis la poussa de côté et se pencha en avant, appuyé sur les coudes.

« Oh ! oui, sa mort était un suicide. Il me suivit jusqu'en Suisse après que j'eus détruit son organisation, et s'arrangea pour me rencontrer dans l'endroit le plus écarté qu'il put trouver. Bien que sachant qu'il n'était pas de taille à lutter avec moi physiquement, il vint sans arme. Bizarre, vous ne trouvez pas ? De plus, il avait pris des dispositions pour qu'un complice me bombarde de rochers ensuite, parce qu'il se doutait qu'il ne m'entraînerait pas avec lui dans la mort. Oui, c'était manifestement un suicide, Patricia. » Son ton s'était durci peu à peu, et il prononça son prénom comme si c'était une obscénité.

« Vous dites avoir appris à me connaître, Patricia, poursuivit-il d'un ton plein de mépris. Je vous connais aussi. Vous êtes la digne fille de votre père. C'était un cerveau de premier ordre, comme vous, et, comme vous, il abandonna le monde de la pensée intègre pour l'ordure et le mal. Votre père créa un réseau d'horreur et de dépravation dépassant tout ce que ces îles avaient jamais connu, un réseau tissé de tout ce que le monde du crime avait à offrir. Ses agents, ses “employés” comme vous dites, volaient et assassinaient, ruinaient des familles par le chantage, empoisonnaient hommes et femmes par la drogue. Rien n’était trop infâme pour votre père, Patricia Donleavy, pas plus la contrebande et l’opium que la torture et la prostitution. Mais ce bon professeur ne quittait jamais son bureau ; il gardait propres ses mains délicates. Rien ne le touchait, ni les souffrances, ni le sang, ni la terreur que répandaient ses agents. Comme vous, madame, il n’était sensible qu’aux profits qu’il tirait de cette purulence sordide, et il achetait de jolies robes à sa femme, jouait à des jeux mathématiques avec sa petite fille dans le salon. Jusqu’à ce que moi, Sherlock Holmes, je vienne fourrer mon nez dans ses affaires. J’ai réduit son réseau à quelques confettis et couvert d’opprobre le nom de Moriarty, au point que même sa fille n’ose le porter ouvertement. Et finalement, lorsque sa vie fut en ruine, lorsque je l’eus acculé sans recours, je le précipitai dans les chutes de Reichenbach et il mourut. Votre père était une plaie suppurante qui rongeait la face de Londres, Patricia Donleavy, et moi, Sher... »

Un cri de fureur animale l’interrompit. Elle se leva et braqua son arme sur Holmes, et moi, ma main droite inutile posée sur la table, je m’emparai de la lourde bouteille d’encre et la lançai droit sur sa main. Un éclair et une détonation assourdissante déchirèrent l’air, et le revolver alla voler contre le mur. Elle jaillit de son coin obscur, plongea vers l’arme et l’atteignit un instant, une fraction de seconde, avant que je ne me jette sur elle de tout mon poids et que nous n’allions nous écraser contre les étagères, dans une pluie de livres, de bouteilles et d’instruments. Sa folie et sa fureur décuplaient ses forces, et elle avait le revolver à la main, mais je l’écrasais de tout mon corps et étreignais son poignet avec une énergie désespérée en tâchant de le détourner de Holmes, lentement, si lentement. Puis ce fut un chaos d'impressions confuses : quelque chose glissa, et ma main gauche se referma sur une paume chaude et vide au moment même où un troisième coup de feu assourdissant retentissait près de ma tête. Elle se raidit sous moi, toussa légèrement, puis son bras droit devint flasque et sa main gauche retomba sur mon dos. Je restai un instant immobile, étourdie, jusqu'à ce que mes yeux se fixent sur le revolver, à quelques centimètres de son bras ; je l'écartai pour qu'elle ne puisse l'atteindre, puis me rappelai, terrifiée, le second coup de feu. Qui avait-elle touché ? Je me tournai et constatai que Holmes était indemne, mais quelque chose n'allait pas, quelque chose n'allait vraiment pas, mon épaule droite ! Et d'un seul coup, la douleur explosa, une douleur immense, effrayante, qui monta, me submergea, et je tendis la main vers Holmes en hurlant tandis qu'un grondement de tonnerre éclatait dans mes oreilles et que je tombais dans un puits profond de velours noir.

ÉPILOGUE

Sans armure

Retour

La plupart des êtres ont le sentiment confus qu'un hasard très précaire, une sorte de membrane transparente, sépare la mort de l'amour...

Des heures sans fin, des semaines semblait-il, ballottée sur une mer obscure, dans un labyrinthe d'images floues, de bribes de conversation décousues, me parvenant de l'autre côté d'un mur invisible. Le Rêve, ininterrompu, une horreur à laquelle aucun réveil ne venait mettre un terme, où je cherchais la terre ferme pour être happée à nouveau par la douleur et rejetée dans une nuit grondante. Les cheveux ébouriffés de mon frère encadrés par la lunette arrière. Patricia Donleavy, émaciée et malade, gisant dans un lac de sang incroyablement rouge. Un vase à bec brisé, dont le sulfate de cuivre liquide, d'un vert bilieux, tombait goutte à goutte de l'établi au-dessus de moi. Donleavy encore qui, debout près de mon lit d'hôpital, proposait de me précipiter du haut d'une falaise. Holmes, immobile sur le carrelage du laboratoire, une main solitaire autour de la tête. Le froid et la fièvre me brûlaient, et j'étais consumée par des cauchemars sans fin.

Lentement, avec obstination, mon corps commença à reprendre le dessus. Lentement, la fièvre s'épuisa, vacilla et s'éteignit. Petit à petit, on diminua les médicaments ; puis, un soir, je remontai vers le monde rationnel et, allongée sur le dos, contemplai sans curiosité ce qui m'entourait depuis un point situé juste au-dessous de la surface. Une mince pellicule miroitante me séparait du plafond blanc, des murs carrelés de blanc, des machines au-dessus de ma tête, des deux yeux gris qui me regardaient avec calme. Je montai encore et, finalement, la bulle éclata, la membrane céda. Je clignai les yeux.

« Holmes, dirent mes lèvres, sans qu'aucun son s'en échappe.

– Oui, Russell. » Les yeux sourirent. Je les regardai quelques minutes, vaguement consciente qu'ils avaient de l'importance pour moi. Je tâchai de reconstruire les événements mais, si je m'en souvenais, les émotions qui les avaient accompagnés me paraissaient rétrospectivement excessives. Je refermai mes paupières lourdes.

« Holmes, murmurai-je. Je suis contente que vous soyez en vie. »

Je dormis et, quand je me réveillai, un soleil blessant brillait dans la pièce. Son éclat était intercepté en plusieurs endroits par des formes sombres et, tandis que je les regardais, les yeux plissés, une silhouette tira les rideaux, plongeant la pièce dans une pénombre supportable. Je vis alors Holmes debout d'un côté de mon lit et un inconnu en blouse blanche, de l'autre. Blouse-blanche appuya des doigts doux et fermes sur mon poignet. Holmes se pencha, me posa mes lunettes sur le nez, puis s'assit au bord du lit de façon à être dans mon champ de vision. Je ne pouvais pas bouger la tête. Il s'était rasé, ce matin-là, et je voyais avec précision les pores de ses joues creuses, la peau tendre et poudreuse autour de ses yeux, le léger affaissement de ses traits, qui indiquaient qu'il n'avait pas dormi depuis longtemps. Mais ses yeux étaient calmes, et une ébauche de sourire détendait sa bouche expressive.

« Mademoiselle Russell ? » Je détachai mon regard de Holmes pour le poser sur le jeune visage du médecin. « Bienvenue parmi nous, mademoiselle. Vous nous avez inquiétés quelque temps, mais vous êtes tirée d'affaire, maintenant. Vous avez une clavicule cassée et vous avez perdu beaucoup de sang, mais hormis une cicatrice supplémentaire à ajouter à votre collection, il n'y aura pas de séquelles. Voulez-vous un peu d'eau ? Bien. L'infirmière va vous aider. Allez-y doucement, il faut que vous vous réhabituiez à avaler. Vous pouvez rester cinq minutes, monsieur Holmes. Empêchez-la de trop parler. Je reviendrai plus tard. » L'infirmière et lui sortirent, et j'entendis sa voix s'éloigner dans le couloir.

« Eh bien, Russell. Notre piège a fonctionné, mais il a failli vous être fatal. Un sacrifice aussi généreux n'était pas tout à fait dans mes intentions. »

J'humectai mes lèvres sèches.

« Désolée. Trop lente. Blessé ?

– Non, vous avez réagi aussi vite que je l'escomptais. Si vous aviez été plus lente, sa balle aurait pu jeter un certain désordre dans mon organisme mais, grâce aux idées de votre père sur les femmes et le cricket, votre bras gauche a fait merveille et je n'ai perdu qu'un petit bout de peau de la taille de votre doigt. C'est moi qui vous dois des excuses. Si j'avais été plus rapide, le coup de feu ne serait pas parti du tout, vous auriez une clavicule intacte, et elle attendrait son procès en prison.

– Morte ?

– Oh ! oui. Je vous épargnerai les détails pour l'instant, parce que ces messieurs en blanc n'aimeraient pas que j'accélère votre pouls, mais elle est morte, et Scotland Yard fouille gaiement dans ses papiers, en y trouvant des choses qui occuperont Lestrade pendant des années. Sans parler de ses collègues américains. Oui, c'est ça, fermez un peu les yeux. Il fait trop clair, ici. Dormez, ma chère Russell. »

Un murmure de voix me réveilla dans l'après-midi. La pièce était toujours plongée dans la pénombre, et la tête et l'épaule m'élançaient sous les pansements. Une infirmière se pencha vers moi, vit que j'étais réveillée, me glissa un thermomètre entre les lèvres et s'affaira sur diverses parties de ma personne. Lorsque j'eus de nouveau la bouche libre, je parlai. Ma voix résonnait étrangement à mes oreilles, et articuler me donnait des tiraillements dans la clavicule.

« De l'eau, s'il vous plaît.

– Tout de suite, mademoiselle. Je vais redresser votre lit. » Les voix s'étaient tues et, à mesure qu'elle tournait la manivelle, mon champ de vision, limité jusque-là au plafond, s'élargit au lit et à mes visiteurs. L'infirmière me tint mon verre, et je tirai méthodiquement sur la paille, bien que déglutir me fût douloureux.

« Encore, mademoiselle ?

– Pas maintenant, merci.

– Sonnez si vous avez besoin de moi. Dix minutes, messieurs, et ne la fatiguez pas, surtout.

– Votre moustache a presque entièrement repoussé, oncle John. (*Vieux gâteux...*)

– Bonjour, ma chère Mary. Vous avez bien meilleure mine qu'il y a trois jours. Il y a de bons médecins, ici.

– Et monsieur Holmes. Je suis heureuse de vous saluer plus courtoisement que lors de notre dernière rencontre. (L'expression de bonhomie joviale de Mycroft me paraissait légèrement menaçante.)

– Je vous en prie, mademoiselle Russell, ces formalités ne sont plus de mise entre nous. D'autant que vous nous recevez pour ainsi dire dans votre boudoir. » Son visage me souriait, et j'étais si fatiguée. Que faisaient-ils ici ?

« Mycroft, alors. Et Holmes. Vous avez pris un peu de repos depuis ce matin, on dirait. Vous avez l'air moins tendu.

– Exact. Il y a une chambre libre à côté de la vôtre, et je m'en suis servi. Comment vous sentez-vous, Russell ?

– J'ai l'impression qu'un gros morceau de plomb m'a traversée en emportant avec lui une importante quantité de moi-même. Que disent les blouses-blanches ? » (*Pourquoi ne partaient-ils pas ? Peut-être étaient-ce les analgésiques qui émoussaient mon intérêt.*)

Watson s'éclaircit la voix.

« La balle vous a traversé la nuque en manquant la colonne vertébrale de... bref, elle l'a manquée. Elle a en revanche brisé votre clavicule et entaillé divers vaisseaux sanguins avant de ressortir et d'aller se loger dans le cœur de Mlle Donleavy. Les chirurgiens ont reconstitué la clavicule, mais les muscles de cette région sont assez abîmés. Je crains que vous ne manifestiez désormais une prédilection pour les vêtements à col haut. Mais, apparemment, vous vous y étiez déjà résignée. Où diable avez-vous ramassé toutes ces cicatrices ?

– Watson, je pense... commença Holmes.

– Non, Holmes, ça ne fait rien. » J'étais si lasse, et Watson me regardait avec ce qui était sans doute une tendre sollicitude. Je fermai les yeux. « J'ai eu un accident, il y a quelques années, oncle John. Demandez à Holmes de vous le raconter. Je crois que je vais dormir un peu maintenant, si cela ne vous ennuie pas. »

Ils sortirent, mais je ne dormis pas. Je tâtai les doigts insensibles de ma main droite, pensai aux murs de Jérusalem et à ce que mon professeur de mathématiques m'avait fait perdre.

Je restai longtemps dans cet hôpital et, peu à peu, mon bras et mon cou retrouvèrent une certaine mobilité. Je ne pouvais supporter l'idée de voir ma tante et, dès que je fus consciente, je refusai ses visites. Après quelques discussions, il fut décidé que j'irais dans la chambre d'amis de la fermette de Holmes, à l'immense plaisir de Mme Hudson et à la consternation du personnel hospitalier, qui s'inquiéta de la distance, de l'isolement et de la mauvaise route sur laquelle il me faudrait voyager. Je dis à Holmes que je souhaitais aller chez lui et le laissai régler la question pour moi.

Une fois dans la fermette, je mangeai docilement, dormis, me reposai au soleil et exerçai mon bras blessé, mais je n'avais de goût à rien. Je ne rêvais pas, bien qu'il m'arrivât souvent dans la journée de passer de longs moments à regarder dans le vide sans penser à rien. Deux semaines après mon arrivée dans la fermette, je montai dans le laboratoire et contemplai le sol propre et les étagères réparées. Je touchai les deux trous que les balles avaient laissés dans les murs et n'éprouvai rien d'autre qu'un vague malaise.

L'été avança, et je retrouvai des forces, mais personne ne suggéra que je rentre chez moi. Holmes et moi commençâmes à parler, des discussions courtes et hésitantes sur Oxford et mes études. Il était souvent absent, mais je ne lui demandais pas pourquoi, et il ne me le disait pas.

Un jour, en entrant dans le salon, je vis le jeu d'échecs sur une table basse. Holmes travaillait à son bureau. Il remarqua sans doute l'expression de haine qui se peignit sur mon visage à la vue de ces trente pièces sculptées, de la salière et du roi-écrou sur leurs cases de teck et de bouleau. Je le pris à partie.

« Pour l'amour du ciel, Holmes, vous n'êtes pas dégoûté des échecs pour le restant de vos jours ? Rangez-le, débarrassez-vous-en. Si vous souhaitez que je quitte votre maison, je le ferai, mais ne me demandez pas de regarder ça. » Je partis en claquant la porte. Plus tard dans l'après-midi, je vis que le coffret avait été fermé mais qu'il était toujours au même endroit. Je ne dis rien mais évitai cette partie de la pièce. Les échecs restèrent sur la table. Je restai dans la fermette.

Je commençai à trouver Holmes de plus en plus irritant. L'odeur de sa pipe, les émanations de son laboratoire portaient sur mes nerfs à vif, et je me réfugiais dans la campagne ou derrière la porte de ma chambre. Son violon m'envoyait faire de longues promenades sur les Downs, dont je rentrais tremblante d'épuisement, mais je ne retournais pas chez moi. Je me mis à lui lancer des remarques acerbes, auxquelles il répondait toujours avec calme et patience, ce qui ne faisait que m'exaspérer davantage. La fureur montait en moi mais sans pouvoir s'exprimer, car Holmes restait imperturbable. Pendant la dernière semaine de juillet, je résolus de quitter sa maison et de retourner à Oxford. La semaine suivante.

J'étais dans cet état d'esprit quand arriva une lettre. Assise sur une colline, loin de la fermette, un livre oublié sur les genoux, je contemplais la Manche, lorsque Holmes surgit soudain près de moi, sans que je l'eusse entendu approcher. Il me tendit l'enveloppe entre deux doigts maigres, et je la pris.

Elle était de Jessica et, en voyant son écriture enfantine, je l'imaginai un instant, courbée sur l'enveloppe, un crayon dans sa petite main, traçant laborieusement mon nom. Je souris, et cela me fit une impression étrange. Je lus la lettre à voix haute :

Ma chère sœur,

Comment allez-vous ? Ma maman m'a dit qu'une vilaine dame vous avait fait mal au bras. J'espère que maintenant il est guéri. Je vais bien. Hier, un homme bizarre est venu à la maison, mais j'ai tenu la main de maman et j'ai été courageuse et forte comme vous. Je fais des cauchemars quelquefois et je pleure mais, quand je pense à la façon dont vous avez descendu l'arbre en me portant comme une maman singe, ça me fait rire et je me rendors.

Est-ce que vous viendrez me voir quand vous irez mieux ? Dites bonjour à M. Holmes pour moi. Je vous embrasse.

Jessica.

« Courageuse et forte comme moi », murmurai-je. Et je me mis à rire, un rire âpre, amer, qui me meurtrit la gorge et me donna des élancements dans l'épaule. Puis je passai du rire aux larmes et pleurai longuement jusqu'à m'endormir dans la lumière simple du soleil, tandis que Holmes me caressait les cheveux de ses mains douces et intelligentes.

Lorsque je me réveillai, le soleil avait décliné, et Holmes n'avait pas bougé. Je me tournai maladroitement sur le dos pour soulager mon épaule et regardai le ciel. Holmes sortit sa pipe et rompit le silence.

« Je dois partir six semaines en France et en Italie. Je serai de retour avant que vos cours ne reprennent. Voulez-vous venir avec moi ? »

Je le regardai remplir sa pipe, tasser le tabac, enflammer une allumette, l'approcher du fourneau. La douce odeur du tabac monta dans l'air. Je me souris à moi-même.

« Je crois que je vais me mettre à la pipe, Holmes, pour l'éloquence de la chose. »

Il me jeta un regard pénétrant, puis son visage se détendit et reprit sa vieille expression pleine d'humour. Il hocha la tête, comme si je lui avais donné une réponse, et nous regardâmes le soleil changer la couleur du ciel et de la mer jusqu'à ce que le vent se lève. Holmes tapota sa pipe contre la semelle de sa chaussure, se mit debout et m'aida à en faire autant.

« Prévenez-moi lorsque vous serez prête pour une partie d'échecs, Russell. »

Vingt minutes plus tard, nous arrivâmes près de ses ruches, et il alla les examiner pendant que je regardais les dernières ouvrières rentrer chez elles avec leur chargement de pollen. Holmes revint et nous nous dirigeâmes vers la fermette.

« Je vous concéderai même l'avantage d'une pièce, Russell.

– Mais pas d'une reine ?

– Oh ! non, jamais plus. Vous jouez beaucoup trop bien pour cela.

– Nous partirons à égalité, alors.

– Je vous battrai, dans ce cas.

– Je ne pense pas, Holmes. Je ne pense vraiment pas. »

La maison était chaude, éclairée et sentait le tabac, le soufre et la nourriture qui nous attendait.

Table des matières

LIVRE UN

Apprentissage

L'apprenti apiculteur

LIVRE DEUX

Études pratiques

La fille du sénateur

Table des matières

LIVRE TROIS

Association

Le gibier est levé

Excursus

Nous rassemblons nos forces

LIVRE QUATRE

Maîtrise

Le combat est engagé

Épilogue

Sans armure

Impression réalisée sur CAMERON par
BRODARD ET TAUPIN
La Flèche

pour le compte des Éditions Ramsay
en mars 1998

Imprimé en France
Dépôt légal : mars 1998
N° d'impression : 6732 T-5
ISBN : 2-84114-361-9
50-0322-3
RAR 866